Joyce Tyldesley

DIE KÖNIGINNEN DES ALTEN ÄGYPTEN

VON DEN FRÜHEN DYNASTIEN BIS ZUM TOD KLEOPATRAS

mit 273 Bildern, davon 173 in Farbe

KOEHLER & AMELANG

(*Seite 1*) Dieser in West-Theben gefundene Armreif in der Form eines Geiers wird Königin Ahhotep I., der Mutter von Ahmose (Neues Reich), zugeschrieben.

(*Seite 2*) „Die weiße Königin" Meritamun, Tochter und Gattin von Ramses II. Gefunden im Ramesseum, heute im Ägyptischen Museum, Kairo.

Bibliografische Information der Deutschen Nationalbibliothek
Die Deutsche Nationalbibliothek verzeichnet diese Publikation in der Deutschen Nationalbibliografie; detaillierte bibliografische Daten sind im Internet über http://dnb.d-nb.de abrufbar.

ISBN: 978-3-7338-0358-2

Veröffentlicht in Koproduktion mit Thames & Hudson Ltd, 181A High Holborn, London WC1V 7QX. Titel der Originalausgabe: Chronicle of the Queens of Egypt. From Early Dynastic Times to the Death of Cleopatra

www.koehler-amelang.de
www.seemann-henschel.de
Umschlagbild: Aus dem Grab der Nofretiri, Kammer K, Säule II, nach der Restaurierung. Foto von Guillermo Aldana

Gedruckt auf alterungsbeständigem Papier mit chlorfrei gebleichtem Zellstoff.

Übersetzung: agentur commintern
Satz und Herstellung: Print Company Verlagsges.m.b.H., Wien
Umschlaggestaltung: Lambert und Lambert, Düsseldorf

Druck und buchbinderische Verarbeitung: Everbest Printing Co Ltd, China

Inhalt

VORWORT

Dieses Buches möchte erforschen, wie sich die Rolle der Königinnen Äqyptens von der Frühzeit bis zum Tod von Kleopatra VII. im Jahr 30 v. Chr. entwickelt hat. Es stützt sich auf archäologische Funde, Texte und Überlieferungen, um eine faszinierende Geschichte zu erzählen: von politischer und religiöser Macht, von blutigen Schlachten und ewiger Schönheit, von Göttlichkeit und Tod. Es umfasst eine Vielzahl an Frauengestalten – Königsgemahlinnen und -mütter, geheimnisvolle Lieblingsfrauen im Schatten des Harems und die wenigen „echten" Königinnen, denen es gelang, jahrhundertealte Traditionen und Vorurteile zu überwinden und ihr Land als weibliche Pharaonen zu regieren. Doch ist diese Geschichte abgesehen vom Glanz und den Persönlichkeiten es wert, erzählt zu werden? Ist es zulässig, eine „weibliche Geschichte" zu erzählen, die einen einzigen Aspekt eines so komplizierten Gefüges, wie es die ägyptischen Königshäuser waren, in den Vordergrund stellt?

Ich bin davon fest überzeugt. Ägyptologen wissen um die Bedeutung des Pharao, des lebenden Mittlers zwischen Göttern und Sterblichen, für das Überleben Ägyptens. Und es gibt immer mehr Beweise für die Bedeutung ihrer Gefährtinnen, dem weiblichen Element des Gottkönigtums, für das Überleben der Könige. Kein einziger Pharao blieb ohne Gemahlin. So wie Ägypten immer einen König brauchte, brauchte dieser immer eine Frau an seiner Seite. Und wie jede andere ägyptische Ehefrau musste diese Königin ihrem Gemahl beistehen. Indem wir mehr über die politischen und religiösen Pflichten dieser Frauen erfahren, lernen wir nicht nur die Idee des Pharaonentums zu verstehen, sondern gewinnen Einblick in die Feinheiten und die Komplexität der königlichen Geschichte und Religion, aber auch des Alltagslebens. Obwohl es ausgezeichnete Werke sowohl über bestimmte Aspekte des Königinnentums – vor allem Lana Troys *Patterns of Queenship in Ancient Egyptian Myth and History* – als auch über einzelne Königinnen gibt, fehlt bisher ein Buch mit einem breiteren Ansatz. Dieses Buch will diese Lücke schließen, und ich hoffe, dass es für Studierende ebenso lesenswert ist wie für interessierte Laien.

Fragment eines Kopfes aus gelbem Jaspis. Es stellt eine Königin der Amarnazeit dar, entweder Teje (Gemahlin von Amenophis III.) oder Nofretete (Gemahlin von Echnaton). Die Herkunft des Kopfes ist unbekannt, wahrscheinlich stammt er aus Amarna (heute: Tell el-Amarna). Metropolitan Museum of Art, New York.

Das Buch ist in zwei Teile gegliedert. Da es unmöglich wäre, die Rolle der Königinnen Ägyptens zu untersuchen, ohne die Rolle der Frau in der ägyptischen Gesellschaft zu verstehen, beginnt der erste Teil, die Einleitung, mit einer Betrachtung der Rechte und Verpflichtungen von Frauen und Müttern in der traditionellen Familie und davon ausgehend in der königlichen Familie. Die Rolle des Pharao wird ebenfalls beleuchtet, da sich der Status der Königin über ihr Verhältnis zu ihrem Ehemann und/oder Sohn definierte. Und zum Schluss widmet sich die Einleitung der grundlegenden Frage, wie der Begriff „Königin" im Alten Ägypten zu verstehen ist.

Der zweite Teil des Buches dokumentiert das Leben einzelner Königinnen, Dynastie für Dynastie, und folgt der Entwicklung ihrer immer komplexeren Titel, Insignien und Grabstätten. Diese Geschichte ist nicht ohne Brüche. Wie die chronologischen Tabellen zeigen, ist unser Wissen, vor allem über die frühen Dynastien, lückenhaft. Auch ist die Geschichte nicht gerecht. Einige Königinnen sind uns wohl bekannt,

Nofretiri, Gemahlin von Ramses II., verdeutlicht die immer komplexer werdende Rolle der königlichen Gemahlinnen. Auf diesem Relief an der Fassade des kleineren der beiden Tempel von Abu Simbel trägt sie die Insignien der Göttin Hathor. Nofretiri ist eines der besten Beispiele für jene Königinnen, deren Name und Bildnis uns wohl bekannt sind, deren Leben jedoch nach wie vor ein Rätsel ist.

während wir von anderen, die vielleicht ebenso bedeutend waren, nur die Namen wissen. Und doch ist es eine faszinierende Geschichte.

Die wichtigsten Aspekte des Lebens der besser dokumentierten Königinnen sind übersichtlich in Tabellen dargestellt, ebenso wurden die Namen der meisten Königinnen in Hieroglyphen oder Kartuschen wiedergegeben, die uns Wolfram Grajetzki zur Verfügung stellte, dessen *Ancient Egyptian Queens: a Hieroglyphic Dictionary* (2005) sich als unschätzbares Werkzeug für jene erweist, deren Interesse Namen und Titeln gilt. Wenn ein Name oder eine Kartusche fehlt, dann deshalb, weil die entsprechende Hieroglyphen-Schreibweise nicht bekannt ist.

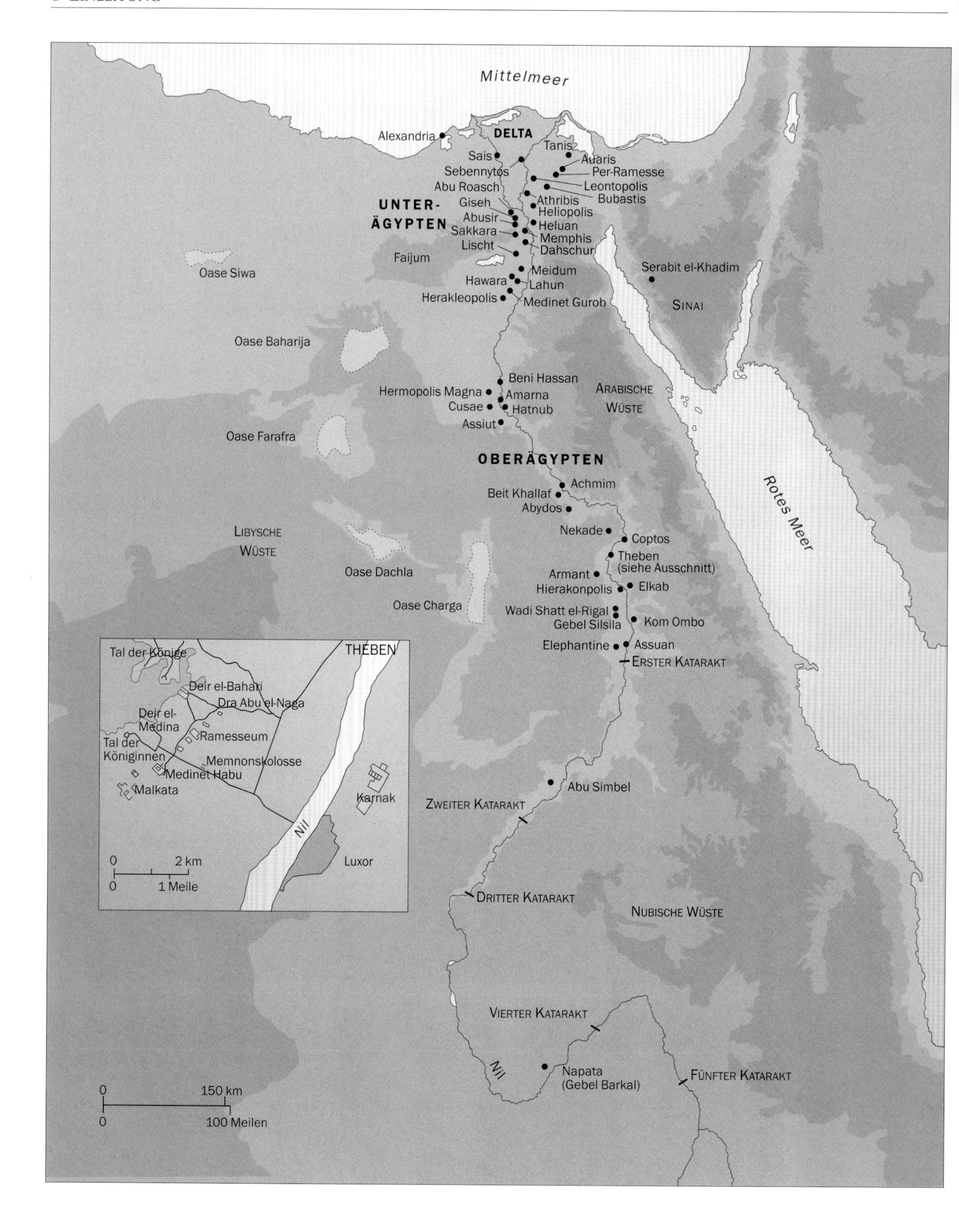
Mittelmeer
DELTA
Alexandria
Sais
Sebennytos
Abu Roasch
Tanis
Auaris
Per-Ramesse
Leontopolis
Bubastis
Athribis
Heliopolis
UNTER-
ÄGYPTEN
Giseh
Abusir
Sakkara
Lischt
Heluan
Memphis
Dahschur
Faijum
Oase Siwa
Meidum
Hawara
Lahun
Herakleopolis
Medinet Gurob
Serabit el-Khadim
SINAI
Oase Baharija
Beni Hassan
Hermopolis Magna
Amarna
Cusae
Hatnub
Assiut
ARABISCHE
WÜSTE
Oase Farafra
OBERÄGYPTEN
Achmim
Beit Khallaf
Abydos
Rotes Meer
Nekade
Coptos
LIBYSCHE
WÜSTE
Theben
(siehe Ausschnitt)
Oase Dachla
Armant
Hierakonpolis
Elkab
Oase Charga
Wadi Shatt el-Rigal
Gebel Silsila
Kom Ombo
Elephantine
Assuan
ERSTER KATARAKT
Tal der Könige
THEBEN
Deir el-Bahari
Dra Abu el-Naga
Deir el-Medina
Ramesseum
Tal der Königinnen
Memnonskolosse
Medinet Habu
Malkata
Karnak
Nil
Luxor
0
2 km
0
1 Meile
Abu Simbel
ZWEITER KATARAKT
DRITTER KATARAKT
NUBISCHE WÜSTE
VIERTER KATARAKT
Nil
Napata
(Gebel Barkal)
FÜNFTER KATARAKT
0
150 km
0
100 Meilen

Einleitung: Königliche Gemahlinnen und weibliche Pharaonen

Nachdem der eifersüchtige Gott Seth seinen Bruder Osiris ermordet hatte, schloss er den Leichnam in einem versiegelten Bleisarg ein und warf ihn in den Nil. Seth hatte gehofft, dass die Menschen Osiris schnell vergessen würden und er an Stelle seines Bruders Ägypten regieren könnte, doch er hatte nicht mit dem Mut und der Entschlossenheit der Schwester und Gemahlin von Osiris, Königin Isis, gerechnet. Isis barg den Sarg mit Osiris' Leichnam und brachte ihn nach Ägypten, um ihn dort zu begraben. Also zerteilte Seth seinen toten Bruder in viele Stücke, doch Isis verwandelte sich in einen riesigen Vogel und suchte nach den Überresten ihres Gatten. Mit ihrer Zauberkraft konnte Isis Osiris in einen lebensähnlichen Zustand versetzen und neun Monate später gebar sie seinen Sohn Horus. Als sich Osiris zurückzog, um das Totenreich zu regieren, beschützte Isis ihren Sohn, bis dieser alt genug war, seinen rechtmäßigen Anspruch auf den Thron geltend zu machen.

Die alte Sage von Isis und Osiris ist ein wichtiger und informativer Mythos. Sie erklärt nicht nur das unlösbare Band zwischen dem lebenden Pharao (Horus) und seinem toten Vater (Osiris), sondern sie macht uns auch mit Isis vertraut, dem Prototyp der ägyptischen Ehefrau und Königin. Nirgendwo sonst findet sich eine so deutliche Darlegung der Rolle der königlichen Gemahlin. Die ideale Gefährtin des Pharao schenkt einem Sohn das Leben, der einmal den Platz seines Vaters einnehmen kann. In guten Zeiten bleibt die Königin im Hintergrund, unterstützt ihren Gatten und nimmt ihre häuslichen Pflichten ohne großes Aufheben wahr. Doch in Zeiten der Gefahr tritt sie selbstständig in Aktion und setzt alles daran, um ihrem Gatten zu helfen und ihren Sohn zu beschützen. Dies sind in der Tat die Rechte und Pflichten jeder ägyptischen Ehefrau, doch die Rolle des Pharao als Mittler zwischen Göttern und Menschen hebt die Königin unter den anderen Frauen hervor. Daher müssen wir, um ihre Rolle verstehen zu können, erst den Status der ägyptischen Ehefrauen näher betrachten.

Im Laufe der Zeit gewann Isis als Mutter und Beschützerin des kindlichen Pharao Horus mehr und mehr an Popularität. Kunsthistoriker gehen davon aus, dass die Darstellungen von Isis und Horus jene christlichen Künstler inspiriert haben könnten, die Maria mit dem Jesuskind auf ähnliche Weise zeigten.

Sennedjem, ein Handwerker und Künstler aus der 19. Dynastie, erwartete nach seinem Tod mit seiner Frau Iineferti ein Leben zu führen, das dem Leben im damaligen Ägypten entsprach. Die Wandmalerei in ihrem Grab in Deir el-Medineh zeigt sie möglicherweise, wie sie die fruchtbaren Felder bestellen. Als Erster geht der Besitzer des Grabes, Sennedjem selbst, dahinter geht Iineferti und hilft ihrem Gatten.

Familienleben

Ägypten mit seinem breiten Strom und den fruchtbaren Feldern galt als das reichste Land der Antike. Seine Lagerhäuser quollen über von Getreide, es gab Fisch, Geflügel, Wild und Vieh im Überfluss, und es mangelte nicht an Lehm, Stein und Gold. Solange der Nil einmal im Jahr die Felder überflutete und dem von der Sonne ausgetrockneten Boden die dringend nötige Feuchtigkeit brachte, musste niemand hungern. Andere Völker, dazu verurteilt, von kargem, steinigem Boden zu leben, konnten dieses Glück nur bestaunen, und die Äqypter selbst fühlten nichts als Bedauern und Mitgefühl für alle, die außerhalb ihrer Grenzen lebten.

Doch selbst in Äqypten lief nicht immer alles nach Plan. Unerklärliche Krankheiten, die Gefahren der täglichen Arbeit und die Risiken des Gebärens ließen das Leben kurz und gefahrvoll erscheinen. Ohne nennenswerte Kenntnisse von Medizin und Hygiene verliefen so harmlose Erkrankungen wie Zahnschmerzen oder Durchfall oft tödlich. Diejenigen, die das Kindesalter überlebten, konnten erwarten, etwa 40 Jahre alt zu werden. Jedes Jahr mehr war ein Geschenk.

Die Wohlhabenden, die aufgrund besserer Lebensbedingungen länger lebten als ihre ärmeren Nachbarn, hatten zwar dic moralische Verpflichtung, für die Waisen und Obdachlosen zu sorgen, doch es gab kein „staatliches Wohlfahrtsprogramm", das sich der Bedürftigen und Schwachen annahm. In schlechten Zeiten bot die Familie die einzige verlässliche

Unterstützung, wobei die Kinder nicht nur eine Versicherung gegen ein Alter in Armut darstellten, sondern auch garantierten (falls dies möglich ist), dass die Eltern nach ihrem Tod durch entsprechende Grabbeigaben zumindest für die erste Zeit im Jenseits abgesichert waren.

Daher kam der Familie als Institution enorme Bedeutung zu. Jeder – der einfache Bürger ebenso wie der gottgleiche Pharao – sollte heiraten. Die Mädchen wurden in erster Linie zu guten Ehefrauen und Müttern erzogen. Ein Mann ohne Ehefrau galt als unvollständig, unreif, sodass alle Jünglinge dazu angehalten waren, früh zu heiraten und so viele Kinder wie möglich zu zeugen: „Nimm dir eine Frau, so lange du jung bist, damit sie dir einen Sohn schenkt; sie soll ihn für dich tragen, wenn du noch jung bist, es ist gut, Kinder zu zeugen", schrieb Ani, ein Dichter des Neuen Reichs. Wie in allen Gesellschaften muss es Homosexualität gegeben haben, aber sie wird kaum je erwähnt.

Der Zwerg Seneb (Altes Reich), seine Frau, sein Sohn und seine Tochter. Die Kinder stehen dort, wo sich in einer etwas konventionelleren Darstellung die Beine Senebs befinden müssten. Da sie weniger bedeutend sind als ihre Eltern, sind sie nackt. Mutter und Tochter sind extrem blass, eine künstlerische Gepflogenheit, um zu betonen, dass sich Frauen ihr Leben lang vor allem in Innenräumen aufhielten. Ägyptisches Museum, Kairo.

Hier glich Ägypten anderen vorindustriellen Gesellschaften. Die Ehe war ein probates Mittel zur Schaffung einer existenzfähigen Wirtschaftseinheit und Kinder eine Investition, die den Eltern im Alter nützte. Da sie später die Aufgaben der Eltern übernahmen, erhielten Knaben von Vätern und Onkeln eine Berufsausbildung, Mädchen blieben zu Hause und erwarben Fertigkeiten in der Haushaltsführung. Als Teenager würden sie heiraten – Ehen von Cousin und Cousine oder Onkel und Nichte waren nicht ungewöhlich –, und der Kreislauf begann von Neuem.

In den Rechten, die man verheirateten und ledigen Frauen zugestand, unterschied sich Ägypten jedoch erheblich von anderen Kulturen. In den meisten antiken und vielen modernen Kulturen, das fortschrittliche „Abendland" machte hier bis vor kurzem keine Ausnahme, galten Frauen nicht als vollwertige Mitglieder der Gesellschaft. In Ägypten hatten Frauen und Männer mit demselben sozialen Status auch gleiche Rechte. Frauen konnten Besitz erwerben, erben und veräußern, durften auch allein leben und – als Witwen oder Geschiedene – für ihre Kinder sorgen. Sie konnten vor Gericht gehen, unterlagen der öffentlichen Gerichtsbarkeit und konnten ihren Gatten in geschäftlichen Angelegenheiten vertreten. Diese Freiheit, der Widerspruch zu dem, was viele Gesellschaften als natürliche Ordnung begriffen, faszinierte die Reisenden der Antike, die Ägypten während der Spätzeit besuchten. Herodot unterhielt seine griechischen Leser mit der Beschreibung dieses ungewöhnlichen Landes:

... in vielen seiner Sitten und Gebäuche stellt dieses Volk die Gepflogenheiten der Menschheit auf den Kopf. Frauen besuchen Märkte und handeln, während Männer zu Hause am Webstuhl sitzen ... Frauen tragen Lasten auf ihren Schultern, Männer auf dem Kopf. Frauen urinieren im Stehen, Männer im Sitzen ... [1]

Frauen durften sehr wohl auch außerhalb des Hauses arbeiten, doch ihre häuslichen Pflichten und der Mangel an jeder Art von Bildung schränkten die Möglichkeiten einer Frau, Arbeit zu finden, stark ein.

(*S. 13, oben*) Hölzerne Skulptur männlicher und weiblicher Diener, Rekonstruktion aus dem Grab von Meketre in Deir el-Bahari (Theben), Metropolitan Museum of Art, New York.

(*S. 13, unten*) Holzskulptur einer geflügelten „*Djeryt*", einer der beiden Frauen, die bei der Grablegung die Göttinnen Isis und Nephthys repräsentierten. Liverpool University Museum.

Wir können nur raten, warum Ägypten seinen Frauen all diese Rechte einräumte – doch scheint die Frage berechtigter, warum andere Gesellschaften sie ihnen verwehrten. Die Antwort fehlt bis heute – vielleicht war es der schiere Überfluss an Nahrung, Land und Ressourcen und die strenge soziale Hierarchie, die den Pharao als universellen Herrscher und Eigentümer sah, die jede weitere Einschränkung überflüssig machten.

Die Herrin des Hauses

Für moderne Menschen sind die subtilen Nuancen und Gepflogenheiten im Familienleben des Alten Ägypten schwer zu durchschauen. Es wäre naiv, anzunehmen, dass aufgrund der rechtlichen Gleichstellung Ehefrauen und -männer ihr Leben gleich oder auch nur ähnlich führten. Ihre Rollen waren einander entgegengesetzt und ergänzten sich perfekt. Die allgemein akzeptierte Rollenverteilung der Geschlechter wurde auch in der Kunst deutlich, wo man – im Gegensatz zu Herodots Beobachtungen – Frauen als bleiche Wesen zeigte, die sich in Innenräumen aufhielten, Männer hingegen als von der Arbeit im Freien braungebrannt. In den Bild-

nissen des Alten Ägypten streben Männer vorwärts, bereit, die Welt zu erobern, Frauen stehen starr, aber geschützt neben oder hinter ihnen.

In der perfekten Familie war die Ehefrau als „Herrin des Hauses" für alle internen Belange zuständig. Sie zog die Kinder groß und führte den Haushalt. Hatte sie diese Arbeiten erledigt, konnte sie, bezahlt oder unbezahlt, außerhalb des Hauses tätig werden. Viele arme Frauen trugen zum Familieneinkommen bei, indem sie mit ihren Gatten arbeiteten oder Waren aus eigener Produktion (Brot, Bier oder Lebensmittel) verkauften. Reiche Frauen, denen Diener einen Großteil der Arbeiten abnahmen, die ihre weniger glücklichen Schwestern zu leisten hatten, dienten als Priesterinnen mit Musik, Tanz und Gesang den Göttern im nächstgelegenen Tempel. Unterdessen nahmen die Ehemänner ihre Verantwortung für externe Angelegenheiten wahr und stellten die Verbindung zur Außenwelt her. Die Eheleute halfen einander, doch während dem Mann als dem dominanten Partner die Hauptrolle bei der Beschaffung des Einkommens zukam, ist es immer die Frau, die in 3000 Jahren altägyptischer Kunst und Bildhauerei den Mann physisch unterstützt, indem sie einen Arm um seine Hüfte oder auf seine Schulter legt.

Kindererziehung, Kochen und Putzen sind wichtige Pflichten, finden aber in den Geschichtsbüchern kaum Erwähnung. Daher treten die ägyptischen Frauen hinter ihre Männer zurück, deren prestigeträchtige Taten es wert waren, auf Papyrus oder an Grabwänden festgehalten zu werden. Dieses ungleiche Zeugnis setzt sich bis in die königliche Familie fort, wo der Pharao, der den Wortlaut offizieller Texte und die Themen der Kunstwerke bestimmte, auch festlegte, wie viel die Nachwelt von seiner Königin erfuhr. Zudem gibt es kaum archäologische Funde von Wohnhäusern, die uns das Leben der Frauen näher brächten. Die Ägypter erbauten ihre Städte aus Lehm, der harte Stein war den Tempeln und Grabstätten vorbehalten, die in alle Ewigkeit Bestand haben sollten. Im Lauf der Jahrhunderte zerfielen die Paläste und Häuser und wurden zum Fundament neuer Gebäude. Bis vor Kurzem wurde der fruchtbare Lehmstaub auch als Dünger verwendet. Nur wenige Wohnstätten blieben erhalten, entweder an atypischen Orten errichtet oder aus Stein gebaut. Welche Ironie, dass das Arbeiterdorf aus dem Neuen Reich in Deir el-Medineh fast vollständig intakt blieb, während neuere Lehmpaläste – prunkvolle Gebäude, die, wie wir wissen, mit Gips verkleidet und mit Malerei und Fliesen verziert

waren, sodass sie in der Sonne funkelten und die Augen jener blendeten, die sich glücklich schätzen konnten, sie zu sehen – wenn überhaupt nur als architektonischer Grundriss überlebten.

Die königliche Familie

Auf den ersten Blick erscheint die königliche Familie wie jede andere. Der Pharao beschäftigte sich mit der Außenwelt, seine Frau führte primär den Haushalt und unterstützte ihn wenn nötig bei seiner Arbeit. Die Kinder wurden im Hinblick auf ihre Bestimmung erzogen: Knaben als zukünftige Könige, Mädchen als zukünftige Königinnen. Doch einige wichtige Unterschiede hoben die königliche Familie unter allen anderen Familien hervor, und diese entstammten allesamt dem Status des Ehemanns.

Der König von Ägypten war ein halbgöttliches Wesen, das kurze Zeit unter den Menschen weilte. Als Sterblicher von einer sterblichen Mutter geboren, erhielt er mit seiner Krönung einen göttlichen Anstrich, der es ihm erlaubte, zwischen seinen Untertanen und den Göttern zu vermitteln. Er war der einzige lebende Ägypter, der mit den Göttern in Kontakt treten konnte, und offiziell durfte nur er in den Tempeln Opfer darbringen. Mit seinem Tod wurde er endgültig zum Gott – vereint mit Osiris, dem König der Unterwelt, konnte er seinen Platz bei den anderen Unsterblichen einnehmen. Bis dahin war es seine Pflicht, den Göttern auf Erden zu dienen und im Besonderen für *maat* zu sorgen.

Maat ist ein ins Deutsche unübersetzbares Konzept, das oft als Kombination von Gerechtigkeit, Ordnung, Wahrheit, dem Unveränderlichen und dem Status Quo definiert wird. Sein Gegenteil, Chaos oder *Isfet*, ist für uns leichter verständlich. *Maat* wurde durch eine Göttin personifiziert: die schöne, ewig junge Tochter des Sonnengottes, leicht erkennbar an der auffälligen Feder der Wahrheit, die aus ihrem Kopfschmuck ragt. In den verschiedensten Dynastien wurden Herrscher dargestellt, neben denen Maat stand oder die den Göttern ein kleines, sitzendes Abbild von Maat darboten. Und da sowohl Maat als auch die Königin die ständigen Gefährtinnen des Pharao waren, verwundert es wenig, dass ihre Rollen, Pflichten, ja sogar ihr Erscheinungsbild manchmal durcheinander gerieten.

Um für *maat* zu sorgen, stützte sich der Pharao auf ein seit Urzeiten bewährtes Rezept. Er übernahm eine Kombination aus praktischen und rituellen Aufgaben, die für die Ägypter eine Einheit darstellten, die wir aber als drei deutlich unterscheidbare Pflichten sehen: Er war Oberster Richter, Oberhaupt der Verwaltung und Höchster Priester. Wie seine Vorfahren amtierte er in den Tempeln, saß den Gerichten vor und verteidigte sein Land gegen alle Feinde – sowohl von außen (Fremde) als auch von innen (Kriminelle) –, die das Chaos repräsentierten. Dadurch stellte er sicher, dass Ägypten für seine Bürger funktionierte, dass *maat* erhalten blieb und dass die Götter zufrieden waren.

Dieses überwältigende Bedürfnis, *maat* zu bewahren, war verantwortlich für den steten Konservativismus der Ägypter. Jede Abweichung

(Seite 14) Isis, die Gattin von Thotmosis II. und Mutter von Thutmosis III. was eine Haremskönigin von geringer Bedeutung. Während der Regentschaft ihres Gatten wurde sie von dessen königlicher Gefährtin Hatschepsut völlig in den Schatten gestellt, doch nachdem ihr Sohn den Thron bestiegen hatte, erlangte sie plötzlich, und vielleicht posthum, Ruhm und Ansehen. Ägyptisches Museum, Kairo.

(Unten) Maat, die Göttin der Wahrheit und Personifikation des Konzepts *maat*, öffnet ihre Schwingen zum Schutz der Kartusche von Nofretiri, Königin der 19. Dynastie. Auf dem Kopf trägt sie die Feder der Wahrheit. Grab von Nofretiri, Tal der Königinnen.

von der Tradition war potenziell gefährlich – wer konnte wissen, wie sehr eine vermeintlich geringfügige Änderung das Gleichgewicht stören würde? Daher änderte sich die Auffassung von Königtum und Königinnentum im Lauf der Jahrhunderte nur sehr langsam. Dieser Konservativismus tritt besonders deutlich im Repertoire der Künstler zutage, wo Worte (Hieroglyphen) durch Bilder dargestellt werden und Bilder oft als Worte oder Sätze zu verstehen sind. Ein Wandel der offiziellen Kunst – die die Wände von Tempeln und Gräbern schmückte – wurde nicht leichtfertig gewagt. Daher scheinen sich die Königinnen der Alten Zeit, auch wenn

der Schein trügt, nicht allzu sehr von jenen aus der Zeit der Ptolemäer zu unterscheiden.

Die königliche Gemahlin

Wie definieren wir eine Königin? Heutzutage bezeichnet das Wort sowohl die Gemahlin eines Königs als auch eine regierende Monarchin. Im Alten Ägypten, wo alle Titel das Verhältnis einer Person zum Pharao wiedergaben, verstand sich die Definition der Königin – *hemet-nesu*, wörtlich übersetzt „Frau des Königs" – von selbst: eine Frau, die mit dem König verheiratet ist oder war. Doch da alle Pharaonen polygam waren, fiel eine Vielzahl von Frauen unter diesen Begriff, während andere, die wir heute „Königin" nennen, nicht gemeint waren.

Die hervorstechendsten ägyptischen Königinnen waren jene, welche als Königsgemahlinnen eine offizielle Rolle in Politik und Religion spielten. Man unterschied sie von allen Nebenfrauen durch eine stets steigende Zahl von Titeln (hier seien nur die wichtigsten genannt) – der verbreitetste davon war „Große Königsgemahlin", der ab der 12. Dynastie gebräuchlich war – und immer komplexere Kronen. Als wichtigstes weibliches Element der Monarchie und Gemahlin eines Halbgottes war die Königin selbst eine Quelle politischer und religiöser Macht. Sie war das Zentrum der königlichen Kernfamilie und wurde in allen offiziellen Texten und Kunstwerken genannt. Ging alles gut, wurde sie die nächste „Königsmutter" (oder besser „Königsgemahlin Königsmutter", da in Ägypten alle Titel aneinander gereiht wurden, je länger der Titel, desto höher das Ansehen), eine Stellung von Würde und Göttlichkeit. Unter Umständen würde sie sogar Ägypten regieren, falls ihr Gatte abwesend oder ihr Sohn zu jung war. Lief es jedoch nicht so gut, würde sie sich bald zurückziehen müssen, wenn das Kind einer anderen Frau zum nächsten Pharao erkoren wurde.

Jede Krone erzählt eine Geschichte. Hier stellen die beiden schlanken Federn, die Kuhhörner, die Sonnenscheibe, der Modius, die Geierköpfe und die doppelte Kobra klare ikonografische Zusammenhänge mit den Kulten von Hathor, Amun und Mut her.

Meist wurde die Position des Pharao vererbt, seine Gefährtin jedoch immer von ihm oder für ihn erwählt. Wie, durch wen und wann sie erkoren wurde, ist uns nicht bekannt, doch in Anbetracht der Fülle und Bedeutung ihrer Pflichten machte man sich die Wahl sicher nicht leicht. Die ideale Königin war in der Regel von königlichem Blut und wurde von Geburt an auf ihre Rolle vorbereitet. Daher sind Ehen von Geschwistern oder Halbgeschwistern in der königlichen Familie gang und gäbe. Solch inzestuöse Verbindungen, die die ersten Ägyptologen schockierten, waren für die Menschen von damals nur vernünftig. So war sichergestellt, dass die Königin gut ausgebildet und ihrem Mann und ihren Kindern gegenüber loyal war. Darüber hinaus fand sich ein passender königlicher Gemahl für Prinzessinnen, die sonst unverheiratet geblieben wären, denn während in der Alten und der Mittleren Zeit Prinzessinnen auch außerhalb der königlichen Familie heiraten durften, fand diese Tradition in der Neuen Zeit ein Ende. Außerdem sank die Zahl der Thronanwärter, und die Anzahl königlicher Enkel blieb überschaubar. Sogar die Verbindung zu den Göttern blieb erhalten, denn Isis und Osiris, Seth und Nephthys, Geb und Nut sowie Schu und Tefnut lebten im Inzest, obwohl

(Rechts) Die Himmelsgöttin Nut streckt sich über ihren Brudergemahl, den fruchtbaren Erdgott Geb. Die beiden hatten Streit und werden von ihrem Vater Schu, dem Gott der Luft getrennt. Nut wird bald Osiris, Isis, Seth und Nephthys das Leben schenken.

(Unten) Königin Teje, Gemahlin von Amenophis III., war von bürgerlicher Herkunft, dennoch galten ihre Söhne als rechtmäßige Erben des ägyptischen Königsthrons. Auf diesem Relief aus Theben trägt sie eine komplizierte Krone, die mit einer Vielzahl von Kobras geschmückt ist. Die Schlangen verbinden sie sowohl mit dem Königtum als auch mit der Göttin Hathor, der Tochter und „dem Auge" von Re. Die Doppelkobras tragen die Kronen von Ober- und Unterägypten, doch die hohen Federn, die Tejes Krone einst vervollständigten, gingen verloren. Königliche Museen für Kunstgeschichte, Brüssel.

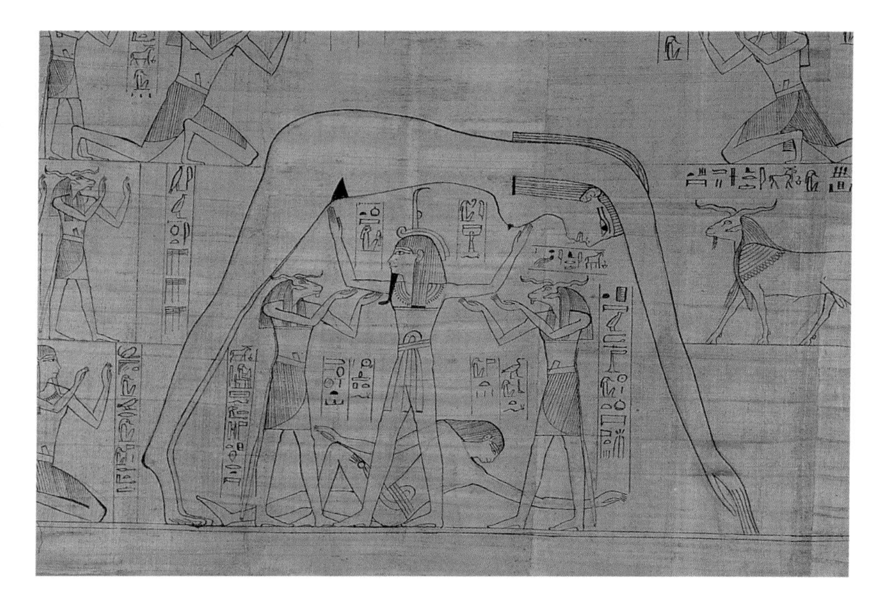

ihre Ehen zu Beginn der Zeit wohl auch auf den Mangel an unverheirateten, nicht verwandten Partnern zurückzuführen war.

Doch Geschwisterehen waren keineswegs obligatorisch, und die bürgerlichen Königinnen der 18. Dynastie, Teje und Nofretete, wurden durchaus akzeptiert. Außer ganz am Ende des dynastischen Zeitalters fand man außerhalb der königlichen Familie keine Geschwisterehen. Die ägyptische Sprache ist arm an Ausdrücken für Verwandtschaftsbeziehungen (man kannte nur Vater, Mutter, Bruder, Schwester, Sohn und Tochter), und man verwendete die Bezeichnungen sehr frei, sodass „Schwester" sowohl Schwester als auch Gattin oder Geliebte bedeuten konnte – ein Umstand, der die ersten Ägyptologen ziemlich verwirrte.

Weniger verbreitet, doch weit komplexer als Geschwisterehen waren die Vater-Tochter-Ehen der langen Regentschaften von Amenophis III. und Ramses III. Nur aus einer dieser Ehen entstammte ein Kind (eine Tochter, geboren von Bint-Anat, der Tochter von Ramses II.). Wir müssen uns daher fragen, inwieweit es sich hier tatsächlich um Ehen im engeren Sinn handelte. Ist die „Große Königsgemahlin" tatsächlich das, was die Bezeichnung vermuten lässt? Oder handelte es sich manchmal um einen zeremoniellen Titel, der einer Prinzessin, die nicht verheiratet werden konnte, zu Ansehen, Reichtum und Unabhängigkeit verhalf? Wir dürfen uns in unserem Urteil nicht von modernen Moralvorstellungen beeinflussen lassen, doch könnten diese Ehen nicht auch ein Mittel gewesen sein, das es einem alternden König erlaubte, seine erwachsene Tochter der gleichfalls alternden Mutter zur Seite zu stellen? Vielleicht gelangte dadurch sogar die ältere Königin zu noch mehr Ansehen. Auf jeden Fall war in den wenigen Fällen, in denen eine Mutter als Gefährtin ihres Sohnes agierte (während der späten Regierungszeit von Amenophis I. zum Beispiel), nie von Inzest die Rede.

Die Haremsköniginnen

Weit hinter der königlichen Gemahlin standen die anderen Frauen des Königs, die im königlichen Harem wohnten und etwa zu Zeiten einer Staatskrise aus dieser Abgeschiedenheit heraustreten und zur nächsten Königsmutter werden konnten. Ein ägyptischer Harem war eine bemerkenswerte Institution: eine unabhängige Gemeinschaft von Frauen, wo alle Schwestern, Tanten und Frauen des Königs sowie die Frauen seines Vaters samt Kindern, Dienerschaft und Wachen lebten. Die Aufmerksamkeit unserer Zeit gilt jedoch vor allem den vielen Nebenfrauen des Königs.

Seit jeher lebten die Pharaonen, im Gegensatz sowohl zu den Göttern als auch zu ihrem Volk, polygam. Die Polygamie bot einige Vorteile. Sie betonte den Reichtum des Königs – nur ein reicher Mann konnte sich viele Frauen und Kinder leisten, so er sie nicht zur Arbeit anhielt. Sie unterstrich den Unterschied zwischen dem Pharao und dem Volk und erlaubte eine Reihe diplomatischer Verbindungen. Sie stellte auch sicher, dass es, sollte die Große Königsgemahlin kinderlos bleiben, eine Reihe von Knaben mit königlicher Abstammung und guter Erziehung gab, die den Platz ihres Vaters einnehmen konnten. Doch das System hatte auch Nachteile. Zu viele Söhne von gleichrangigen Müttern konnten die Thronfolge komplizieren, zu viele Ehefrauen mit zu viel Freizeit eine Gefahr für den König bedeuten.

Rekonstruktion eines Schmuckkästchens mit Intarsien aus Elfenbein und Ebenholz, ein Fund aus dem Grab von Sit-Hathor-Iunet in Lahun (12. Dynastie). Unter den Schätzen der Königin waren ein polierter Silberspiegel, kupferne Rasiermesser mit goldenen Griffen, Schleifsteine, ein kleiner Silberteller und vier Kosmetiktöpfchen aus Obsidian mit Goldeinlagen. Metropolitan Museum of Art, New York.

Obwohl allesamt Königinnen, waren die Haremsdamen einander nicht gleichgestellt. Töchter oder Schwestern ägyptischer Könige fanden sich ebenso wie ausländische Prinzessinnen, die in Ägypten eine diplomatische Verbindung geschlossen hatten, oder Frauen von niedriger Herkunft – heute oft als Konkubinen bezeichnet, ein Wort mit kulturell bedingtem negativem Beigeschmack –, die niemals eine Rolle im öffentlichen Leben spielen würden. Das versteckte Dasein der Haremsköniginnen unterschied sich stark vom Leben der Königin, und wir können die Rivialitäten unter den jüngeren Frauen, die um die Aufmerksamkeit des Pharao buhlten, nur ahnen. Ohne Repräsentationspflichten und ohne nennenswerten privaten Besitz hatten die Haremsköniginnen weder politischen noch religiösen Einfluss. Die Geschichte erwähnt sie kaum, ihre Namen und Gräber sind fast alle vergessen. Doch manchmal, in Zeiten großer Not, traten sie aus dem Schatten und waren in der Lage, das Schicksal der Nation zu wenden.

Zeitliche Einordnung

Die Geschichte der ägyptischen Dynastien erstreckt sich über 3000 Jahre, von der Einigung des Landes um 3150 v. Chr. (Dynastie 0) bis zur Niederlage von Kleopatra VII. im Jahr 30 v. Chr. (Ptolemäische Dynastie). Davor war Ägypten eine prähistorische Kultur ohne Schrift, die Gesellschaft zeigte jedoch viele der Charakteristika, die das dynastische Zeitalter kennzeichneten. Nach 30 v. Chr. war Ägypten, nun ohne Pharao, eine Provinz des Römischen Reichs.

Die 31 nummerierten sowie die letzte, die ptolemäische Dynastie repräsentieren Linien von Herrschern, die miteinander verbunden, doch nicht notwendigerweise blutsverwandt sind. Eine beträchtliche Zahl von Pharaonen wurde in die Königsfamilie adoptiert, andere Dynastien setzen sich linear über den Familienstammbaum fort. Zum Beispiel beginnt die 18. Dynastie mit Ahmose, Sohn des Taaa (17. Dynastie), und umfasst Thutmosis I., Eje und Haremhab, von denen keiner aus der königlichen Familie geboren wurde. Das dynastische System, ideal zur Einordnung von Königen, erfordert jedoch die Einordnung der Königsgemahlinnen in Bezug auf ihre Gatten und erweist sich für solche Königinnen als unzureichend, die auch oder nur während der Regentschaft ihrer Söhne in Erscheinung treten. Die Königstochter, Königsschwester, Königsgemahlin, Königsmutter Ahhotep hatte sowohl als Gattin des Pharao Sekenenre (Taa II.) für die 17. Dynastie als auch als Mutter und Regentin von Ahmose für die 18. Dynastie Bedeutung. Dennoch verwenden wir hier das dynastische System, da es zurzeit keine annehmbare Alternative gibt.

Die Dynastien gruppiert man per Konvention in Abschnitte starker Herrschaft (die Frühdynastische oder archaische Zeit, Altes, Mittleres und Neues Reich, Spätzeit und Ptolemäer), die von Perioden geringerer zentraler Macht unterbrochen werden (Erste, Zweite und Dritte Zwischenzeit). Von Zeit zu Zeit wurde Ägypten von zwei konkurrierenden Dynastien regiert: Die Könige der 15. und 16. Dynastie zum Beispiel sind Zeitgenossen. Während man Pharaonen stets nur einer Periode zuordnet, können es bei Königinnen zwei sein. Ahhotep schaffte den Sprung über die Zeitalter als Gemahlin eines Königs der Zweiten Zwischenzeit und als Mutter eines Pharao des Neuen Reichs.

In allen Perioden fehlt es jedoch an persönlichen Aufzeichnungen, wodurch die Königinnen für uns zum Leben erwachen würden. Monumentale Inschriften sind sehr informativ, aber auch seltsam geziert, und lassen viele Fragen offen. Von den mächtigen Königinnen der frühen Dynastien erfahren wir, wenn überhaupt, nur durch „Randbemerkungen“: Inschriften auf Gefäßen oder auf hölzernen Tafeln, welche von den Grabräubern, die ihre Ruhestätten plünderten, zurückgelassen wurden. Die Königinnen des Alten und mehr noch des Mittleren Reichs waren extrem zurückhaltend. Es gibt kaum zwei Dutzend Statuen von Königinnen des Alten Reichs, während wir von den Königinnen des Mittleren Reichs vor allem durch Grabstätten, Skulpturen und Schmuck wissen. Das Neue Reich bedeutet einen Wendepunkt im Verständnis der königlichen Familie. Das neu gefestigte Reich leistet sich mehr Steingebäude, Statuen und Schriftrollen als jemals zuvor. Durch dieses Mehr an Texten und archäologischen Funden wissen wir über die späten Königinnen mehr als über ihre Vorgängerinnen. Kleopatra VII., eine Ptolemäische Königin, war als Regentin wenig spektakulär, doch da sie in engem Kontakt zur Welt der klassischen Antike stand, wissen wir über sie mehr als über jede andere. Dieses unumgängliche Ungleichgewicht mag uns leider dazu führen, die Leistungen jener Königinnen, deren Geschichte stückweise aus archäologischen Fragmenten und deren Interpretation rekonstruiert werden muss, gering zu schätzen.

Ein weiteres Problem ergibt sich, wenn Dynastien ihren Töchtern immer denselben Namen geben. Um eine Verwechslung zu vermeiden, bin ich der Konvention gefolgt, einige der königlichen Frauen mit Hilfe des akzeptierten Nummernsystems von Dodson and Hilton (*The Complete Royal Families of Ancient Egypt*, 2004) zu nummerieren. Dabei kommt es jedoch zu offensichtlichen Lücken, da nicht alle Frauen Königinnen waren. So treffen wir etwa im Alten Reich Meresanch I., die Mutter von Pharao Snofru, und Meresanch III., Königsgemahlin von Chephren. Meresanch II., eine Tochter von Cheops, war jedoch weder Königsgemahlin noch Königsmutter und taucht daher in unserer Geschichte nicht auf.

Außerhalb Ägyptens gab sich die ptolemäische Königin Arsinoe II. als moderne, griechische Frau. In ihrer Heimat zeigte sie sich als typische ägyptische Königin mit wallenden Gewändern, schwerer Perücke und Doppelkobra. So unterscheidet sie sich so gut wie nicht von ihren Vorgängerinnen. Vatikanmuseum, Rom

(*Seite 20*) Niemand erwartete jemals, dass Frauen als weibliche Pharaonen Ägypten regieren würden. In den seltenen Fällen, wenn eine Frau den Thron bestieg, standen die Künstler vor dem Problem, eine Frau in einer Männerrolle darstellen zu müssen. Hier, an der Wand ihrer Roten Kapelle in Karnak, erscheint Pharaonin Hatschepsut mit einem männlichen Körper und den traditionellen männlichen Insignien zu einem zeremoniellen Rennen gegen den heiligen Stier Apis.

(*Unten*) Die romantische, tragische Geschichte von Kleopatra VII., wie sie von den klassischen Autoren festgehalten und von Shakespeare erzählt wurde, hat unsere Wahrnehmung der ägyptischen Königinnen beeinflusst. Obwohl sie in diesem Gemälde von Alexandre Cabanel (1823–1889) ihr Gift kaltblütig an Sklaven ausprobiert, versteht man sofort, wie sie Caesar und Markus Antonius mit ihrem Charme verführen konnte. In den Darstellungen ihrer Zeitgenossen wird Kleopatra jedoch keineswegs als große Schönheit gezeigt.

Weibliche Pharaonen

Völlig außerhalb unserer Definition einer Königin als Gemahlin des Pharao stehen jene Frauen, die wir heute als regierende Monarchinnen bezeichnen würden – Frauen, die wie Elisabeth die I. oder II. von England ihr Land selbstständig regierten. Diese Frauen sahen sich als Pharao von Ägypten und trugen all seine Insignien. Obwohl sie selbst eine klare Trennung zwischen weiblichen Pharaonen und Königsgemahlinnen gesehen hätten, begannen Frauen wie Nofrusobek, Hatschepsut und Tauseret ihre Karriere als Königstochter oder -gemahlin, wie wir später noch sehen werden.

Das Studium der Königinnen

Die ersten Historiker, die sich mit den ägyptischen Königinnen beschäftigten, näherten sich ihrem Subjekt mit einem Bündel an Vorurteilen. Für die Schriftsteller der klassischen Antike waren die Frauen Ägyptens – die Königinnen mit eingeschlossen – verrucht, verführerisch und lüstern, sehr aufregend und gänzlich anders als ihre eigenen (theoretisch) keuschen Ehefrauen und Schwestern. Eine Ansicht, die sich bis heute gehalten hat. Jahrhunderte später zeigten die Ägyptologen des ausgehenden 19. und beginnenden 20. Jahrhunderts wenig Interesse an den Königinnen, die für sie nur uninteressante Anhängsel der Pharaonen waren.

(*Seite 23*) Auf dem Intarsiendeckel dieser Schatulle bietet Anchesenamun, die Tochter von Echnaton und Nofretete, ihrem Gemahl und möglicherweise Halbbruder Tutenchamun einen Strauß Lotosblüten dar. Gefunden im Grab von Tutenchamun, nunmehr im Ägyptischen Museum, Kairo.

Die frühen Ägyptologen stellten allerdings eine bemerkenswerte These auf. Stark beeinflusst von einem falschen Verständnis der afrikanischen Matriarchate erklärten sie, dass das ägyptische Königtum über die weibliche Linie vererbt würde und der König seinen Thron nur dann beanspruchen könne, wenn er die Erbin, nur allzu oft seine Schwester, heiratete. So fand man eine saubere, politisch korrekte Erklärung für den ansonsten unakzeptablen Inzest. Wie so viele andere frühe Theorien über das Alte Ägypten blieb auch die Erbinnentheorie bis in die zweite Hälfte des 20. Jahrhunderts unangetastet und ungeprüft. Erst die Ägyptologen Barbara Mertz und Gay Robins entdeckten unabhängig voneinander ihre offensichtlichste Schwäche: Nicht alle ägyptischen Pharaonen hatten ihre Schwestern geheiratet. Heute weiß man, dass Geschwisterehen zwar in vielerlei Hinsicht ideal, keinesfalls jedoch verpflichtend waren. Wir erwähnen die überholte Erbinnentheorie hier auch nur, weil sie sich hartnäckig in älteren Publikationen hält.

Ebenfalls erst in jüngster Zeit entdeckte man, dass die komplexe, vielschichtige Rolle der Königinnen bisher sträflich vernachlässigt worden war. Ihre offensichtlichsten Pflichten, die Unterstützung des Gatten und das Gebären seiner Nachkommen, wurden immer schon gesehen, doch selbst diese praktischen Aufgaben sind schwer einzustufen, da sie – nach unserem modernen Verständnis – Grenzen überschreiten. Ist die Pflicht, Kinder zu gebären, nur ein praktisches Erfordernis? Oder ist es eine religiöse Verantwortung, die es dem halbgöttlichen Pharao erlaubt, als sein eigener Sohn wiedergeboren zu werden? Selbstverständlich beides. Die Ägypter akzeptierten nur zu gerne vielerlei Erklärungen und Interpretationen ein und desselben Phänomens, ein und derselben Person, und wenn wir diese Kultur auch nur ein wenig verstehen wollen, müssen wir sowohl unseren modernen Zynismus als auch die klassische Entweder-Oder-Logik über Bord werfen und ihrem Beispiel folgen.

Es ist das weniger offensichtliche „religiöse" Element der Rolle der Königin, das uns zu schaffen macht, obwohl die Titel, die einige der späteren Königinnen trugen („Ehefrau Gottes", „Hand Gottes"), auf das nötige weibliche Element in den Ritualen zur Geburt männlicher Götter hinweisen. Klarerweise ging die religiöse Verantwortung der Königin weit über ihre Anwesenheit bei Zeremonien hinaus. So wie der Pharao für alle sterblichen Männer vor den Göttern stand und einen oder alle Götter gegenüber seinem Volk vertreten konnte, stand seine Königin für alle Frauen und vertrat eine oder alle Göttinnen.

Die Königin Ägyptens wurde bald ein essenzieller weiblicher Bestandteil der Monarchie, König und Königin waren zusammen unbesiegbar – die perfekte Paarung von Bruder und Schwester –, dienten den Göttern, regierten Ägypten und verhinderten das Chaos. Zugleich entwickelten die Königsgemahlin und die Königsmutter, beide Trägerinnen des Gottkönigtums, ihre eigene, enge Verbindung. Dieser Glaube entwickelte sich von Dynastie zu Dynastie weiter und trat in der Amarna-Periode der Neuen Zeit am deutlichsten zutage. Da jede vernünftige Wissenschaft fehlte, war es der Glaube, der den Ägyptern half, die Welt zu verstehen.

Ein Großteil unserer Informationen über die Königinnen Ägyptens stammt aus Grabmälern und -beigaben und ist weit weniger informativ, als wir es gerne hätten. Diese nicht sehr detailliert ausgearbeite *Uschebti*-Statue wurde für das Begräbnis einer der Königinnen, Karomama, gefertigt.

NEGADE III / DYNASTIE 0
um 3100

Parallelregentschaft lokaler Könige; keine bekannten Königinnen

1. DYNASTIE
um 2950–2775

Narmer = ? = **Hotep-Neith**
Menes = ? = **Bener-ib, Chened-Hapi**
Djer = ? = **Her-Neith**
Wadji = ? = **Merit-Neith**
Den = ? = **Seschemetka, Semat, Seret-Hor**
Anedjib = ? = **Batjiries**
Semerchet = ?
Qa-a = ?

2. DYNASTIE
um 2750–2650

Hetepsechemui = ?
Nebre = ?
Ninetjer = ?
Weneg = ?
Sened = ?
Peribsen = ?
Chasechemui = = **Nimaat-Hapi**

Königinnen **fett** gedruckt
= = gesicherte Heirat
= ? = mögliche Heirat
= ? Königin unbekannt

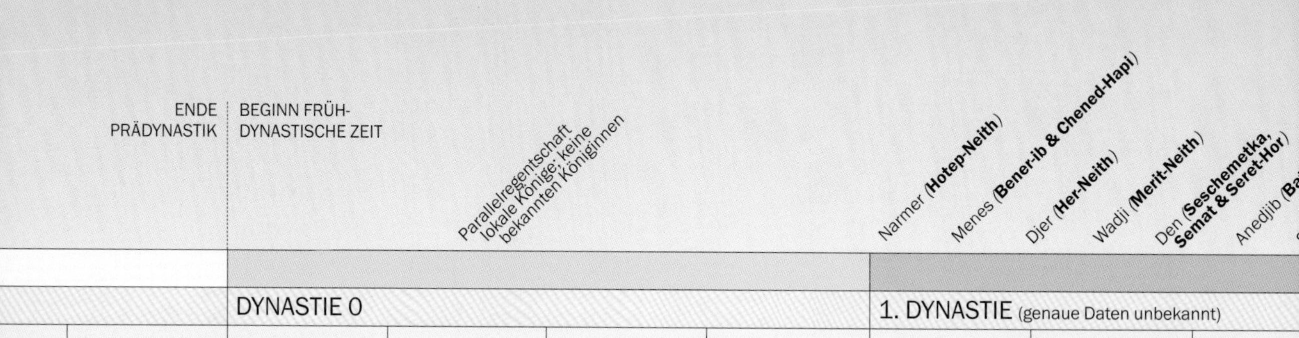

Topf aus der Negadekultur mit einer Frauengestalt der Frühdynastischen Zeit

Die ersten Königinnen

Die Frühdynastische Zeit 3100–2650 v. Chr.

Für die Frauen Ägyptens hatten die Entstehung der Landwirtschaft um 5500 v. Chr. und die damit einhergehende Sesshaftigkeit nicht nur Vorteile. Die bessere Ernährung erhöhte ihre Fruchtbarkeit, sodass sie nunmehr jährlich der Gefahr einer Schwangerschaft ausgesetzt waren. Viele Kinder machten die Hausarbeit zu einer Vollzeitbeschäftigung und wahrscheinlich wurden zu dieser Zeit die häuslichen Pflichten der Frauen in der Anschauung der Ägypter klar festgelegt.

Die Legende erzählt, dass Ende des 4. Jahrtausends v. Chr. der Feldherr Menes zum König von Ober- und Unterägypten gekrönt wurde. Die Archäologie geht eher davon aus, dass Narmer, ein Feldherr aus dem Süden, Ägypten einte und zum ersten König der 1. Dynastie wurde. Seine Gemahlin Hotep-Neith ist die Erste von einigen Königinnen der Frühdynastischen Zeit, deren Namen Neith, die Göttin der Jagd und der Webkunst, enthält. Der Königinnentitel „Gefährtin der beiden Herrinnen" ist ein Vorläufer der Titel „Königsgemahlin" und „Königsmutter", die in der 2. Dynastie gebräuchlich wurden.

Der riesige Grabkomplex in Abydos von Djer, dem dritten König der 1. Dynastie, beherbergt Hunderte von Gräbern für Nebenfrauen und Diener. Seine Gattin Her-Neith hatte ein eigenes Grab, freilich viel kleiner als das Königinnengrab ihrer Nachfolgerin Merit-Neith. Merit-Neith setzte ein wichtiges Zeichen: Wie viele Königinnen nach ihr sprang sie in Krisenzeiten für den Gatten und den Sohn ein.

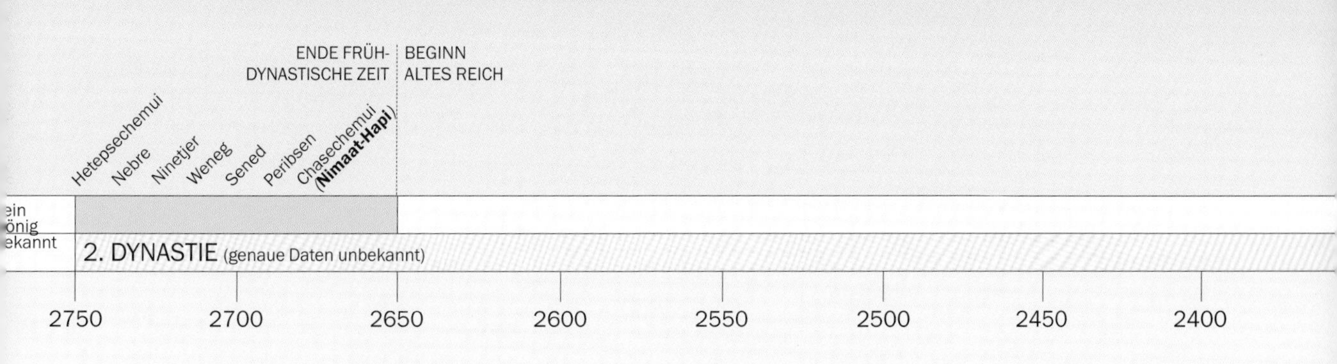

1. DYNASTIE
2950–2775

Hotep-Neith
Bener-ib
Chenda-Hapi
Her-Neith
Merit-Neith
Seschemetka
Semat
Seret-Hor
Batjiries

2. DYNASTIE
2750–2650

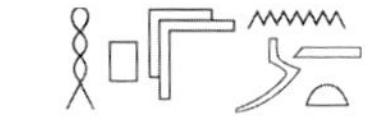

Nimaat-Hapi

FAMILIE UND TITEL

HOTEP-NEITH
Ehemann
Narmer
Eltern
Lokales Königshaus Negade?
Sohn
Aha (Menes)
Titel
Gefährtin der beiden Herrinnen, Erste der Frauen
Grabstätte
Großes Grab von Negade

BENER-IB
Ehemann
Aha (Menes)
Eltern
Unbekannt
Kinder
Unbekannt
Grabstätte
Abydos (Umm el Qaab, Grab B14)?

CHENDA-HAPI
Ehemann
Aha (Menes)
Eltern
Unbekannt
Sohn
Djer
Grabstätte
Unbekannt

HER-NEITH
Ehemann
Djer
Eltern
Unbekannt
Sohn
Den?
Titel
Gefährtin der beiden Herrinnen, Erste der Frauen
Grabstätte
Sakkara (S3507)?

MERIT-NEITH
Ehemann
Djet
Vater
Djer?
Mutter
Unbekannt
Sohn
Den
Titel
Erste der Frauen, Königsmutter
Grabstätte
Abydos (Umm el Qaab, Grab Y)

NIMAAT-HAPI
Ehemann
Chasechemui
Eltern
Unbekannt
Sohn
Djoser
Titel
Große des Zepters, Königsgemahlin, Königsmutter, Mutter von des Königs Kindern
Grabstätte
Bet Challaf (K1)?

Hotep-Neith

Eine zeremonielle Palette aus Negade III, ein Fundstück aus den Ruinen des frühdynastischen Horustempels in Hierakonpolis (Südägypten, heute Ägyptisches Museum, Kairo), zeigt König Narmer im Moment seines Triumphs. Auf einer Seite der Palette trägt er die weiße Krone der südägyptischen Könige und erhebt eine Keule, um den Kopf des unglücklichen Feindes zu zerschmettern, der zu seinen Füßen kriecht. Auf der Rückseite trägt er die rote Krone der nordägyptischen Könige und marschiert mit seiner Armee. Er inspiziert den Rang eines enthaupteten Kriegstoten. Hoch am Himmel beobachtet ihn eine Frau mit den Hörnern und Ohren einer Kuh – Bat, eine frühe Form der Göttin Hathor. Selbst in der Frühzeit der ägyptischen Kultur wird deutlich, das Narmer ein Land regiert, dessen offizielle Ikonografie bereits weit entwickelt ist.

Die Bedeutung eines weiteren Relikts aus dem Tempel von Hierakonpolis ist weniger klar. Der Keulenkopf von Narmer (heute im Ashmolean Museum, Oxford) zeigt den König in einem erhöhten Pavillon oder Zelt, gehüllt in das zeremonielle Gewand und mit der roten Krone. Über dem Pavillon kreist schützend ein riesiger Geier. Um den Pavillon sind zusammenhanglose Zeichnungen gruppiert: Gefangene, Standartenträger, ein Mann, der Sandalen trägt, Tiere, ein Tempel oder Schrein und eine schematische Darstellung der heiligen Stätte in Hierakonpolis. Eine verschleierte, konturlose Gestalt unbestimmbaren Geschlechts nähert sich dem Zelt in einer Sänfte. Frühe Ägyptologen hielten diese Darstellung für eine Hochzeitszeremonie, doch die ältesten Ägypter erwähnen ihre Hochzeiten kaum. Diese Hochzeit müsste also von außergewöhlicher Bedeutung gewesen sein. Narmer, König und Feldherr des Südens, könn-

(*Oben*) Die Narmer-Palette zeigt, dass bereits in den ersten Dynastien die Propaganda und die Insignien des Königtums weit entwickelt waren. Eine Szene, die noch sehr oft wiederholt werden wird, zeigt den König, der die Feinde besiegt, die das Land mit Chaos bedrohen. Ägyptisches Museum, Kairo.

(*Unten*) Der Keulenkopf Narmers aus Kalkstein ist eines aus einer Reihe weihevoller Objekte, die man als „Hauptbeigaben" kennt. Sie wurden unter dem Fußboden des Tempels von Hierakonpolis gefunden. Der Keulenkopf war zerschmettert, und nur ein Fragment der ursprünglichen Szene konnte geborgen werden.

te das Land mit Gewalt geeint und seine Position durch die Heirat mit einer Tochter seines besiegten Feindes aus dem Norden gefestigt haben.

Der Name von Narmers Gattin sollte diese Hochzeitstheorie untermauern. Hotep-Neith bedeutet „[die Göttin] Neith ist zufrieden". Die Behauptung, nur eine Frau aus dem Norden könne den Namen der Deltagöttin Neith tragen, so geistreich sie auch ist, hält bei genauem Hinsehen jedoch nicht stand. Viele frühe Königinnen Ägyptens fühlten sich Neith verbunden und trugen ihren Namen. Tatsächlich weist die Tatsache, dass sie in Negade begraben ist, eher darauf hin, dass Hotep-Neith der langen Linie der lokalen Herrscherhäuser von Negade entstammte. Eine alternative, einleuchtendere Interpretation der Szene auf dem Keulenkopf besagt, dass Narmer sein *heb-sed*, sein Jubiläum, vor einer verschleierten Gottheit zelebriert.

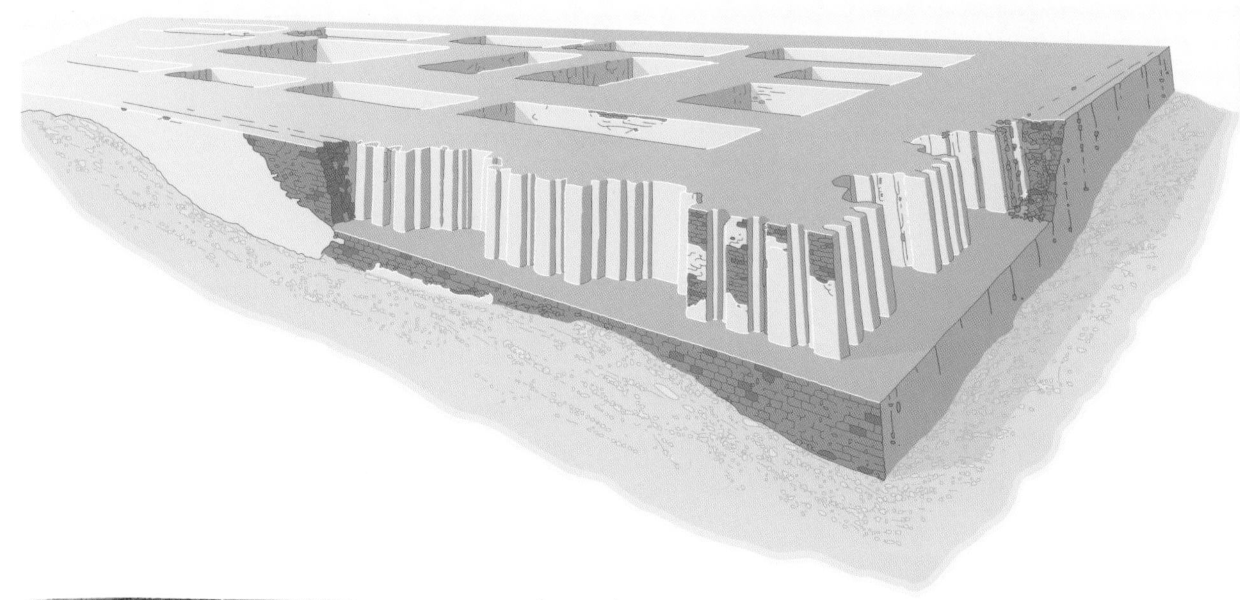

Das Große Grab

Etwa drei Kilometer von der heutigen Stadt Negade entfernt entdeckte Jacques de Morgan 1897 ein Grabmal der 1. Dynastie, das so großartig war, dass man es das „Große Grab" nannte und dem legendären König Menes zuschrieb. Von außen war das Grab eine typische Mastaba (ein rechteckiger Bau aus Lehm, errichtet über einer Grabstätte und benannt nach dem arabischen Wort *mastaba*, das „Steinbank" bedeutet). Doch dieser Mastaba fehlte das unterirdische Grab, stattdessen barg das Gebäude eine Grabkammer und Lagerräume. Das Bauwerk maß imposante 54 x 27 m, war mit der Nischenfassade der Königspaläste dekoriert und der ganze Komplex war von einer dicken Mauer umschlossen. Das Grab selbst war schon in der Antike ausgeraubt worden und enthielt nur mehr einige Kosmetikgegenstände, Steinkrüge, Elfenbeinschilder und Lehmsiegel mit den Namen von Narmer, seinem Sohn und Thronfolger Aha und Hotep-Neith selbst. Das Grab wurde 1904 von John Garstang nochmals freigelegt, hatte zu dieser Zeit jedoch bereits sehr unter der der Ausgrabung folgenden Erosion gelitten und zerfiel wenig später.

Weitere Hinweise auf Hotep-Neith fand man in Abydos und Helwan. Hotep-Neith wird nirgendwo Königsgemahlin oder Königsmutter genannt – diese Ehrentitel waren erst ab der 2. Dynastie gebräuchlich. Auf einem Elfenbein-Deckel aus dem Grab von Djer in Abydos wird sie als „Gefährtin der beiden Herrinnen" bezeichnet, ein Beiname, der das antike Äquivalent zu „Gemahlin" sein könnte. Auf einem einzigen Siegel (mit mehreren Abdrücken), das in Negade gefunden wurde, steht ihr Name auf dem *Serekh*, ei-

Seite 28, oben) Das Große Grab in Negade, das man ursprünglich Pharao Aha (Menes) zuschrieb, beherbergt nach neuen Erkenntnissen entweder Ahas Mutter Hotep-Neith oder einen anonymen örtlichen Würdenträger. Die eindrucksvolle Größe und die ausgeklügelte Bauweise des Gebäudes aus Lehmziegeln enthüllen die außerordentlichen Fertigkeiten der Baumeister der Frühdynastischen Zeit.

(Seite 28, Mitte und unten) Das Große Grab enthielt Artefakte aus den Anfängen der 1. Dynastie. Einige gravierte Elfenbeinschilder waren ursprünglich an Schmuckstücken und anderen Grabbeigaben angebracht. Dieses Beispiel aus dem Britischen Museum, London, trägt die Nummer 40. Das Halsband von Hotep-Neith (hier neu gefädelt) besteht aus Plättchen aus Elfenbein und Schiefer. Liverpool University Museum.

(Unten und unten rechts) Vier Perlenarmbänder (heute im Ägyptischen Museum, Kairo) und das erste Beispiel eines künstlich mumifizierten Arms, Fundstücke aus dem Grab von Djer in Abydos. Die folgende, absichtliche Zerstörung des Arms ist ein erschütterndes Beispiel dafür, wie viele wertvolle Informationen (absichtlich oder durch Unwissenheit) gerade durch jene verloren gingen, die sie enthüllen und bewahren sollten.

ner rechteckigen Schachtel, die den Eingang zu einem frühdynastischen Palast repräsentiert und auf die die ersten Könige ihre Namen schrieben. Ganz oben auf dem traditionellen *Serekh* des Königs hockt der Falke Horus, das Symbol der lebenden Horuskönige, doch den *Serekh* von Hotep-Neith zieren gekreuzte Pfeile, das Symbol der Göttin Neith. Diese Beweise scheinen dafür zu sprechen, dass Hotep-Neith eine Königin war, die ihren Gatten Narmer überlebte und bei ihrem Sohn Aha im Großen Grab bestattet wurde. Manche Wissenschaftler deuten den *Serekh* und das ungewöhnlich große Grab von Hotep-Neith als Hinweis darauf, dass sie Ägypten für ihren jungen Sohn Aha selbst regierte.

BENER-IB UND CHENED-HAPI

Hotep-Neith wurde nach langem Zögern als Frau von Narmer und Mutter von Aha eingestuft. Eine Interpretation, die sie als Gattin von Aha sieht, die für seinen Nachfolger Djer regierte, ist weniger überzeugend, da die Dame Bener-ib, deren Name immer wieder im Zusammenhang mit Aha erwähnt wird, nach genauer Prüfung als dessen Gemahlin identifiziert wurde. Doch Bener-ib war nicht die Mutter von Djer. Diese Ehre gebührt einer sonst unbekannten Frau, Chened-Hapi, die auf dem Annalenstein von Kairo aus dem Alten Reich erscheint. Ausgehend von der Annahme, dass ein König wahrscheinlich der Sohn des vorherigen Königs ist, gilt auch Chened-Hapi als Ahas Gemahlin.

HER-NEITH

Als Flinders Petrie im Jahr 1900 das Grab von Pharao Djer, dem Nachfolger von Aha, in Abydos untersuchte, fand er einen einzelnen, abgetrennten Arm, der mit vier mit Perlen aus Türkisen, Amethyst, Lapislazuli und Gold verzierten Goldarmbändern geschmückt war. Anscheinend war der Arm von einem Grabräuber hinter der Treppe zur Grabkammer versteckt worden und war so den Plünderern

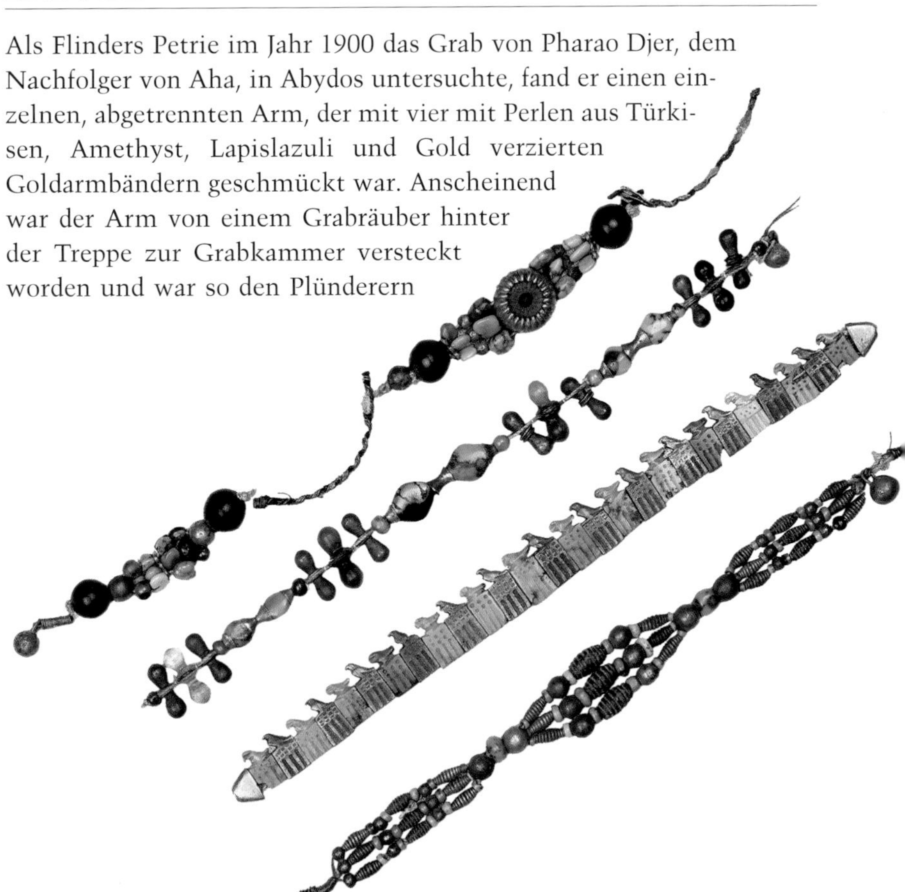

Die Mastaba S3507 in Sakkara, die man mit Einschränkungen als Grab von Königin Her-Neith identifiziert hat. Obwohl in den Pharaonengräbern von Abydos viele Überreste von Frauen gefunden wurden, weist nichts darauf hin, dass die Königsgemahlinnen der Frühdynastischen Zeit neben ihren Gatten und Söhnen begraben wurden.

entgangen. Die Armbänder brachten Petrie zu der Annahme, dass der Arm eher einer von Djers Königinnen gehört hatte und nicht Djer selbst, doch diese Theorie kann nicht überprüft werden, wie Petrie selbst schreibt:

Als Quibell [James Quibell, britischer Archäologe, Entdecker der Narmer-Palette] im Auftrag des Museums [von Kairo] herüberkam, sandte ich ihm die Armbänder. Der Arm – das älteste bekannte Stück einer Mumie – und das herrlich feine Leinentuch gingen auch an das Museum. Brugsch [Kurator Émile Brugsch] sorgte sich nur um die Ausstellung; er schnitt von einem Armband die Hälfte aus Golddraht ab und warf auch den Arm und das Leinen weg. Ein Museum ist ein gefährlicher Ort.[2]

Djers Grab enthielt weibliche Überreste, darunter einen Schädel. Dennoch deuten die Umstände darauf hin, dass es sich dabei nicht um Djers Gemahlin Her-Neith handelt, die, wie die anderen Königinnen der frühen Dynastien, offensichtlich ein eigenes Grab hatte.

Ein großes Grab (S3507) im Norden Sakkaras, der Nekropole der Elite aus dem nahe gelegenen Verwaltungszentrum Memphis, wurde endlich Her-Neith zugeschrieben. Die frühdynastischen Mastabas von Sakkara glichen Lagerhäusern, die mit allem gefüllt waren, was die Verstorbenen, für ewig in ihren Gräbern gefangen, brauchten. Die Grabstätten waren so eindrucksvoll, dass ihre Entdecker sie erst für Königsgräber hielten. Erst später entdeckte man, dass alle Pharaonen der 1. und einige der 2. Dynastie in der Nekropole Umm el-Qaab in Abydos bestattet worden waren. Djers Name fand sich auf Vasen aus Grab S3507, das auch Siegel mit den Namen von Djers Nachfolger Wadji (Her-Neiths Sohn?) und dem letzten König der 1. Dynastie, Qua-a, enthielt.

Von außen erscheint Grab S3507 als traditionelle Lehm-Mastaba, doch innerhalb des rechteckigen Oberbaus liegt ein mit Lehmziegeln

DIE FRAUEN VON ABYDOS

Die königlichen Grabkomplexe der 1. Dynastie in Abydos hatten Nebengräber: langgestreckte Gräben aus Lehmziegeln, die das Königsgrab umgaben oder damit verbunden und in einzelne Gräber aufgeteilt waren. Manchmal waren die Gräberreihen mit einem durchgehenden Dach oder einem Grabhügel bedeckt, sodass man sie gemeinsam versiegeln musste. Im Inneren lagen die Toten, die in mit Natron überzogene Stoffbahnen gewickelt wurden, in kurzen Holzsärgen, wie sie bei der Oberschicht Ägyptens zu dieser Zeit üblich waren. Viele hatten ihre eigenen Totengötter, und ihre Namen und Titel waren auf kleine Steintafeln (Stelae) graviert. Die Stelae wirken nach späteren Standards zwar plump, gleichen einander jedoch so sehr, dass sie in Werkstätten hergestellt worden sein müssen.

Djers Grabkomplex, der größte von allen, umfasste 317 Nebengräber, von denen manche leer blieben, und diese enthielten 97 Stelae. Manche sind unlesbar, 76 davon tragen jedoch weibliche Beinamen, sie wurden also für die Bestattung von Frauen gefertigt. Die Skelettfunde zeigen, dass die meisten dieser Frauen sehr jung waren, doch man fand nicht heraus, wie sie starben. Der Status dieser Frauen ist unklar. En Vergleich mit den eindrucksvollen Grabstätten von Hotep-Neith und Her-Neith lässt annehmen, dass es sich nicht um Mitglieder der königlichen Familie handelt. Dennoch hielt man die Frauen für wichtig genug, um sie neben dem Pharao zu begraben. Dies war eine große Ehre, da sie dadurch auch das göttliche Leben nach dem Tod des Pharao mit diesem teilen konnten.

Die Archäologen sind sich generell darüber einig, dass die Frauen und die wenigen Männer die persönliche Dienerschaft des Herrschers darstellten, es könnten aber auch einige Haremsdamen darunter sein. Andere Nebengräber beherbergen Zwerge (besondere Günstlinge des Königs während des gesamten dynastischen Zeitalters) und seine Lieblingshunde, die auch eigene Steintafeln erhielten.

Dass die Gräber gleichzeitig versiegelt wurden, lässt vermuten, dass man von den Höflingen und Haremsdamen erwartete oder sie sogar zwang, mit dem Pharao zu sterben. Dies war jedoch nur eine vorübergehende Vergeudung von Menschenleben, die mit Ende der 2. Dynastie aufhörte. Die Gräber von Peribsen und Chasechemui enthalten keinerlei Nebengräber.

(Oben) Die kleinen Steintafeln auf den Nebengräbern zeigen, dass jene, die dazu auserkoren waren, mit dem Pharao begraben zu werden, großes Ansehen genossen.

(Unten) Nebengräber um das Grab von Den in Abydos. Auch die Mastabas in Sakkara hatten Nebengräber, jedoch weit weniger, und diese waren für Handwerker, nicht für Höflinge bestimmt. Auch fehlt das gemeinsame Dach. Es gibt keine Anzeichen von Massenmord oder -selbstmord in Sakkara.

verkleideter, pyramidenförmiger Erdwall versteckt. Grabhügel oder Tumuli waren im Süden gebräuchlich, Mastabas im Norden. Deutet die Kombination der Grabtypen auf eine Verbindung Her-Neiths mit Ober- und Unterägypten hin, oder ist es ein Beweis für den sich entwickelnden Totenkult, ein erster, vorsichtiger Schritt hin zu den Pyramiden?

(*Seite 33, oben*) Eine der beiden Steintafeln vor dem Grabmahl von Merit-Neith (Grab Y, Umm el-Qaab, Abydos).

(*Seite 33, Mitte*) Merit-Neith lebte zu einer Zeit, als sich die Schrift erst entwickeln musste. Dieser Siegelabdruck, eine Rekonstruktion aus ihrem Grab in Abydos, zeigt Weinkrüge und scheint daher ein Fragment eines Weinkrugs von den königlichen Gütern zu sein.

(*Seite 33, unten*) Rekonstruktion der Lehm-Mastaba von Merit-Neith in Abydos, samt aller Nebengräber. Merit-Neith war die einzige Frau, der die Ehre eines Pharaonengrabs in Abydos zuteil wurde.

Die Göttin Neith

Neith, eine von Ägyptens ältesten und komplexesten Göttinnen, war die mächtige und kämpferische Kriegsgöttin der Stadt Sais im Nildelta. Kriegsführung und Jagd galten als männliche Domänen, dennoch war Neith für ihr Geschick mit dem Bogen bekannt. Diesen Wesenszug zeigt auch ihr Beiname „Meisterin des Bogens" sowie ihr Zeichen, ein Schild mit gekreuzten Bogen oder Pfeilen auf einem Pfahl. Berühmt für ihre Weisheit, wurde sie gebeten, den Streit zwischen den Göttern Horus und Seth um die Krone Ägyptens zu entscheiden.

Gleichzeitig gab es in den Totenkulten einen starken Bezug zu Neith. In den Texten aus den Pyramiden des Alten Reichs hatte sie die Aufgabe, über die Verstorbenen zu wachen, sodass sie zu einer der vier Göttinnen wurde, die die Ecken der Sarkophage des Neuen Reichs beschützten. Als Göttin der Webkunst (ihre Hieroglyphe ist ein Webstuhl) versorgte sie die Toten mit Kleidung.

Die Verehrung von Neith entwickelte sich im Lauf der Dynastien immer weiter. Im Neuen Reich galt sie als urzeitliche Göttin. Sie war die universelle Mutter, die „Große Kuh" oder die „Große Flut". Ihre Rolle unterschied sich je nach Legende – sie wurde als Mutter des Sonnengottes Re, dann auch wieder als Mutter dessen Erzfeindes Apophis, der Menschheit im Allgemeinen oder des Krokodilgottes Sobek verehrt. Die Könige der Spätzeit feierten sie als Schutzgöttin ihrer Hauptstadt Sais.

Ursprünglich wurde Neith in menschlicher Gestalt mit zwei Bogen auf dem Kopf dargestellt. Ab der 5. Dynastie wurde sie üblicherweise mit der roten Krone von Oberägypten abgebildet. Sie konnte auch als Kuh, Schlange oder, wenn sie Sobek säugte, als Krokodil erscheinen.

MERIT-NEITH

Einzigartig unter den sonst nur Männern vorbehaltenen Königsgräbern von Abydos ist der Grabkomplex von Königin Merit-Neith. Das Grab (Grab Y), komplettiert durch mindestens 40 Nebengräber, war von den umliegenden Pharaonengräbern nicht zu unterscheiden, allein auf den beiden Steintafeln vor dem Eingang fehlte der um männliche Königsnamen gravierte *Serekh*. Anfangs übersahen Ägyptologen dieses Detail und hielten Merit-Neith für den männlichen König Merneit, und erst, als man entdeckte, dass sie einen Frauennamen trug („Geliebt von Neith"), wurde sie als einflussreiche Königsgemahlin eingestuft.

Merit-Neith hat eine komplizierte archäologische Spur aus verschiedenen Siegelabdrücken und beschrifteten Gefäßen hinterlassen, die sie mit den Pharaonen Djer, Wadji und Den in Verbindung bringen. Die Siegel ihres eigenen Grabs waren, wie Petrie bemerkte, insofern ungewöhnlich, als keines ihren eigenen Namen trug, doch viele den von Den. Ein einziges Siegel aus Sakkara (Grab 3503) zeigt Merit-Neiths Schriftzug in einem *Serekh*. Sie erscheint nicht auf den Königslisten der Gelehrten des Neuen Reichs, allerdings ziemlich sicher auf einem abgebrochenen Teil des Palermosteins (eine Liste der ersten Könige aus der 5. Dynastie), wo man sie als Königsmutter und nicht als Königin führte.

Wie interpretieren wir das? Es scheint, dass Merit-Neith, vielleicht die Tochter von Djer, die Gemahlin des früh verstorbenen Pharao Wadji war. Nach dem frühen Tod ihres Gatten lag es an ihr, Ägypten für ihren zu jungen Sohn Den zu regieren. Indirekt wird diese Annahme durch die

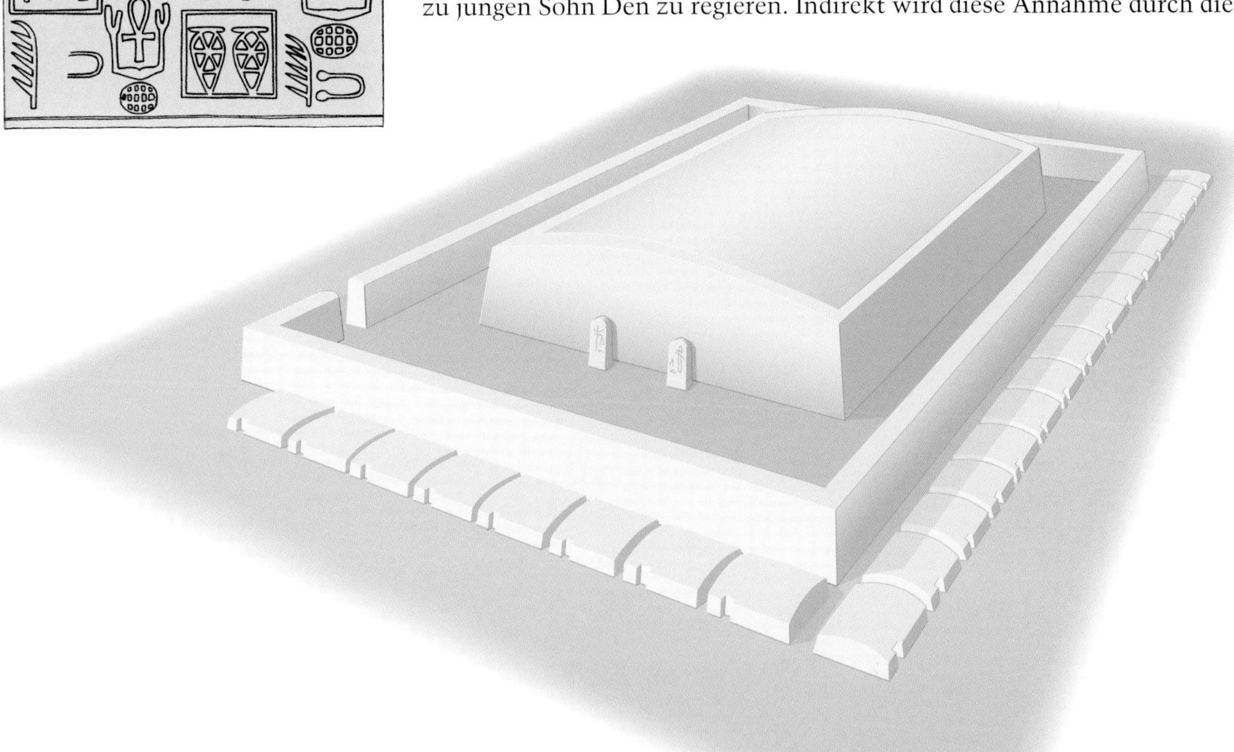

außergewöhnlich lange Regierungszeit von Den bestätigt. Da er bereit als Kind den Thron erbte, konnte Den zwei Sed-Feste feiern, währen seiner Mutter, die Ägypten als interimistische Königin diente, die Ehr eines Pharaonengrabs zuteil wurde.

Merit-Neith, und vielleicht schon vor ihr Hotep-Neith, setzte ei wichtiges Zeichen. Nunmehr wurde anerkannt, dass Frauen, wenn auc nur vorübergehend, die Macht innehaben konnten. Die ideale Thronfolge sah zwar die direkte Weitergabe der Krone vom Vater (Osiris) an de Sohn (Horus) vor, doch da der Tod für die ägyptischen Pharaonen, di den Krieg und die Jagd liebten, eine ständige Bedrohung war, konnte di Königin sehr wohl dem jungen Horus in seinen ersten Regierungsjahre beistehen. Die Regentschaft einer Frau, ein Schritt, vor dem moderne Gesellschaften immer wieder zurückschreckten, steht in der direkte Linie einer Tradition, die es Ehefrauen eher als Vätern oder Brüdern erlaubte, ihre abwesenden Ehemänner zu vertreten. Das ergab durchau Sinn. Die Königin war jene Person, die dem jungen König gegenüber, oftmals ihr eigener Sohn, am loyalsten und auf ihre Pflichten gut vorbereitet war. Darüber hinaus war die Zahl verfügbarer männlicher Beschützer für den kindlichen König meist äußerst beschränkt.

Die Königssöhne

Wie wir wissen, wurde die Zahl der Enkelkinder in der königlichen Familie durch Geschwisterehen klein gehalten. Vielleicht reduzierte auch der Harem die Anzahl der Schwangerschaften der Königin. Dennoch bekam die Königsgemahlin, in Ermangelung auch der primitivsten Art von Verhütung, meist mehrere Kinder. Dies war wünschenswert – die hohe Säuglings- und Kindersterblichkeit bedeutete, dass man sich des Thronerben niemals sicher sein konnte, und die Idee eines „Reservekönigs" war gut. Doch wenn die Thronfolge einmal entschieden und de neue Pharao gekrönt war, wurde er überflüssig. Während die Königstöchter dann automatisch zu Königsschwestern oder gar Königsgemahlinnen wurden, bleibt die Rolle des königlichen Bruders bis zum Ende der Spätzeit im Dunkeln. Erst dann finden wir einen „Königsbruder, Königsvater". Es scheint, dass die Thronbesteigung eines Pharao seine Brüder aus der königlichen Kernfamilie ausschloss, die aus dem König, seiner Mutter, seiner Ehefrau und seinen Schwestern und Kindern bestand. In dieser Kernfamilie traten Königstöchter immer deutlicher in den Vordergrund als ihre Brüder.

Seschemetka, Semat und Seret-Hor: Königinnen der späten 1. Dynastie

Merit-Neith ist die letzte herausragende Königin der 1. Dynastie. Die vier vermuteten Frauen von Den – Seschemetka, Semat, Seret-Hor und eine unbekannte Dame – wurden anhand von Steintafeln aus Abydos identifiziert. Batjiries, die Mutter von Semerchet, wird auf dem Annalenstein von Kairo genannt, bleibt aber sonst unerwähnt.

Die Mastaba von Königin Nimaat-Hapi (Grab K1, Bet Challaf). Spätere Generationen verehrten Nimaat-Hapi, Gattin von Chasechemui (2. Dynastie) und Mutter von Djoser (3. Dynastie), als Urahnin der 3. Dynastie.

Nimaat-Hapi

Über die 2. Dynastie ist kaum etwas bekannt. Man nimmt (unbewiesen) an, dass es beim Übergang von der 1. zur 2. Dynastie zu einem Wechsel der Königsfamilie kam, wobei sich die Macht kurzzeitig nach Norden verlagerte. Dies würde erklären, warum die ersten fünf Pharaonen ihre Grabstätten nicht in der Nekropole Abydos, sondern in Sakkara errichten ließen. Gegen Ende der Dynastie gibt es Anzeichen von Unruhen, vielleicht kam es sogar zu einem Bürgerkrieg zwischen Nord und Süd, der mit der Machtergreifung des vorletzten Königs, Peribsen, einen Höhepunkt erreichte. Dieser wagte es sogar, mit einer jahrhundertealten Tradition zu brechen, indem er nicht Horus, sondern Seth auf seinen *Serekh* setzte. Er ließ sein Grabmahl wieder in Abydos errichten, ein Vorgehen, das sein Nachfolger, der Horuskönig Chasechemui, beibehielt.

Wegen unseres geringen Wissens über die 2. Dynastie ist auch über deren Königinnen kaum etwas bekannt. Nur Nimaat-Hapi, Mutter des Pyramidenerbauers Djoser, wird im Grab ihres Gatten Chasechemui erwähnt. Wahrscheinlich wurde sie bei ihrem Sohn in einer großen Mastaba (K1) in Bet Challaf, in der Nähe von Abydos, beigesetzt. Die kleineren Gräber dieser Grabanlage könnten für die Mitglieder ihrer Familie bestimmt gewesen sein. Die Verehrung der toten Königin währte bis in die 4. Dynastie und wird im Grab des Richters Metjen in Sakkara erwähnt.

Nur noch ein relevantes Faktum ist uns aus der 2. Dynastie bekannt. Der Historiker Manetho, der für Ptolemaios II. die Geschichte des ägyptischen Königtums aufzeichnete, erzählt, dass man unter der Regentschaft des unbekannten Pharao Binothris (vermutlich der bekannte Pharao Ninetjer) „... entschied, dass Frauen das Königsamt übernehmen durften“. Ob es, wie Manetho meint, dafür einen konkreten Zeitpunkt gab, ist mehr oder weniger irrelevant – fest steht, dass es Frauen erlaubt war, Ägypten als weiblicher Pharao zu regieren.

3. DYNASTIE
2650–2575

Djoser = = **Hetephernebti**

Sechemchet = ?

Chaba = ?

Huni = ?

4. DYNASTIE
2575–2450

Snofru = = **Hetep-Heres I.**

Cheops = = **Henutsen, Meritetes**

Radjedef = = **Kenteten-Ka, Hetep-Heres II.?**

Chephren = = **Meresanch III., Chamerernebti I.? Persenti? Hekenuhedjet?**

Mykerinos = = **Chamerernebti II.**

Schepseskaf= ? = **Bunefer**

5. DYNASTIE
2450–2325

Userkaf = ? = **Chentkaus I.**

Sahure = = **Neferethanebti**

Neferirkare = = **Chentkaus II.**

Schepseskare = ?

Neferefre = ?

Niuserre = = **Reputnebu**

Menkauhor = = **Meresanch IV.**

Djedkare (Asosi) = ?

Unas = = **Nebet, Chenut**

Königinnen **fett** gedruckt
= = gesicherte Heirat
= ? = mögliche Heirat
= ? Königin unbekannt

6. DYNASTIE
2325–2175

Teti II. = = **Iput I., Chuit**

Userkare = ?

Pepi I. = = **„Weret-Imtes", Nubunet, Inenek-Inti, Merit-Ites, Anchnesmerire I., Anchnesmerire II., Nedjeftet**

Merenre I. = ?

Pepi II. = = **Neith, Udjebten, Iput II., Anchnesmerire III., Anchnesmerire IV.**

Merenre II. = ?

Nitokris

7. & 8. DYNASTIE
2175–2125

Eine verwirrend große Zahl von Königen namens Neferkare

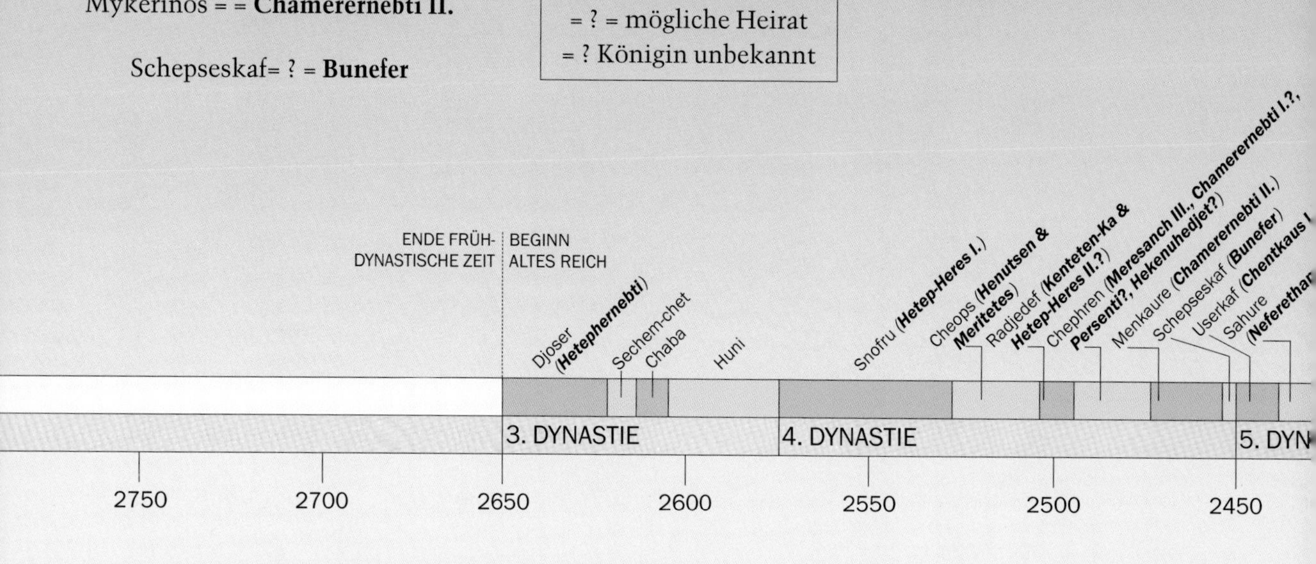

Gattin des Chephren

Chamerernebti II.

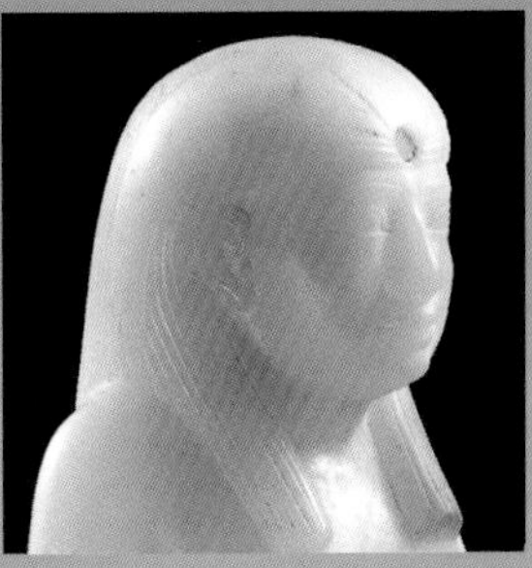

Anchnesmerire II.

Königinnen der Pyramidenzeit

Das Alte Reich 2650–2125 v. Chr.

Djoser, der erste Pharao der 3. Dynastie, wandte sich von Abydos, der Nekropole im Norden, ab. Ein eindrucksvoller Pyramidenkomplex aus Stein bestätigt Djosers absolute Herrschaft über das riesige Reich. Der Pyramidenbau, ein Impuls für die Wirtschaft und ein Ansporn für Künstler und Handwerker, sollte zum charakteristischen Merkmal der nächsten 500 Jahre werden.

In der 4. Dynastie baute Snofru die erste „echte" Pyramide mit glatten Wänden und entwickelte eine schlanke Anordnung, die von allen zukünftigen Königen verwendet wurde – ein lineares Tempeltal, das sich zu einem Kanal öffnet und durch einen länglichen Damm mit dem Totentempel verbunden ist, dahinter ragt die Pyramide in die Höhe. Die Fortschritte der Baukunst zeigen sich am deutlichsten an Cheops' Pyramide in Giseh und an der Großen Sphinx seines Sohnes Chephren.

Der Pyramidenbau hing stark mit der Verehrung des Sonnengottes Re zusammen. Dieser Kult fand seinen Höhepunkt während der 5. Dynastie, als Sonnentempel fixer Bestandteil jeder Begräbnisstätte wurden. Der König, bisher die Personifikation von Horus, wurde zum Sohn des Re, seine Gemahlin dessen weibliches Gegenstück, Hathor.

Dieser Überfluss konnte nicht von Dauer sein. Von der 6. bis zur 8. Dynastie kam es durch die immer schwerfälligere Bürokratie und ausbleibende Überschwemmungen zum Zusammenbruch der zentralen Autorität, Ägypten zerfiel in eine Reihe von Stadtstaaten und Provinzen.

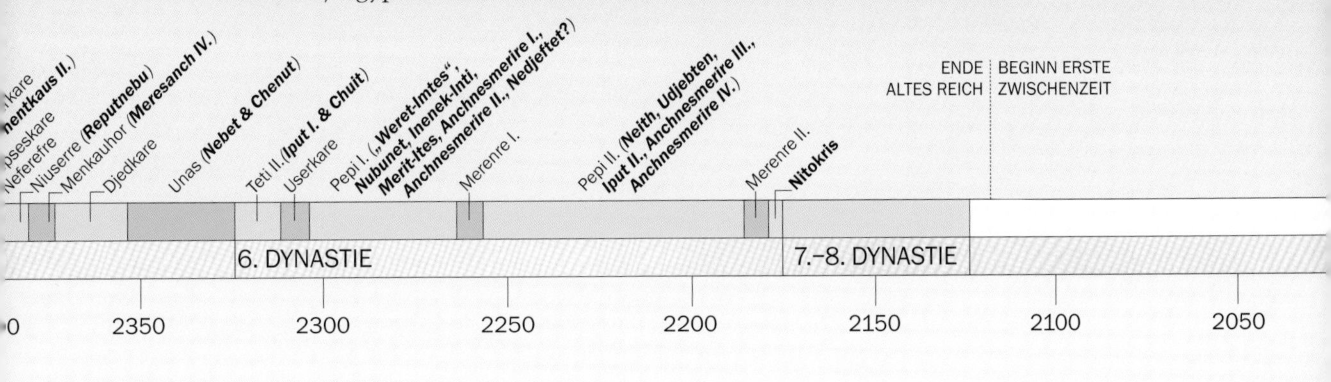

3. DYNASTIE
2650–2575

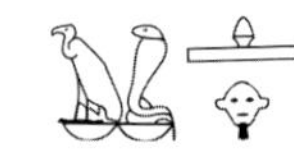

Hetephernebti

4. DYNASTIE
2575–2450

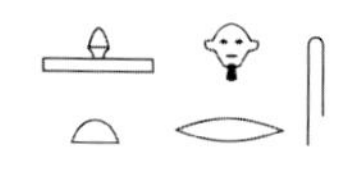

Hetep-Heres I.

Djoser sitzt auf dem Thron, eine Hand im Schoß, die andere (mittlerweile verschwunden) hält den zeremoniellen Dreschflegel. Er wird flankiert von drei königlichen Frauen, deren Winzigkeit die Größe des Königs unterstreicht. Dies ist eines von 36 erhaltenen Fragmenten des Kalksteinschreins von Djoser, der dem Gott Re in Heliopolis gewidmet war.
(*Unten*) Fragment einer Stele am Eingang zu Djosers Stufenpyramidenkomplex in Sakkara.

FAMILIEN UND TITEL

HETEPHERNEBTI	HETEP-HERES I.
Ehemann	*Ehemann*
Djoser (Netjeri-chet)	Snofru
Eltern	*Vater*
Unbekannt	Huni?
Sohn	*Mutter*
Unbekannt	Meresanch I.?
Töchter	*Sohn*
Intkaes, Hetephernebti II.?	Cheops (altägyptisch: Chufu)
Titel	*Titel*
Die Horus-Sehende, Königstochter, Große des Zepters	Gottes Tochter seines Leibes, Königsmutter
Begräbnisstätte	*Begräbnisstätte*
Sakkara?	Giseh?

HETEPHERNEBTI

Hetephernebti, „die Königstochter, jene, die Horus sieht", wird auf etwa 100 Stelen an den Grenzen von Djosers Pyramidenkomplex in Sakkara erwähnt. Am anderen Flussufer, in Heliopolis, zeigt ein beschriftetes Fragment eines steinernen Schreins, von Djoser dem Sonnengott Re geweiht (und heute unrettbar zerstört), zwei winzige Frauen neben den Beinen eines riesigen, sitzenden Königs. Sie sind einfach gekleidet und tragen keine Insignien, doch eine Inschrift benennt sie als „Königstochter Inetkaes und Hetephernebti, die Horus und Seth sieht". Eine dritte, anonyme Frauengestalt steht hinter dem Fuß des Königs und streckt ihre Hand aus, um den Knöchel des Königs zu umfassen oder zu stützen. Sind dies die Königin und zwei Töchter, oder handelt es sich vielleicht um die Königsmutter Nimaat-Hapi, Königin Hetephernebti und Königstochter Inetkaes? Die Größenverhältnisse lassen jedenfalls annehmen, dass die Königin in ihrem Status eher ihren Töchtern gleicht als dem kolossalen, göttlichen Gatten. In der ägyptischen Kunst war Größe ein Statussymbol, sodass halbgöttliche Pharaonen ihre Untertanen überragten. Königssöhne fehlen oft auf Familienstatuen, was die Wichtigkeit des weiblichen Gegenpols für den Gott-König unterstreicht.

Ebenso könnte eines der vier Fußpaare, zwei große und zwei kleine, auf der Basis einer zerbrochenen Statuengruppe aus der Stufenpyramide des Djoser zu Königin Hetephernebti gehören. Auch bei diesen anonymen Füßen gehen die Expertenmeinungen auseinander: Manche meinen, es handle sich um den Pharao, seine Mutter Nimaat-Hapi, seine Frau Hetephernebti und Tochter Inetkaes, andere halten sie für König, Königin und zwei Töchter, Inetkaes und Hetephernebti II.

Viel mehr wissen wir nicht über Königin Hetephernebti, nicht einmal, wo sie begraben liegt. Djoser wollte allein in seiner Pyramide liegen, doch er traf Vorkehrungen für seine Familie. Seine Stufenpyramide begann als ungewöhnliche, quadratische Steinmastaba mit einem unterirdischen Grabschacht. Als diese Mastaba (von Ägyptologen M1 genannt) im Großen und Ganzen fertig war, wurde sie erst nach allen Seiten zu einer zweistufigen Mastaba (M2) und nochmals nach Osten zu einer rechteckigen Mastaba (M3) erweitert. Weitere Anbauten (P1 und P2) machten aus der Mastaba die ersten Stufen einer sechsstufigen Pyramide.

Entlang der Ostseite der zweiten Mastaba (M2) ließ Djosers Architekt Imhotep elf vertikale Schächte graben. Diese waren etwa 30 m tief und mündeten in Galerien, die sich unter der Pyramide nach Westen erstreckten. Die ersten fünf Galerien waren engen Familienmitgliedern vorbehalten und mit mindestens sechs Sarkophagen aus Kalkspat ausgestattet. Sie wurden bereits in der Antike ausgeraubt, doch eine Grabkammer in der Galerie am Ende von Schacht III bewahrte den Hüftknochen einer unbekannten jungen Frau, und in Schacht V befand sich noch

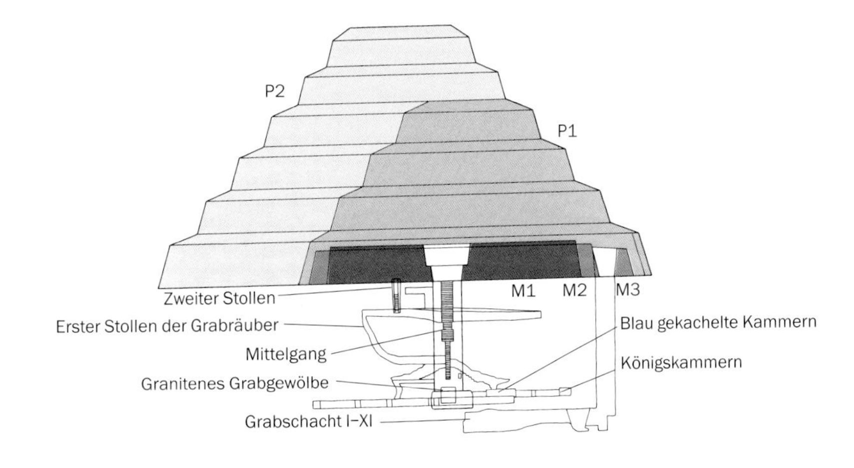

Djoser erweiterte seine steinerne Mastaba nach und nach zu einer imposanten Treppe (der berühmten Stufenpyramide), über die der tote Pharao zum Himmel aufsteigen sollte. Schächte unterhalb der ursprünglichen Mastaba bildeten die Begräbnisstätten weniger hochgestellter Personen aus der königlichen Familie.

ein vergoldeter Holzsarg mit dem Körper einer jungen Frau oder eines jungen Mannes. Die Schächte VI bis XI führten zu Lagerräumen, in denen Djoser bis zu 40.000 Steingefäße hortete, teilweise aus früheren Gräbern aus Sakkara. Die dritte Mastabaerweiterung (M 3) verschloss den Zugang zu den Schächten, sodass die noch lebenden Mitglieder von Djosers Familie anderswo ihre Grabstätten errichten lassen mussten.

Über die nachfolgenden Könige der 3. Dynastie ist kaum etwas bekannt, über ihre Königinnen fehlt jede Aufzeichnung. Erst mit Beginn der 4. Dynastie erhalten wir plötzlich Einblick in die Komplexität des königlichen Familienlebens.

Hetep-Heres I.

Snofru ist bekannt als Pharao, der schöne Frauen liebte. Der Papyrus Westcar aus der Zeit des Mittleren Reichs erzählt, dass Snofu seine Langeweile damit vertrieb, die hübschesten Haremsdamen über den Palastsee rudern zu lassen, sparsamst bekleidet mit Roben aus Fischernetzen, die er selbst entwarf. Es ist daher verständlich, dass wir über die Frauen aus Snofrus großer, verzweigter Familie mehr wissen als über deren Vorgängerinnen. Seine Mutter bleibt hingegen ein Rätsel. Die einzigen Hinweise auf Meresanch I., wahrscheinlich die Frau von Huni, dem letzten König der 3. Dynastie, finden sich auf dem Palermostein und auf einer Wandzeichnung aus Snofrus Pyramidenkomplex in Medum, die sie mit dem Götterkult um ihren toten Sohn in Verbindung bringt.

Im Norden der Pyramide in Medum war eine Reihe von Mastabas für die prominenten Mitglieder aus Snofrus Hof errichtet worden, auch für

(*Seite 40, oben*) Der Grabtempel der Atet in Medum ist mit eingravierten Reliefs verziert, die mit farbiger Paste gefüllt sind – eine Technik, die offensichtlich von Atets Gemahl Nefermaat, einem Sohn Snofrus, erfunden worden war. Hier sehen wir zwei Söhne der Atet, Seref-Ka und Wehem-Ka, beim Vogelfang mit Fallen. Darunter spielt ein Kind (vielleicht ebenfalls ein Sohn) mit seinen Spielzeugaffen.

(*Seite 40, unten*) Snofrus Pyramide in Medum war als Stufenpyramide erbaut und später in eine „echte" Pyramide mit glatten Wänden umgebaut worden. Die Pyramide wurde aufgegeben, als klar wurde, dass ihre Statik nicht standhielt, und sie stürzte später ein.

(*Rechts*) Rehotep, ein weiterer Sohn Snofrus, und seine Gemahlin Nefret, 1871 gefunden in ihrer Mastaba in Medum. Ihre Augen, Einlegearbeiten aus Bergkristall und Quarz, geben ihnen ein so lebensechtes Aussehen, dass sie die ortsansässigen Arbeiter, die bei den Ausgrabungen an der Grabstelle beschäftigt waren, in Angst und Schrecken versetzten. Ägyptisches Museum, Kairo.

seine unglücklichen Söhne, die vor dem Vater starben. Einige der Königssöhne wurden mit ihren Gemahlinnen bestattet – Frauen, deren Hoffnung, Königin zu werden, mit ihren Gatten starb. Der „Älteste Sohn des Königs" Nefermaat und seine Frau teilten eine große, reich verzierte Mastaba (M16). Ganz in der Nähe liegt der „Priester von Heliopolis, Aufseher der Streitkräfte, Königssohn seines Leibes und Anführer der Bogenschützen" Rehotep mit seiner Frau Nefret begraben (M6a). Die erstaunlichen, bemalten Statuen aus deren Taltempel zählen zu den Glanzstücken des Museums in Kairo. In Medum wurden jene Mitglieder der königlichen Familie beigesetzt, die verstorben waren, bevor die Pyramide von Medum aufgegeben wurde; jene, die später starben, liegen in der neuen Pyramidenanlage von Dahschur. Die Grabstätten Snofrus – der wahrscheinlich in der Roten Pyramide in Dahschur begraben liegt – sowie seiner Gemahlin und Schwester oder Halbschwester Hetep-Heres I. fehlen jedoch völlig. Nach Hinweisen auf Hetep-Heres' Grab müssen wir uns in der Großen Pyramide ihres Sohnes Cheops umsehen.

(*Seite 43*) Die drei Pyramiden von Giseh, mit der Cheopspyramide im Vordergrund. Die drei Königinnenpyramiden für Cheops' Gemahlinnen liegen östlich von seiner eigenen (vorne in der Mitte). Rund um die Hauptpyramiden gruppieren sich die Grabstätten der Oberschicht. Jene, die das Glück hatten, in der Nähe des Gottkönigs begraben zu werden, konnten darauf hoffen, einige ihrer Privilegien auch ins Jenseits mitzunehmen.

Ein glücklicher Fund

Im Osten seiner Großen Pyramide baute Cheops drei kleine Pyramiden für seine Königinnen, vollständig mit Totentempeln. Keine der drei ist besonders gekennzeichnet, doch die nördlichste davon (G1a) wurde Hetep-Heres I., „Gottes Tochter" (von Snofrus Vorgänger Huni?), der Gemahlin von Snofru und Mutter von Cheops, zugeordnet. Wie die anderen beiden wurde auch diese Pyramide in der Antike geplündert, doch einige der Grabbeigaben blieben wie durch ein Wunder erhalten.

Im Februar 1925 entdeckte ein amerikanisches Forscherteam, das im Norden der Pyramide arbeitete, durch Zufall einen tiefen, engen Schacht (G7000X), der mit Kalksteinblöcken gefüllt und unter einer Schicht Gips versteckt war. Nach wochenlangen, sorgfältigen Grabungen erreichte man den Boden des 27 m tiefen Schachts. Dort fand man eine einzelne Kammer, vollgestopft mit Kultgegenständen, darunter ein geschlossener Alabaster-Sarkophag, ein versiegelter Behälter aus Alabaster und eine Unzahl an Töpferwaren. Die Chancen standen gut, dass man eine völlig intakte königliche Grabkammer gefunden hatte. Doch der Sarkophag konnte nicht geöffnet werden, bevor das Grab nicht leer geräumt war, und das dauerte unter den heißen und gefährlichen örtlichen Bedingungen beinahe zwei Jahre. Mit Fortschreiten der Arbeiten musste man jedoch feststellen, dass es sich nicht um die primäre Grabkammer handelte, wie George Reisner und sein Team gehofft hatten. Als man den Sarkophag dann öffnete, war er leer, allein in der Kanopentruhe befanden sich vier erhaltene menschliche Organe.

Wie können wir uns diese geheimnisvolle Kammer erklären? Reisner glaubte, eine Umbettung entdeckt zu haben. Hetep-Heres musste anderswo begraben worden sein, vielleicht in der Nähe ihres Gatten in Dahschur, und ihr Grab musste, unmittelbar nach der Versiegelung, geplündert worden sein. Die Überführung der verbliebenen Beigaben in die Sicherheit der großen Anlage von Giseh – vielleicht ohne Cheops' Wissen – ergibt, so gesehen, Sinn. Das würde auch den fehlenden Leichnam

PERSÖNLICHE HYGIENE

„Gegen den Gestank eines männlichen oder weiblichen Körpers: Straußenei, Schildkrötenpanzer und Galläpfel der Tamariske rösten und den Körper mit der Mixtur einreiben [...] Rezept für eine kranke Zunge: Mit Kleie, Milch und Gänsefett den Mund spülen ..."[3]

Sauberkeit und Körperpflege waren für die ägyptische Oberschicht kein Luxus, sondern eine Notwendigkeit. Männer wie Frauen sahen in der Hygiene ein Kriterium, das sie aus der Masse der Untertanen hervorhob, die sich diesen Komfort nicht leisten konnten.

Manche nahmen es besonders genau und entfernten alle Körperhaare – und damit alle Läuse – mithilfe von Pinzetten, Steinschabern oder metallenen Klingen, wobei Öl als probate Rasiercreme diente. Die kahlen Köpfe verbarg man, wenn nötig, unter Perücken. In Ermangelung von Seife benutzte man Natron und Soda zur Reinigung. Zahnbürsten waren unbekannt, doch der Historiker Plinius berichtet, dass die Ägypter ihre Zähne mit einer Paste aus Wurzeln säuberten, die mit Zweigen verteilt wurde. Das gesäuberte Gesicht konnte mit grünem (Malachit) und grauem (Bleierz) Lidschatten oder Kajal, dem man eine heilende und schützende Wirkung gegen die stechende Sonne zuschrieb, dekoriert werden. Schminkpaletten aus Stein, gefunden in prädynastischen Gräbern beider Geschlechter, zeigen, wie tief verwurzelt diese Tradition war.

Unter den Grabbeigaben von Hetep-Heres (siehe Kasten S. 44) befanden sich selbstverständlich auch alle Kosmetikutensilien, darunter kleine Töpfchen aus Alabaster für Parfum, Salben und Kajal, eine goldene und einige steinerne Rasierklingen für Kopf und Körper und ein Nagelreiniger oder eine Nadel.

erklären. Grabräuber bemächtigten sich in der Regel zuallererst der Mumien, da sich unter den Bandagen meist kleine, höchst wertvolle Amulette fanden. Später meinte Mark Lehner, der Schacht könnte sehr wohl das Originalgrab von Hetep-Heres sein – eine Pyramide, deren Oberbau nie errichtet und die aufgegeben wurde. Den Leichnam und wertvolle Grabbeigaben überstellte man in ihre Königinnenpyramide, sperrigere Güter blieben versiegelt am Grund des aufgegebenen Schachts.

(*Unten und unten rechts*) Die vollgestopfte Kammer mit den sehr zerbrechlichen Grabbeigaben von Königin Hetep-Heres. Die Rekonstruktionszeichnung zeigt, wie man sich unter Umständen die ursprüngliche Anordnung der Gegenstände vorzustellen hätte.

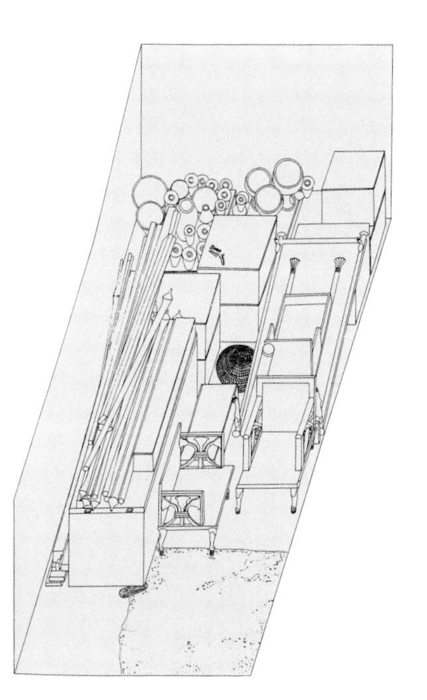

FÜR EINE KÖNIGIN GEMACHT: DIE SCHÄTZE VON HETEP-HERES I.

Im Jahr 1925 fand ein Team unter der Leitung des amerikanischen Archäologen George Reisner eine unglaubliche Ansammlung von Grabbeigaben von Königin Hetep-Heres. Darunter waren elegante hölzerne Möbelstücke mit Verzierungen aus Goldfolie und Metallscharnieren, die Snofrus Namen trugen – unsere einzige nachweisliche Verbindung zwischen Hetep-Heres und ihrem Gatten. Als man sie fand, waren viele der Möbel stark eingeschrumpft und verfallen, die Einlegearbeiten waren herausgefallen, doch sie wurden in der Zwischenzeit von Experten und Handwerkern restauriert (bzw. nachgebaut), sodass wir nun wieder die Ausstattung des königlichen Schlafzimmers bewundern können: ein Bett mit Kopfstütze, ein Sofa, ein Gestell für einen Baldachin (dieser wurde wahrscheinlich bereits in der Antike gestohlen) und ein Paar Armstühle. Eine Sänfte, die stark an die Sänfte auf Narmers Keulenkopf erinnert, ist mit einem Schild aus schwarzem Ebenholz und winzigen Goldhieroglyphen als Eigentum der „Mutter des Königs von Ober- und Unterägypten, des Nachfolgers von Horus, Verantwortliche für die Angelegenheiten [des Harems?], Gütige, der jeder Wunsch erfüllt wird, Tochter aus dem Leib Gottes, Hetep-Heres" gekennzeichnet.

Die vergoldete Schmuckschatulle, als „Schatulle für Ringe … der Mutter des Königs von Ober- und Unterägypten, Hetep-Heres" beschildert, enthielt keine Ringe, sondern 20 unterschiedlich große Silberarmreifen mit Schmetterlingen aus Türkis, Lapislazuli und Karneol. Darstellungen aus dieser Zeit zeigen, dass Männer und Frauen, Aristokraten und Bürger, mehrere dieser Armreifen an jedem Arm trugen.

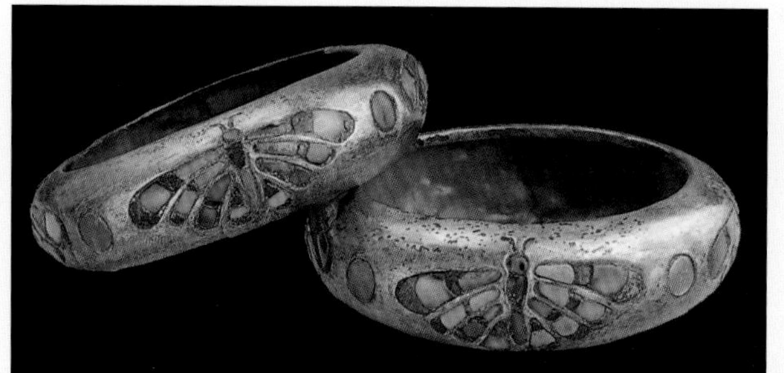

(Oben) Die rekonstruierte Schlafzimmereinrichtung von Hetep-Heres. Vorhänge und Bettlaken verschwanden bereits in der Antike.

(Links) Diese Silberarmreifen mit Einlegearbeiten wurden in einer zerfallenen Holzschatulle gefunden, die innen und außen mit Blattgold überzogen war. Silber war wertvoller als Gold. Eine Darstellung der Königin in ihrer Sänfte zeigt sie mit 14 ähnlichen Armreifen an einem Arm.

(Unten) Detail von Hetep-Heres' Bett- und Vorhangtruhe, die mit der Kartusche ihres Gatten Snofru dekoriert ist.

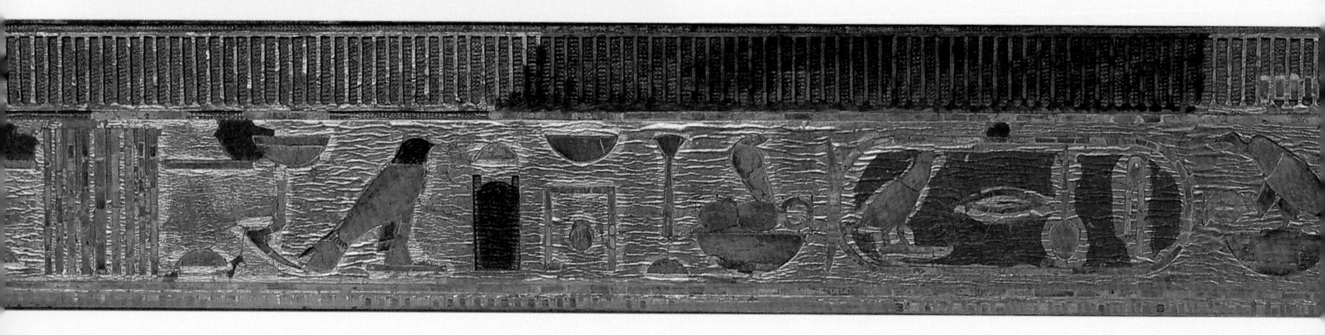

4. DYNASTIE
2575–2450

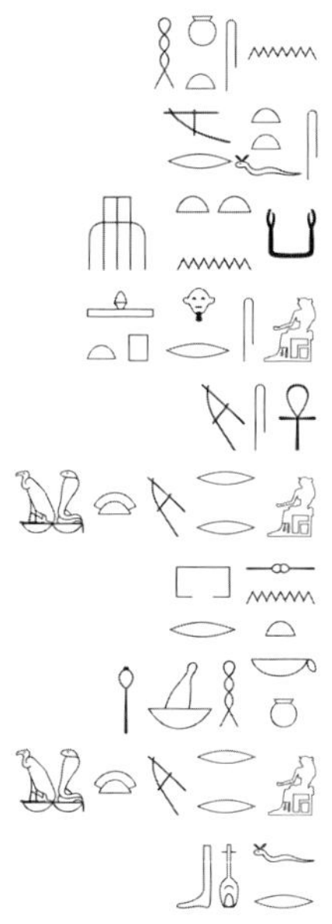

Henutsen
Meritetes
Kenteten-Ka
Hetep-Heres II.
Meresanch III.
Chamerernebti I.
Persenti
Hekenuhedjet
Chamerernebti II.
Bunefer

Hetep-Heres II., Tochter von Cheops, heiratete nicht weniger als drei Königsbrüder und gebar doch keinen Erben.

FAMILIE UND TITEL

HENUTSEN
Ehemann
Cheops (altägyptisch: Chufu)
Eltern
Unbekannt
Sohn
Chephren?
Titel
Königstochter
Grabstätte
Giseh (G1c)

MERITETES
Ehemann
Cheops
Vater
Snofru
Mutter
Unbekannt
Söhne
Radjedef?, Kawab
Titel
Große des Zepters, Königsgemahlin
Grabstätte
Giseh (G1b)

KENTETEN-KA
Ehemann
Radjedef
Eltern
Unbekannt
Kinder
Unbekannt
Titel
Sie, welche Horus und Seth sieht, Königsgemahlin
Grabstätte
Unbekannt

HETEP-HERES II.
Ehemänner
Kawab, Radjedef? Chephren?
Vater
Cheops
Mutter
Unbekannt
Tochter
Meresanch III.
Titel
Königstochter, Königsgemahlin, Große des Zepters
Grabstätte
Giseh (G7530 + 7540)

MERESANCH III.
Ehemann
Chephren
Vater
Kawab
Mutter
Hetep-Heres II.
Sohn
Nebemaket?
Titel
Königstochter, Königsgemahlin, Große des Zepters
Grabstätte
Giseh (G7530 + 7540)

Henutsen und Meritetes

Die südlichste und am besten erhaltene Königinnenpyramide des Cheops (registriert als G1c) wurde anhand einer Stele aus der 26. Dynastie mit Vorbehalt der ansonsten undokumentierten Königstochter (von Snofru?) Henutsen zugeordnet. Man nimmt an, dass Henutsen die Gemahlin von Cheops und die Mutter des zweiten Pyramidenbauers von Giseh, Chephren, war. Ihre Pyramide wurde einige Zeit nach den anderen beiden errichtet, vielleicht von ihrem Sohn, und könnte ursprünglich nicht zum Cheops-Komplex gehört haben.

Die mittlere Pyramide (G1b) gehörte vielleicht der „Großen des Zepters", Königin Meritetes, einer weiteren Tochter Snofrus und Gattin von Cheops, möglicherweise der Mutter von Radjedef, der zwischen Cheops und Chephren regierte. Meritetes ist auch als Mutter von Kronprinz Kawab bekannt, der jedoch vor seinem Vater Cheops starb.

Kenteten-Ka

Cheops' Nachfolger Radjedef wurde mit unverdientem Argwohn bedacht. Einige Jahre lang hielt man ihn für den Sohn von Cheops und einer wunderschönen, blonden libyschen Prinzessin, der durch den Mord an dem wahren Thronfolger an die Macht kam. Es gibt allerdings keinen Beweis für die Existenz einer libyschen Prinzessin, blond oder nicht. Das helle Haar, das man auf Grabmalereien von Königin Hetep-Heres II. (der Schwester von Radjedef und daher der Tochter der fiktiven libyschen Prinzessin) zu sehen glaubte, war nichts als eine Fehlinterpretation von Hetep-Heres' exotisch gefärbter, gestreifter Perücke.

KÖNIGINNEN DER 4. DYNASTIE

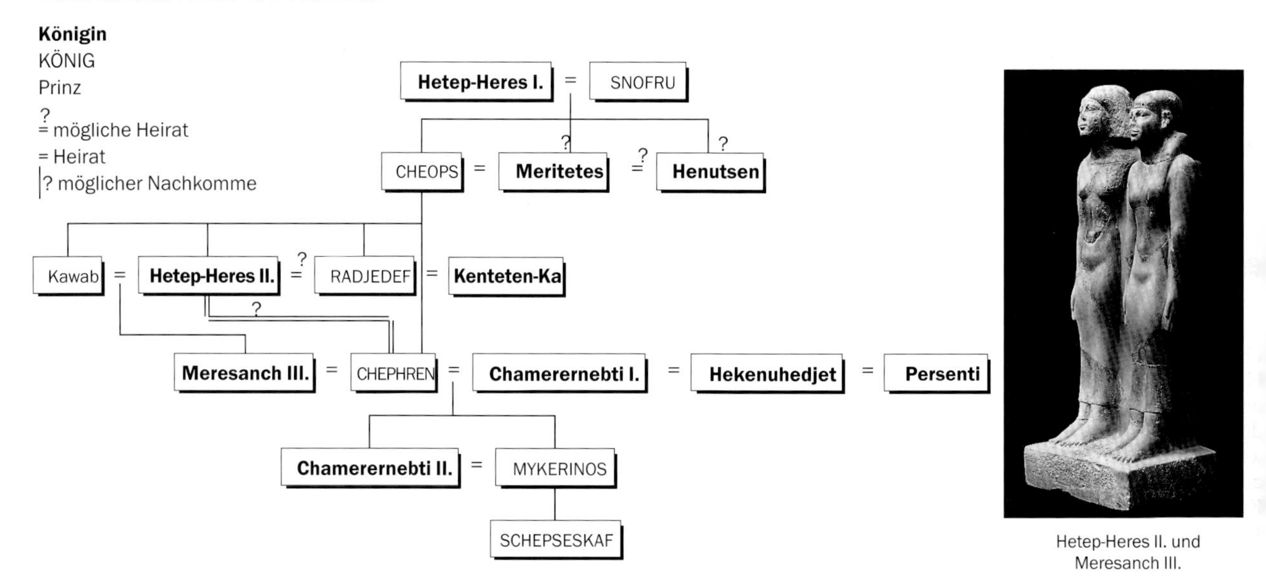

Hetep-Heres II. und Meresanch III.

In diesem Statuenfragment aus „Radjedefs Sternenhimmel", dem Pyramidenkomplex Radjedefs in Abu Roasch, kniet die verkleinerte Kenteten-Ka zu Füßen ihres Gatten. Der Pyramidenkomplex enthielt ursprünglich mehr als 20 Statuen des Königs.

Radjedef baute seine Pyramide nicht in Giseh, sondern in der alten Wüstennekropole Abu Roasch. Die Maurer der Spätzeit, die die Anlage abbauten, warfen die zerschlagenen Statuen von Radjedef in eine leere Schiffsgrube. Unter den 120 Statuen und Fragmenten waren einige Darstellungen von Königin Kenteten-Ka. Das am besten erhaltene Bild zeigt eine Minikönigin, die neben ihrem riesigen Gatten kniet.

HETEP-HERES II.

Radjedef könnte auch seine Schwester Hetep-Heres, Witwe seines Bruders Kawab, geheiratet haben. Durch den frühen Tod Radjedefs ein zweites Mal Witwe, soll sie auch noch den dritten Bruder, Chephren, geheiratet haben. Dies wäre höchst ungewöhnlich, denn nur sehr wenige königliche Witwen heirateten ein zweites oder gar drittes Mal, sodass diese Hochzeiten Ehrenzeremonien gewesen sein könnten, die die Position Hetep-Heres' bei Hof erhalten sollten. Sie gebar jedoch niemals einen Erben, der sie zur Königsmutter gemacht hätte. Dies könnte erklären, warum sie, obwohl es eine gemeinsame Grabstätte für sie und ihren ersten Gatten Kawab gibt, möglicherweise bei ihrer Tochter Meresanch III. in einem reich geschmückten Doppelgrab in Giseh beigesetzt wurde.

(*Seite 47*) Zehn namenlose Frauen sieht man in dieser unterirdischen, haremgleichen Kammer im Nordteil des Grabes von Meresanch III. in Giseh. In dem Grab fand man auch sechs männliche Schreiber und zwei Statuen von Meresanch und ihrer Mutter Hetep-Heres II.

MERESANCH III.

Das Rascheln des Papyrus: Hetep-Heres II. und ihre Tochter Meresanch III. befahren ein Gewässer in einem hauchdünnen Boot aus Papyrus. Da das Bild keinen König zeigt, wird Hetep-Heres zur dominierenden Gestalt, die jüngere Königin unterstützt ihre Mutter, indem sie den linken Arm um sie legt.

Obwohl sie ihre Grabinschriften als „Königstochter, Königsgemahlin" ehren, ist der erste Titel in seiner Nebenbedeutung als Enkelin zu verstehen, da Meresanch die Tochter von Cheops' Sohn Kawab und die Gattin und Nichte von Chephren war. Wie ihre Mutter gebar sie keinen Thronfolger. An der Wand ihrer Grabkammer sehen wir Mutter und Tochter in einem Boot aus Papyrus, sie zelebrieren das Ritual „Rascheln des Papyrus" zu Ehren der Göttin Hathor. Die jüngere Königin, gekleidet in eine perlenbesetzte Robe und geschmückt mit Arm- und Fußreifen sowie einem Diadem im kurzen Haar, steht hinter der Mutter und legt den Arm um deren Taille. Hetep-Heres II., so jugendlich dargestellt wie ihre Tochter, trägt ein einfaches Kleid und eine lange Perücke. Eine Doppelstatue aus demselben Grab zeigt Hetep-Heres, die „ihre geliebte Tochter, des Königs Gemahlin" unterstützend umarmt. Wieder trägt Meresanch das Haar kurz – vielleicht ihr eigenes Haar und keine Perücke –, möglicherweise als Zeichen ihrer Jugend gegenüber der Mutter. Eine Erweiterung zu diesem Grab zeigt ein einzigartiges, in Stein gehauenes Relief von zehn namenlosen – königlichen? – Frauen.

Bemerkenswerterweise können wir Meresanchs Grab sowohl ihren Todestag als auch das Datum ihrer Beisetzung entnehmen. Obwohl Herodot von einer Einbalsamierungszeit von 70 Tagen spricht, musste Meresanch ganze 272 Tage auf ihr Begräbnis warten – möglicherweise waren die Arbeiten an der Grabstelle noch nicht abgeschlossen. Ihre Grabkammer enthüllt die ältesten bekannten Kanopen sowie das stark verfallene Skelett einer Frau Mitte 50 mit schlechten Zähnen.

CHAMERERNEBTI I., PERSENTI UND HEKENUHEDJET

Dieser abgebrochene, 10 cm hohe Kopf aus Alabaster ist der erste Beleg für die Geierhaube der Königin. Er gehört zu einer von ganz wenigen Königinnenstatuen aus dem Alten Reich und wird aufgrund des Darstellungsstils der 4. Dynastie zugeordnet.

Aufgrund kryptischer Referenzen in ihren eigenen und den Gräbern ihrer Kinder werden Chephren noch drei Ehefrauen – Chamerernebti I., Persenti und Hekenuhedjet – zugeschrieben. Der abgebrochene Kopf einer Statue, der nahe der Pyramide von Chephren gefunden und daher fürs Erste ihm zugeschrieben wurde, könnte eine der drei Frauen darstellen. Es ist dies der älteste Frauenkopf mit der Geierhaube, der Kopftracht der Königinnen. Aus den Gräbern von Chephren und Mykerinos wurden ebenfalls Fragmente von Geierhauben geborgen, sie waren aber für eine Identifizierung zu schwer beschädigt.

CHAMERERNEBTI II.	
Ehemann Mykerinos (altägyptisch: Menkaure) *Vater* Chephren *Mutter* Chamerernebti I.	*Sohn* Chuenre *Titel* Königstochter, Königsgemahlin, Große des Zepters *Begräbnisstätte* Giseh (GIII-a?)

CHAMERERNEBTI II.

Die Nachfolge von Chephren ist nicht geklärt, wahrscheinlich ging der Thron an Mykerinos, seinen Sohn mit Chamerernebti I. Um diesen und seine Pyramide in Giseh ranken sich zahlreiche Legenden. Schriftsteller der Antike berichten, dass er seine geliebte Tochter (die er vielleicht vergewaltigt hat) in einer riesigen, vergoldeten Holzkuh beigesetzt habe. Auch sei die Pyramide für die schöne Kurtisane Rhodophis gebaut worden. Der griechische Historiker Strabo erzählt ein Aschenputtelmärchen, in dem Rhodophis' duftende Sandale von einem Adler geraubt wird, der sie in den Schoß des Königs fallen lässt. Vom Duft der Sandale überwältigt, sucht der König nach deren Trägerin und nimmt sie zur Frau.

Mykerinos baute südlich der Hauptpyramide mindestens zwei Königinnenpyramiden (G3-a und G3-b; G3-c, eine dritte, kleinere, war sicher seine Zweitpyramide). G3-b enthielt die Überreste einer namenlosen Frau. Rechetre, eine Frau, die nicht in einer Königinnenpyramide beigesetzt wurde, beansprucht in ihrem Grab den Titel „Königstochter, Königsgemahlin", da jedoch weder Vater noch Ehemann genannt werden, bleibt ein Zusammenhang mit Mykerinos Spekulation.

Die östlichste Pyramide G3-a könnte für Mykerinos' Schwestergemahlin Chamerernebti II., Tochter von Chamerernebti I., bestimmt gewesen sein. Doch da im Grab von Chamerernebti I. eine überlebensgroße Statue von Chamerernebti II. – die einzige erhaltene Kolossalstatue einer Königin des Alten Reichs – gefunden wurde, könnten Mutter und Tochter auch gemeinsam beigesetzt worden sein. Der schlecht erhaltenen Statue fehlen die Insignien. Nur die imposante Größe und die Tatsache, dass sie auf einem Thron sitzt, bestätigen den königlichen Status.

Geierhaube und Uräusschlange

Die Geierhaube, wie der Name vermuten lässt, ein Kopfschmuck, hat die Form eines eher schlappen Geiers, der auf dem Kopf der Trägerin liegt. Sein Körper formt eine eng sitzende Haube, die Flügel umrahmen das Gesicht, die Beine hängen am Hinterkopf herab und der Geier reckt Kopf und Hals von der Stirn der Trägerin nach vorne.

Die Geierhaube war ursprünglich der Kopfschmuck der oberägyptischen Schutz- und in manchen Mythologien auch Geburtsgöttin Nechbet und wurde in der Folge auch von anderen Göttinnen getragen.

Der Kopfschmuck wurde eines der Standardinsignien der Königinnen, blieb aber während der 4. Dynastie den Königsmüttern vorbehalten. Allerdings gibt es zu wenige Zeugnisse aus dem Alten Reich, um dies wissenschaftlich zu untermauern. Offensichtlich sollte die Geierhaube die Verbindung der Königin/Königsmutter zum Göttlichen ebenso hervorheben wie den Unterschied zu anderen Frauen im Umfeld des Königs, einschließlich seiner Haremsdamen. Wir wissen auch nicht, ob es sich bei der Göttlichkeit der Königin nun um ein neues Phänomen handelt oder ob man diese Beziehung bereits seit der Zeit von Königin Hotep-Neith erkannt, aber nicht dokumentiert hatte.

Die Ägypter kennen eine Reihe von Schlangengottheiten, männliche wie weibliche, gute wie böse. Apophis war der übelste von allen – als gigantische, aggressive Schlange griff er des Nachts die Sonnenbarke von Re an. Zum Glück stand Re die Ringelschlange Mehen zur Seite, die ihn beschützte.

Weibliche Schlangen galten als schützend und nährend. Meretseger, „Die die Stille liebt“, bewachte die Toten in der Nekropole Theben und war für die Handwerker des Neuen Reichs, die im Tal der Könige arbeiteten, ein beliebtes Subjekt der Verehrung. Die schlangenköpfige oder schlangengestaltige Renenutet galt als Göttin der Ernte. Sie beschützte Silos, Häuser und Familien und sorgte als göttliche Amme sowohl für Babys als auch für den König.

Das Diadem von Sit-Hathor-Iunet, ein Teil des Schatzes von Lahun aus der 12. Dynastie, gefunden 1914. Die Uräusschlange wird von Königinnen ab der 6. Dynastie getragen und wurde im Mittleren Reich zum Standard.

Die Geierhaube, hier in Kombination mit dem Kalathos, getragen von Königin Ahmes-Nefertari am Ende der 18. Dynastie. Dieses Bild, das 150 Jahre nach ihrem Tod gemalt wurde, stammt aus dem Grab von Nebamun und Ipuki in Theben (TT 181).

Wadjet (oder Uto), „die Grüne“, die Schlangengöttin von Unterägypten und dem Nildelta, sorgte für eine Variante der Geierhaube, bei der der Geierkopf durch einen Schlangenkopf, die „Uräusschlange“, ersetzt wurde – eine Kobra, die die Krone schmückt und schützt. Diese Variante der Geierhaube zierte Königsgemahlinnen ab der 6. Dynastie und betonte die Verbindung der Königin sowohl zur Mutterschaft (Geier wie Schlangen galten als Personifikation der Mutterschaft) als auch zum König, der ebenfalls Uräusschlangen trug.

Die Entstehung der Uräusschlange ist im Schöpfungsmythos von Heliopolis erklärt. Der Urgott Atum sandte ein Auge (eine Erscheinungsform der Göttin Hathor) auf die Suche nach seinen verlorenen Kindern. Als Hathor mit den Kindern zurückkehrte, fand sie die Sonne an ihrem Platz. Wütend verwandelte sie sich in eine Schlange, und Atum, der erste König Ägyptens, gab der Schlangengöttin einen Platz auf seiner Stirn.

5. Dynastie
2450–2325

Chentkaus I.
Neferethanebti
Chentkaus II.
Reputnebu
Meresanch IV.
Nebet
Chenut

Chentkaus I., abgebildet am granitenen Torpfosten des Eingangs zu ihrem Grab in Giseh. Die Königin trägt ein Kleid und königliche Insignien.

(*Unten*) Der Titel der Königin kann sowohl als „Mutter der beiden Könige von Ober- und Unterägypten" (*mwt-nsw-bti*; Übersetzung von Vladimir Vikentiev) als auch als „König von Ober- und Unterägypten und Mutter des Königs von Ober- und Unterägypten) (*nsw-bti-mwt-nsw-bti*; Übersetzung von Hermann Junker) interpretiert werden.

CHENTKAUS I.

Schepseskafs Grab könnte die ungewöhnliche Mastaba von Chentkaus I., einer Königin der 5. Dynastie, in Giseh inspiriert haben. Ihr Grab (LG100), erbaut auf einer natürlichen Felserhebung, sodass es als zweistufige Mastaba erscheint, war imposante 45,5 x 45,8 x 17,5 m groß und umfasste einen Totentempel, eine Grabkammer und Lagerräume. Sie hatte sogar ein kleines „Pyramidendorf" für die Priester, die ihren Kult pflegten. Die Mastaba, 1931–1932 von Selim Hassan freigelegt, enthielt keinerlei Grabgegenstände außer einem Alabastersarg.

Chentkaus war offensichtlich eine Frau von großer Bedeutung, aber wer genau war sie? Ihre Titel, eingraviert in den Torbogen zum Totentempel, enthalten eine wichtige, jedoch zweideutige Phrase, die sowohl mit „Mutter beider Könige von Ober- und Unterägypten" als auch mit „König von Ober- und Unterägypten und Mutter des Königs von Unter- und Oberägypten" übersetzt werden kann. Die Ägyptologen akzeptierten zuerst die erste Übersetzung und waren der Meinung, Chentkaus war die Mutter zweier Könige, von Sahure und Neferirkare, dem zweiten und dritten König der 5. Dynastie. Doch Chentkaus' Torbogen zeigt sie auf einem Thron, mit falschem Bart und Uräusschlange, in der Hand ein Zepter. Die einzelne Schlange, die die Trägerin mit dem Königtum und im Besonderen mit der Schlangengöttin Wadjet verbindet, war erst im Mittleren Reich der übliche Schmuck einer Königin. Chentkaus' zerstörter Name zeigt sich in keiner Kartusche – oval eingerahmte Hieroglyphen, die ab der 3. Dynastie den *Serekh* als Referenz für den Namen eines Königs ersetzten –, doch die üppige Ansammlung königlicher Insignien legt nahe, dass Chentkaus eine Zeit lang Ägypten regierte, wahrscheinlich

FAMILIEN UND TITEL

CHENTKAUS I.	CHENTKAUS II.
Ehemann	*Ehemann*
Userkaf?	Neferirkare
Eltern	*Eltern*
Unbekannt	Unbekannt
Söhne	*Söhne*
Sahure? Neferirkare?	Neferefre, Niuserre
Titel	*Titel*
König?, Königsmutter	Königsgemahlin, Königsmutter
Begräbnisstätte	*Begräbnisstätte*
Giseh (LG100)	Abusir

Chentkaus' I. enorme, zweistufige Mastaba, teilweise aus natürlichem Fels gehauen, wurde ursprünglich für eine vierte, unvollendete Pyramide von Giseh gehalten. Das Grab wurde während der 5. Dynastie ausgebaut. Im Hintergrund sieht man die Pyramide von Chephren.

als Regentin für einen oder mehrere ihrer Söhne, deren Namen jedoch leider nirgendwo erwähnt werden. Zur Belohnung erhielt sie – wie Meri-Neith vor ihr – ein großartiges Grab bei ihren Regentenkollegen.

Der Papyrus Westcar

Der Papyrus Westcar zeigt uns eine andere Version der Ereignisse, die zu Chentkaus' Regentschaft führten, indem er die Geschichte einer göttlichen Geburt erzählt. Sie beginnt in der 4. Dynastie. Pharao Cheops ließ sich von einem älteren Zauberer, Djedi, mit dessen Kunst unterhalten. Nachdem er eine Reihe enthaupteter Tiere wieder zum Leben erweckt hatte, sagte Dejdi die Zukunft voraus und sprach von Drillingen, die die Dame Redjedet, die Frau eines Priesters des Re, bald gebären würde. Dann springt die Geschichte in die Zukunft. Redjedet liegt in den Wehen und nichts kann ihren Schmerz lindern. Re, der Vater ihrer ungeborenen Kinder, sieht sie leiden und sendet die Göttinnen Isis, Nephthys, Meschenet und Heket zu Hilfe. Begleitet vom Schöpfergott Chnum erreichen sie das Haus, als Tänzerinnen verkleidet.

(*Seite 55, oben*) Der riesige Pyramidenkomplex, der für Königin Chentkaus II. in Abusir gebaut worden war, enthielt eine große Totenkapelle aus Stein und – in einer zweiten Bauphase hinzugefügt – aus Ziegeln. Die Pyramide selbst ist stark erodiert.

Als sich Redjedet für den Geburtsakt hinhockt, steht Isis vor ihr, Nephthys stützt sie von hinten und Heket beschleunigt durch Magie den Geburtsvorgang. Isis begrüßt das erste Baby mit einem Bezug auf dessen Namen Userkaf: „Sei nicht so stark im Leib deiner Mutter, du dessen Name der Starke ist." Das Baby wird gewaschen, seine Nabelschnur versorgt und der Säugling auf ein Kissen gelegt. Meschenet sagt dann sein Schicksal voraus: „Ein König, der das ganze Land regiert", und Chnum schenkt ihm Gesundheit.

Zwei weitere Könige werden geboren, und Isis gibt ihnen ihre Namen: „Schlage nicht in deiner Mutter Leib, du, dessen Name der Schläger (Sahure) ist" und „Sei nicht dunkel in deiner Mutter Leib, du, dessen Name der Dunkle (Neferirkare) ist".

Die Geschichte gibt die tatsächlichen Ereignisse zu Beginn der 5. Dynastie sicher nicht wahrheitsgetreu wieder: eine propagandistische Sage, die die göttliche Herkunft von Userkaf, Sahure und Niuserre als Söhnen des Sonnengottes Re unterstreicht. Eine Spielart davon wird im Neuen Reich wieder auftauchen, als Hatschepsut, Amenophis III. und Ramses II. behaupten, Kinder von Amun zu sein. Diese Verbindung mit dem Gott verleiht Redjedet – wahrscheinlich eine falsche Schreibweise des Namens Chentkaus – eine Position, die alle Königsmütter begehren: eine Sterbliche im engsten aller möglichen Kontakte mit einem Gott.

Wenn wir ein wenig verlässlichere Quellen zu Rate ziehen, zeigt sich, dass nach Schepseskaf Userkaf auf den Thron folgte, ein Mann unbekannter Herkunft, obwohl wir annehmen können, dass er ein Mitglied der weiteren königlichen Familie, vielleicht ein Enkel Radjedefs oder ein Sohn Mykerinos' war. Es ist wahrscheinlich, allerdings nirgendwo dokumentiert, dass Userkaf Chentkaus I. heiratete. Er regierte nur acht Jahre – daher erscheint es einleuchtend, dass sein Sohn und Nachfolger Sahure die Führung der Mutter brauchte. Userkaf errichtete neben seiner eigenen in Sakkara eine der größten Königinnenpyramiden aller Zeiten. Heute ist sie verfallen und die Besitzerin unbekannt. Vorausgesetzt, sie war für Chentkaus gedacht, blieb sie leer.

NEFERETHANEBTI

Sahures Gemahlin Neferethanebti wird, wie seine Kinder, in seinem Totentempel erwähnt, doch wir wissen kaum etwas über sie.

CHENTKAUS II.

(*Seite 55, unten*) Nebet, die Gemahlin Unas', riecht in ihrer Mastaba in Sakkara an einer Lotosblüte. Nebets Grab umfasste auch eine Grabkapelle mit vier Statuennischen, von denen eine die Kartusche ihres Gatten Unas zeigte. Miroslav Verner (2001: 339) hat vorgeschlagen, dass diese Nischen für eine Statue des Königs und drei der Königin gedacht waren.

Sahures Nachfolger, Neferirkare, war nicht sein Sohn. Obwohl ihr Verhältnis nicht dokumentiert ist, lässt der Papyrus Westcar vermuten, dass sie Brüder waren. Der neue Pharao begann im Süden seines eigenen Pyramidenkomplexes in Abusir den Bau einer Pyramide für seine Gemahlin Chentkaus II. Zehn Jahre später erzwang Neferirkares früher Tod die Einstellung der Bauarbeiten. Unter Chentkaus' Sohn wurde weitergebaut, wobei die Maurer ein paar Blöcke verwendeten, die sie von

Neferirkares unfertiger Pyramide „geborgt" hatten. Heute ist das einst 17 m hohe Bauwerk ein niedriger, formloser Hügel, doch die Grabkammer bewahrte Teile eines Sarkophags aus rosa Granit, sodass die Annahme, er habe die Mumie einer Königin enthalten, vernünftig erscheint.

Papyri aus dieser Zeit sprechen davon, dass Chentkaus' Totentempel mindestens 16 Statuen der Königin enthielt. Sie sind alle verloren gegangen. Was erhalten blieb, sind Basreliefs von Chentkaus an den Tempelwänden und -säulen. Zwischen eindeutigen Szenen des religiösen und privaten Lebens zeigen sie Chentkaus, die die Uräusschlange trägt, und wir treffen wieder auf den zweideutigen Titel „Mutter der beiden Könige von Unter- und Oberägypten" oder „König von Unter- und Oberägypten, Mutter des Königs von Unter- und Oberägypten". Dies führte anfangs zu großer Verwirrung, da Ägyptologen verständlicherweise annahmen, Chentkaus I. und Chentkaus II. seien ein und dieselbe Person. Heute wissen wir, dass es zwei Frauen gleichen Namens sind, die beide eine Staatskrise erlebten. Chentkaus I. regierte Ägypten für zumindest einen zu jungen Sohn. Ob Chentkaus II. auch für einen Sohn regierte oder „nur" die Mutter zweier Könige (Neferefre and Niuserre) war, ist unklar.

Reputnebu, Meresanch IV., Nebet, Chenut: Die letzten Königinnen der 5. Dynastie

Die Liste der letzten Königinnen der 5. Dynastie ist unvollständig: eine Handvoll Namen (Reputnebu, Gemahlin von Niuserre, Meresanch IV., Gemahlin von Menkauhor, Nebet und Chenut,

Unas baute im Nordosten seiner eigenen Pyramide in Sakkara eine ungewöhliche Doppel-Mastaba für seine Gemahlinnen Nebet und Chenut.

Gemahlinnen von Unas), eine Heerschar königlicher Kinder und ein paar Könige (Neferefre, Schepseskare, Djedkare) mit namenlosen Königinnen, auch wenn – falls Größe ein Zeichen von Bedeutung ist – Djedkares Gattin recht einflussreich gewesen sein muss. Unas, der letzte König der 5. Dynastie, baute seine Pyramide, in der erstmals Sprüche aus den Pyramidentexten gefunden wurden, in Sakkara. Ihm folgte sein Sohn/Schwiegersohn Teti, Sohn von Sesches-chet und Gemahl seiner Tochter Iput.

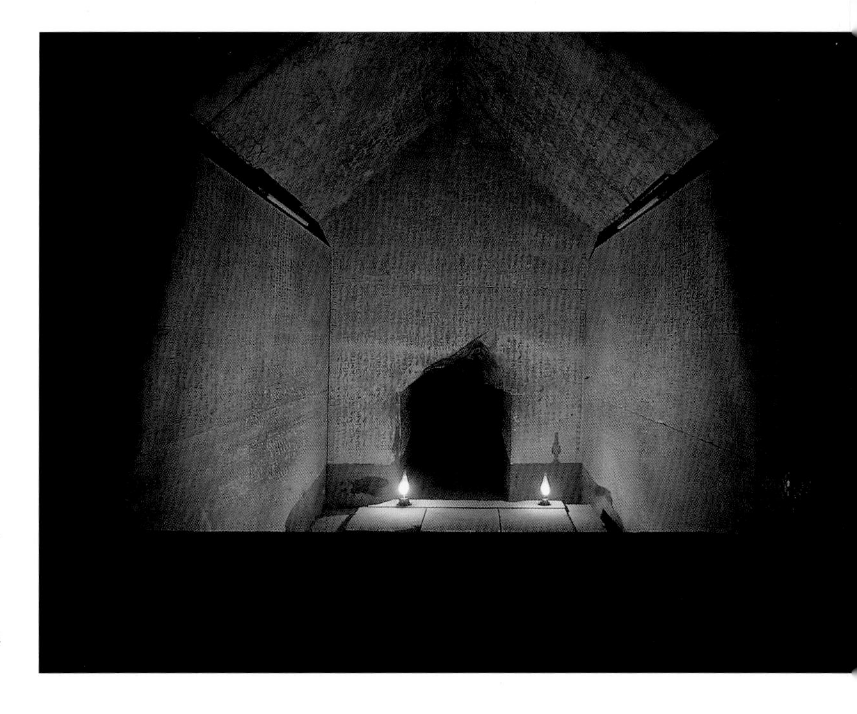

Unas war der erste König, der seine Pyramide mit religiösen Sprüchen aus der als Pyramidentexte bekannten Sammlung dekorierte. Sie sollten dem toten König auf seiner Suche nach dem ewigen Leben eine Hilfe sein.

6. DYNASTIE
2325–2175

Iput I.
Chuit
„Weret-Imtes“
Nubunet
Inenek-Inti
Meritetes
Nedjeftet
Anchnesmerire I.
Anchnesmerire II.
Neith
Udjebten
Iput II.
Anchnesmerire III.
Anchnesmerire IV.
Nitokris

FAMILIE UND TITEL

IPUT I.
Ehemann
Teti
Vater
Unas
Mutter
Nebet oder Chenut
Sohn
Merenre I.
Titel
Königstochter, Königsgemahlin, Königsmutter, Große des Zepters
Begräbnisstätte
Sakkara

CHUIT
Ehemann
Teti
Eltern
Unbekannt
Sohn
Userkare?
Titel
Königsgemahlin, Große des Zepters
Begräbnisstätte
Sakkara

ANCHNESMERIRE I.
Ehemann
Pepi I.
Vater
Chui von Abydos
Mutter
Nebet
Sohn
Merenre I.
Tochter
Neith
Titel
Königsgemahlin, Königsmutter, Große des Zepters
Begräbnisstätte
Sakkara

ANCHNESMERIRE II.
Ehemann
Pepi I.
Vater
Chui von Abydos
Mutter
Nebet
Sohn
Pepi II.
Titel
Königsgemahlin, Königsmutter, Große des Zepters, Gottes Tochter
Begräbnisstätte
Sakkara

NEITH
Ehemann
Pepi II.
Vater
Pepi I.
Mutter
Anchnesmerire I.
Sohn
Merenre II.
Titel
Königstochter, Königsgemahlin, Königsmutter, Große des Zepters
Begräbnisstätte
Sakkara

IPUT II.
Ehemann
Pepi Pepi II.
Vater
Pepi I.
Titel
Älteste Königstochter, Königsgemahlin, Sie, die Horus und Seth sieht
Begräbnisstätte
Sakkara

IPUT I.

Teti baute zwei Königinnenpyramiden im Nordteil von Sakkara. Das Grab von Iput I. war zuerst eine gewöhnliche Mastaba und wurde nach ihrem Tod von ihrem Sohn Pepi I. in eine kleine, steile Pyramide ohne Zugang umgebaut. Er könnte sich seiner Mutter verpflichtet gefühlt haben, da sie möglicherweise während seiner ersten Regierungsjahre die Regentschaft innehatte. Iputs Grab wurde in der Antike geplündert, doch man fand ihre Gebeine und ein kleines Zedernholzkästchen mit ein paar goldenen Schmuckstücken in ihrem Kalksteinsarkophag. Eine weit jüngere Iput sehen wir auf einem Bruchstück aus Koptos: Sie steht hinter ihrem Sohn, der dem Gott Min opfert. Iput trägt die Geierhaube, den Stab und das Anch, die Göttern und Königen vorbehaltene „Lebensschleife“, was darauf hindeutet, dass sie nicht mehr unter den Lebenden weilt.

CHUIT

Chuits Grab wurde von Anfang an als Pyramide gebaut. Da Pyramiden auf einen höheren Status hindeuteten als Mastabas, nimmt man an, dass sie zumindest zu Lebzeiten ihres Gatten Teti als die bedeutendere Königin angesehen wurde. Dies lässt vermuten, dass Chuit die Mutter von Tetis Nachfolger, dem früh verstorbenen, wenig bekannten Userkare war, von dem wir weder Abstammung noch Grabstätte kennen. Um die Verwirrung noch zu steigern, schreibt Manetho, dass Teti von seiner Leibwache oder seinen Eunuchen ermordet wurde (die Übersetzer sind uneinig, doch es gibt keinerlei Hinweise, dass sich Pharaonen je mit Eunuchen umgeben hätten), eine befremdliche und unbestätigte Aussage.

Auf dieser Darstellung aus Koptos opfert Pepi dem Fruchtbarkeitsgott Min (mit erigiertem Penis). Hinter Pepi steht seine Mutter Iput I. Hinter Min erkennt man eine Reihe von Salatpflanzen, denn Salat galt den Ägyptern sowohl als Aphrodisiakum als auch als Symbol der Fruchtbarkeit.

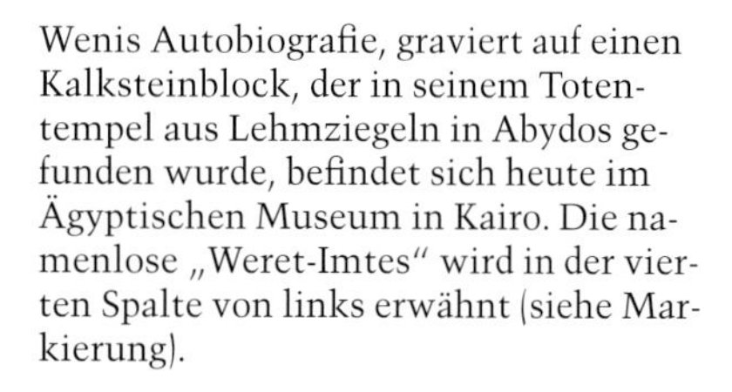

Wenis Autobiografie, graviert auf einen Kalksteinblock, der in seinem Totentempel aus Lehmziegeln in Abydos gefunden wurde, befindet sich heute im Ägyptischen Museum in Kairo. Die namenlose „Weret-Imtes“ wird in der vierten Spalte von links erwähnt (siehe Markierung).

VON „WERET-IMTES“ BIS NEDJEFTET: DIE VIELEN FRAUEN VON PEPI I.

Unser einziger Hinweis auf „Weret-Imtes“ stammt aus dem Totentempel des hohen Beamten Weni. In einer kurzen Episode aus seiner weit längeren Biografie erzählt er:

Als es im königlichen Harem eine geheime Anklage gegen Königin Weret-Imtes gab, erzählte Seine Majestät nur mir davon. Kein hoher Richter oder Wesir, kein Beamter war dabei, nur ich. […] Nie zuvor hat einer wie ich ein Geheimnis aus dem Harem erfahren; doch Er erzählte mir davon, denn ich galt in Seinem Herzen mehr als jeder Höfling. […]

Leider endet hier der Bericht und obwohl Wenis Biografie weitergeht, erfahren wir weder, was das Vergehen der Königin war, noch ob und wie sie bestraft wurde. Wir wissen nicht einmal ihren wahren Namen; Weret-Imtes oder Große des Zepters, wie sie Weni nennt, ist ein Titel, kein Name, der dazu dient, die königliche Würde zu wahren. Es war sicher im Interesse des Pharao, die peinliche Affäre geheim zu halten.

Solch ernsthafte Probleme im Harem, zusammen mit der Tatsache, dass Teti ermordet wurde (ein Verbrechen, das Weni, der auch unter Teti diente, zu erwähnen vergisst), bestätigt den Verdacht, dass die Könige der 6. Dynastie unter einem herben Machtverlust zu leiden hatten. Dafür gab es mehrere Ursachen: Probleme in der Wirtschaft und der Landwirtschaft durch steigende Trockenheit, die Ineffektivität einer aufgeblähten Bürokratie und politische Unruhen, hervorgerufen durch eine immer mächtiger werdende Führungselite in den Provinzen. *Maat* hatte vielleicht Ägypten noch nicht verlassen, doch außerhalb von Memphis sank das Vertrauen in den Pharao.

Die Bedrohung durch Unruhen veranlasste Pepi I. möglicherweise zu einer noch nie dagewesenen Serie von Eheschließungen, die die königliche Familie mit den Provinzgouverneuren verbanden, deren Einfluss in dem Maß wuchs, wie die Macht des Pharao sank. Wie oft er geheiratet hat, ist schwer zu sagen, er baute mindestens sechs Königinnenpyramiden neben seiner eigenen in Sakkara-Süd. Da Pyramiden den wichtigsten Gemahlinnen und Königsmüttern vorbehalten waren, können wir davon ausgehen, dass er noch weit mehr Frauen hatte, vielleicht aus jeder Provinz eine. Die Pyramiden sind **Nubunet**, **Inenek-Inti**, **Merit-Ites**, Anchnesmerire II. (siehe unten) und Anchnesmerire III. (Gattin von Pepi II., vielleicht für die in Ungnade gefallene „Weret-Imtes" bestimmt) und einer namenlosen „Ältesten Königstochter" gewidmet. Eine weitere mögliche Ehefrau, **Nedjeftet**, wird auf einem zerbrochenen Relief erwähnt.

ANCHNESMERIRE I.

In den letzten Jahren seiner Regentschaft heiratete Pepi I. zwei Schwestern, Töchter des einflussreichen Chui von Abydos, und machte dessen Sohn Djyu zum Wesir. Beide Schwestern nannten sich – ebenso passend wie verwirrend – Anchespepi, „Die für König Pepi lebt", oder, nach dem Thronnamen des Pharao, auch Anchnesmerire. Diese Namen haben sie sicherlich bei ihrer Hochzeit angenommen.

Beide gebaren dem alternden König einen Sohn. Der ältere und Sohn der älteren Anchnesmerire I., Merenre I., regierte nur neun Jahre lang. Dann bestieg sein jüngerer Halbbruder Pepi II., Sohn von Anchnesmerire II., den Thron, die Rolle der Königsmutter wechselte von einer Schwester zur anderen. Laut Manetho regierte Pepi II., als Sechsjähriger zum Pharao geworden, 94 Jahre lang – eine recht unglaubwürdige Zeitspanne für eine Gesellschaft, in der jene, die Geburt und Kindheit überlebten, kaum 40, 50 Jahre alt wurden. Vielleicht verwechselt Manetho 64 mit 94, doch selbst dann hätte Pepi außergewöhnlich lange gelebt.

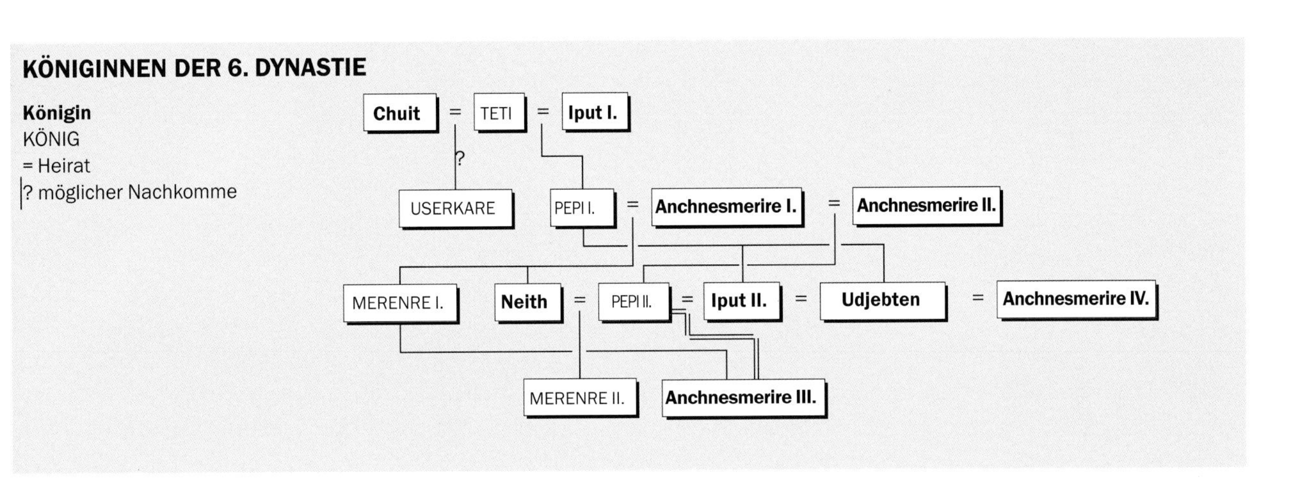

(Seite 60) Statue von Anchnesmerire II. und ihrem Sohn Pepi II. (heute im Brooklyn Museum, New York). Die Herkunft der Statue ist unbekannt, doch ihre Referenz auf den Schöpfergott Chnum lässt auf Elephantine schließen. Ungewöhnlicherweise zeigt die Statue dem Betrachter zwei Frontalansichten.

(Unten) Name und Titel von Iput II., der Schwester und Gattin von Phips II., auf den Überresten ihrer schlecht erhaltenen Pyramide in Sakkara-Süd. Iput trägt nicht den Titel Königsmutter, sodass wir annehmen, dass Pyramiden – bisher für Königsmütter und die wichtigsten Gemahlinnen reserviert– nun für einen größeren Kreis von Frauen gebaut wurden.

ANCHNESMERIRE II.

Es wird zwar nirgendwo ausdrücklich angeführt, dass Anchnesmerire II. für ihren jungen Sohn Pepi II. regiert hat, doch eine Alabasterstatue (heute im Brooklyn Museum, New York) erklärt recht gut ihr inniges Verhältnis. Die Königin, „Mutter des Königs von Ober- und Unterägypten, Gottes Tochter, die Verehrte, welche [Gott] Chnum liebt", trägt ein eng anliegendes Kleid und eine dreiteilige Perücke mit Geierhaube, deren Geierkopf abgebrochen ist. Sie sitzt auf einem Thron mit Pepi (offensichtlich ein Kind, wenn auch mit Erwachsenenkörper und im Gewand und mit dem Kopfschmuck eines Königs) auf dem Schoß. Pepi ist im rechten Winkel zur Königin dargestellt, sodass er nach rechts blickt. Die Königin stützt Pepi mit dem linken Arm und legt den rechten liebevoll auf seine Knie. Er hält ihre rechte Hand in seiner linken. Die Statue zeigt nicht nur eine ungewöhnlich innige Szene, sondern ist eine der wenigen, in denen ein Pharao kleiner dargestellt ist als ein anderer Sterblicher. Die Wichtigkeit der Königin ist deutlich erkennbar. Es könnte sein, dass der kleine König hinzugefügt wurde, um die Rolle der Königin in der königlichen Familie zu unterstreichen, wahrscheinlicher ist jedoch eine Analogie zur Gottesmutter Isis und ihrem kindlichen Sohn Horus.

NEITH BIS ANCHNESMERIRE IV.

Die drei Hauptköniginnen von Pepi III. wurden in drei kleinen Pyramiden neben seiner eigenen, weit größeren, in Sakkara bestattet. Die größte barg Königin **Neith**, Tochter von Pepi I. und Anchnesmerire I., und daher Halbschwester und Cousine von Pepi II. Hier, an den Wänden ihres Tempels, sehen wir Neith mit Geierhaube und Uräusschlange sowie einem Zepter aus Papyrus.

Udjebten, ebenfalls eine Tochter von Pepi I., hatte eine kleinere Pyramide, jedoch mit doppelt umlaufender Mauer. Die Pyramide für **Iput II.** ist fast gänzlich zerfallen, es bleiben gerade genug Überreste, um ihre Titel zu lesen und zu erkennen, dass sie niemals Königsmutter war – vielleicht starb ihr Sohn, bevor er seinem langlebigen Vater nachfolgen konnte. Die Pyramide zeugt vom üppigen Totenkult der Ersten Zwischenzeit. **Anchnesmerire III.** war die Tochter von Me-

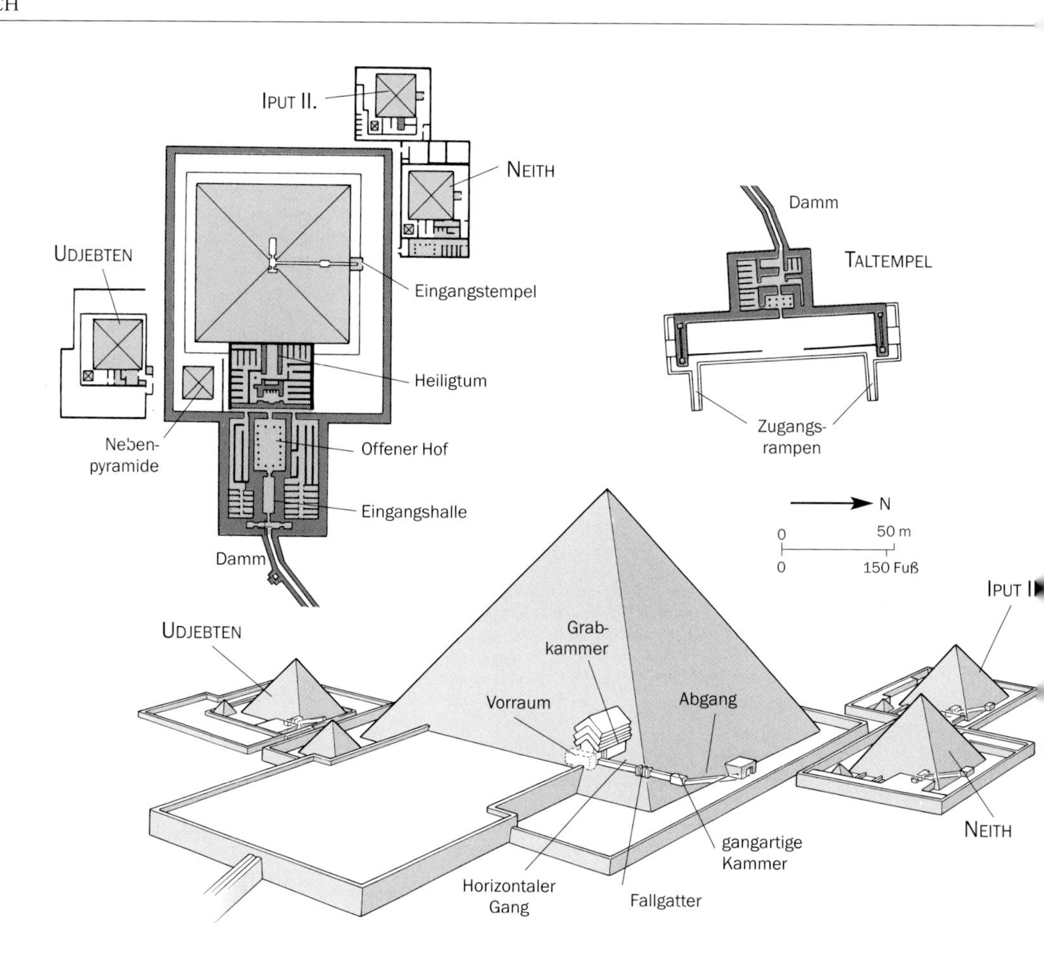

Der Pyramidenkomplex von Pepi II. – „Pepis Leben dauert an" – in Sakkara-Süd mit der Anordnung der drei Königinnenpyramiden. Die kleine Nebenpyramide südöstlich der Hauptpyramide war Teil des Totenkults um den Pharao selbst und sollte nicht mit einer Königinnenpyramide verwechselt werden.

renre, dem Sohn von Pepi I. Sie wurde in einer Pyramide in der Nähe der Pyramide von Pepi I. bestattet, ihr Sarkophag wurde aus einem massiven, in den Boden eingelassenen Steinblock geschnitten.

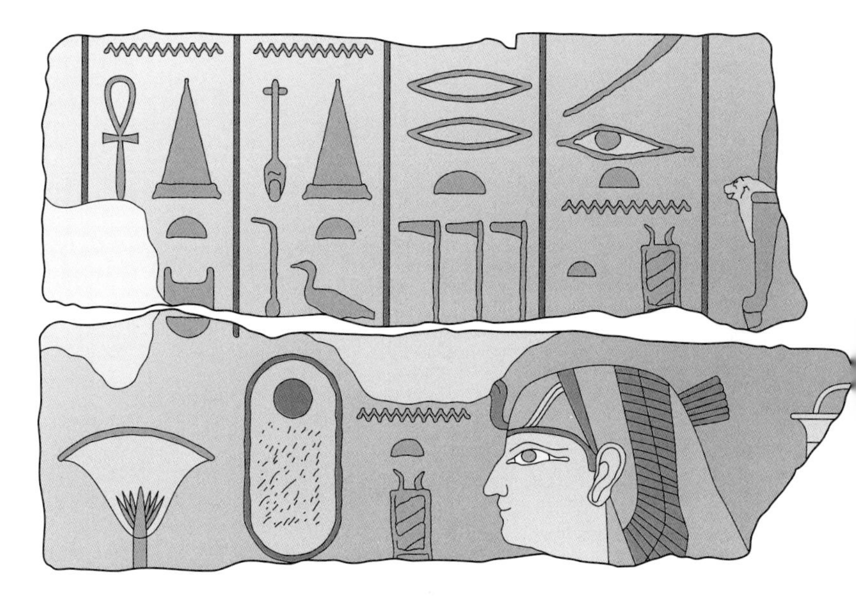

Neith, Schwestergemahlin von Pepi II., auf einer Abbildung im Tempel ihrer Pyramide in Sakkara. Neiths geplünderte Pyramide enthielt die noch nie dagewesene Zahl von 16 Schiffsmodellen.

Königin **Anchnesmerire IV.** war ebenfalls eine Gemahlin von Pepi II., deren Sohn, der unbedeutende Pharao Neferkare Nebi, während der 8. Dynastie regiert haben soll. In den Deckel ihres Sarges, der aus dem westlichen Lagerraum der Pyramide von Pepi II. geborgen wurde, ist ein Teil der königlichen Geschichte eingraviert. Noch unveröffentlicht, soll der Fund Auskunft über die turbulenten Ereignisse während der 6. Dynastie einschließlich des abrupten Endes von Tetis Regierung geben.[4]

Nitokris

Pepi II. hatte so viele seiner Kinder und Enkelkinder überlebt, dass bei seinem Tod die Frage der Nachfolge nicht eindeutig war. Merenre II., wahrscheinlich der Sohn von Königin Neith, blieb eine unbedeutende Randerscheinung und wurde offensichtlich bald von seiner Schwester Nitokris abgelöst, die Manetho wie folgt beschreibt: „Die edelste und lieblichste Frau ihrer Zeit, mit heller Haut und roten Wangen."

Eine Frau auf dem Pharaonenthron Ägyptens kann als sicheres Zeichen dafür gelten, dass irgendetwas gewaltig schiefgegangen sein muss. Unter normalen Umständen ist die Regenschaft einer Frau ein temporäres Ereignis – eine Mutter regiert für ihren Sohn und tritt zurück, sobald dieser alt genug ist. In diesem Fall gibt es jedoch kein Anzeichen dafür, dass Nitokris einen Sohn hatte; anscheinend wurde sie vom Volk als Pharaonin akzeptiert, damit die Linie des Königshauses nicht abriss. Herodot beschreibt die dramatische Geschichte der Thronbesteigung:

... [Nitokris] folgte ihrem Bruder nach. Dieser war Pharao von Ägypten gewesen und wurde von seinen Untertanen getötet, die dann seine Schwester auf den Thron zwangen. Entschlossen, seinen Tod zu rächen, entwickelte sie ein schlaues System, das viele Ägypter das Leben kostete. Sie baute einen riesigen, unterirdischen Saal und gab, unter dem Vorwand, ihn feierlich einweihen zu wollen, ein Fest, zu dem sie alle ihr bekannten Mörder ihres Bruders einlud. Plötzlich, als alle nichts ahnend feierten, leitete sie über einen großen, geheimen Kanal das Wasser des Flusses in den Saal.[5]

Anschließend begeht die Königin Selbstmord, um dem Zorn ihres Volks zu entgehen – ein Entschluss, der offensichtlich Herodots Beifall findet. Auch wenn die Geschichte unterhaltend ist, ist sie wahrscheinlich nicht wahr. Wir bekommen das unterschwellige Gefühl, dass Herodot zwei Ereignisse vermischt – die Ermordung Tetis (falls diese stattfand) und die Regentschaft einer mächtigen Pharaonin. Umso bedauerlicher ist es, dass diese bemerkenswerte Frau weder ein Monument noch eine Grabstätte hinterlassen hat, und obwohl die Turiner Königsliste aus der Zeit der 19. Dynastie „Nitokris" eine kurze Regentschaft von zwei Jahren, einem Monat und einem Tag attestiert, bezweifeln viele Ägyptologen ihre Existenz und meinen, dass „Nitokris" eigentlich ein Fragment eines männlichen Namens sei.

ERSTE ZWISCHENZEIT
2125–2010 v. Chr.

9. & 10. DYNASTIE
2125–1975

Eine Reihe von Gaufürsten, Sitz Herakleopolis

11. DYNASTIE (Thebaner)
2080–2010

Eine Reihe von Gaufürsten inklusive Mentuhotep I., Anjotef I., Anjotef II. und Anjotef III., Sitz Theben

MITTLERES REICH
2010–1630 v. Chr.

11. DYNASTIE (Landesweit)
2010–1938

Mentuhotep II. = = **Nefru II., Tem, Henhenet, Sadeh, Aschait, Kawit? Kemsit?**

Mentuhotep III. = ? = **Imi**

Mentuhotep IV. = ?

12. DYNASTIE
1938–1755

Amenemhet I. = = **Nefertatenen**

Sesostris I. = = **Nefru III.**

Amenemhet II. = ?

Sesostris II. = = **Chenmet-neferhedjet I., Nofret, Itaweret, Chenmet**

Sesostris III. = = **Sit-Hathor-Iunet, Meresger, Chenmet-neferhedjet II.**

Amenemhet III. = = **Aat, Hetepti?**

Amenemhet IV. = ? = **Nofrusobek**

Nofrusobek

13. & 14. DYNASTIE
1755–1630

Eine Reihe von Gaufürsten

ZWEITE ZWISCHENZEIT
1630–1539 v. Chr.

15. DYNASTIE
1630–1520

Große Hyksos-Dynastie aus dem Nildelta, darunter:
Apopi = ? = **Tani**
(die einzige erwähnte Königin)

16. DYNASTIE

Zahreiche unbedeutende Könige

17. DYNASTIE
1630–1539

Eine Reihe thebanischer Herrscher, Höhepunkt:
Senachtenre (Taa I.) = = **Tetischeri**

Sekenenre (Taa II.) = = **Ahhotep I., Inhapi, Satdjehuti**

Kamose = ? = **Ahhotep II.**

Königinnen **fett** gedruckt
= = bekannte Heirat
= ? = mögliche Heirat
= ? Königin unbekannt

ENDE ALTES REICH
BEGINN ERSTE ZWISCHENZEIT
Gaufürsten (Herakleopolis)
Gaufürsten (Theben)
ENDE ERSTE ZWISCHENZEIT
BEGINN MITTLERES REICH
Mentuhotep II. (**Nefru II., Tem, Henhenet, Sadeh, Aschait, Kawit?, Kemsit?**)
Mentuhotep III. (**Imi**)
Mentuhotep IV.
Amenemhet I. (**Nefertatenen**)
Sesostris I. (**Nefru III.**)
Amenemhe
9.–10. DYN.
11. DYNASTIE (Theben)
11. DYNASTIE
12. DYNASTIE
2200 2150 2100 2050 2000 1950 1900

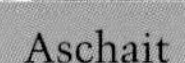

Aschait | Chenmet-neferhedjet I. | Nofret | Ahhotep I.

CHAOS UND WIEDERGEBURT

Erste Zwischenzeit 2125–2010 v. Chr.
Mittleres Reich 2010–1630 v. Chr.
Zweite Zwischenzeit 1630–1539 v. Chr.

Der Schreiber Ipuwer klagt, dass die Kriminalitätsrate in der Ersten Zwischenzeit hoch war, doch obwohl die Lebensmittel manchmal knapp waren, war diese Zeit keinesfalls ein dunkles Zeitalter.

Die Gaufürsten des Niltals und des Deltas verbündeten sich, bis zwei mächtige Dynastien entstanden: im Norden in Herakleopolis und im Süden in Theben. Letztendlich einten die Thebaner unter Mentuhotep II. das Land, Itjtawi wurde zur neuen Hauptstadt im Norden. Die Herrscher des Mittleren Reichs sahen ihren halbgöttlichen Status mit etwas Abstand – ihre Statuen zeigen eine menschlichere Form des Pharaonentums – und ihre Königinnen, bar jeder politischen Rolle, verschwanden von den Monumenten. Es scheint, als hätten sich die Frauen des Mittleren Reichs ganz auf die Familie konzentriert.

Unzufriedenheit unter den Gaufürsten und eine Reihe schwacher Herrscher, darunter eine Frau, bedeuteten das Ende des Mittleren Reichs. Die Zweite Zwischenzeit sah Südägypten, von Theben aus regiert, eingeklemmt zwischen dem nubischen Königreich Kusch und den „Hyksos" in Palästina, die den Norden von Auaris aus regierten. 1539 besiegte der thebanische König Ahmose die Hyksos und einte das Land.

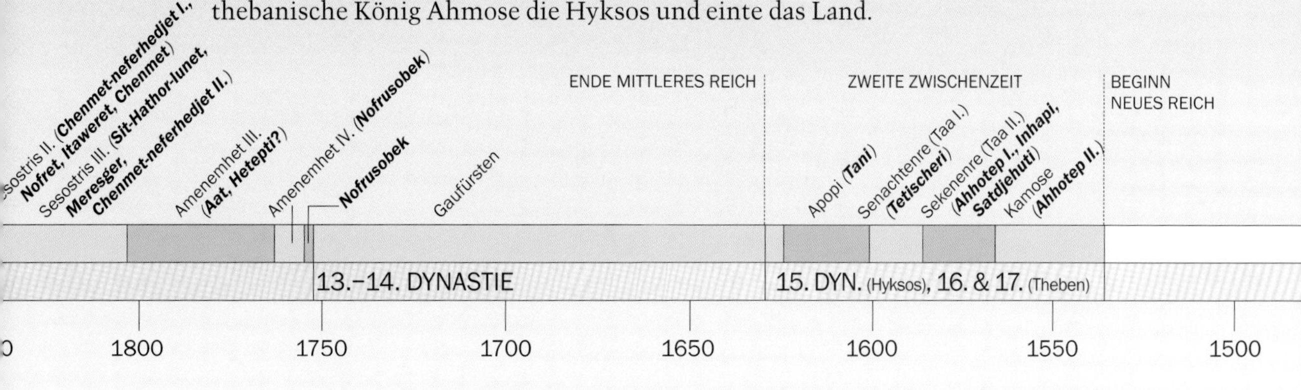

9. & 10. DYNASTIE
2125–1975

11. DYNASTIE
(Landesweit)
2010–1938

Geheimnisvolle Königinnen

Nefru II.
Tem
Henhenet
Sadeh
Aschait
Kawit
Kemsit
Imi

(*Oben rechts*) Nefru II., eine Königin der 11. Dynastie, wird frisiert. Teil eines Reliefs aus ihrem Grabtempel im Umfeld des Grabkomplexes von Mentuhotep in Deir el-Bahari (TT 319).

(*Unten*) Szene aus Wadi Shatt el-Rigal, von links nach rechts sehen wir Iah, Mentuhotep II., Antef III. und den Schatzmeister Cheti.

Die Königinnen der 9. und 10. Dynastie sind, ebenso wie ihre Gatten und Söhne, flüchtige Erscheinungen, deren Geschichte kaum erfasst wurde.

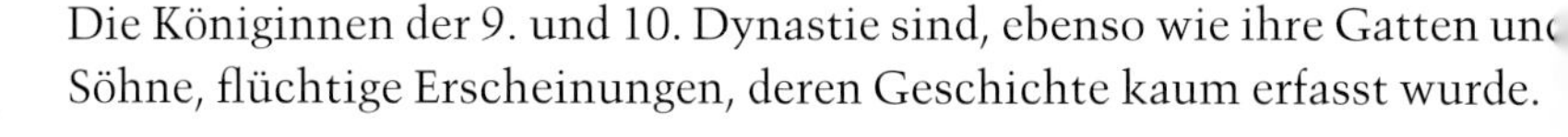

Königinnen der 11. Dynastie

Die ersten Könige der 11. Dynastie prahlten zwar damit, ganz Ägypten zu regieren, sie kontrollierten jedoch nur den Süden. Nebhepetre Mentuhotep II. (der Name ist korrekt, die Nummerierung ungesichert) war der erste Herrscher eines geeinten Landes. Der neue Pharao untermauerte sein Gottkönigtum durch den Titel „Sohn des Hathor". Tatsächlich war er der Sohn des Gaufürsten Antef III. und seiner Frau, der Königsmutter und Hathorpriesterin Iah. Wir sehen Antef und Iah mit ihrem Sohn Mentuhotep auf einer Felsgravur in Wadi Shatt el-Rigal in Oberägypten. Mentuhotep, die dominante Figur in doppelter Lebensgröße, trägt die rote und die weiße Krone von Ober- und Unterägypten. Ihm gegenüber steht sein Vater, mit schlichtem Kopfschmuck und Uräus, dahinter der Schatzmeister Cheti. Hinter Mentuhotep steht seine Mutter im engen Kleid mit dreiteiliger Perücke, doch ohne Insignien. Sie trägt einen Stab und eine Lotosblume.

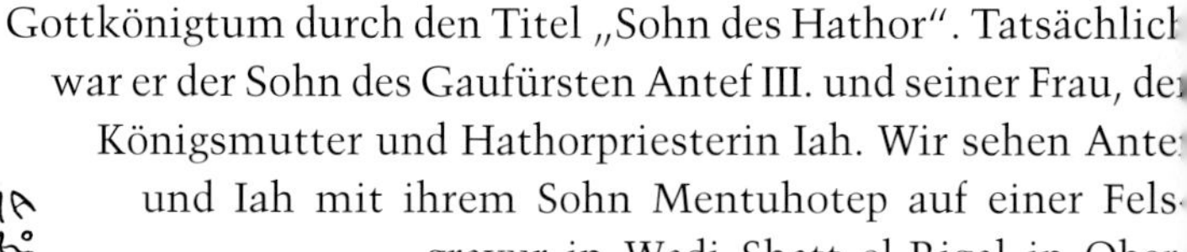

Von Nefru II. bis Kemsit: Die Frauen von Deir el-Bahari

Mentuhotep II. regierte von Theben aus, wobei ihm seine 52-jährige Regierungszeit hinreichend Zeit für den Bau eines imposanten Grabes ließ – ein sonderbarer zweistufiger Tempel, vielleicht mit einer kleinen Pyramide obenauf, im Schutz einer natürlichen Bucht bei Deir el-Bahari am Westufer des Nils. Der Komplex enthält Grabstätten für zwei bedeutende Gemahlinnen. Die Königsmutter **Tem** (Mutter von Mentuhotep III.) erhielt ein Grab an der Rückseite seines Grabtempels, seine Schwestergattin **Nefru** ein aus Stein gehauenes Grab im Vorhof.

Getrennte Schachtgräber und Kalksteintempel existieren für weitere sechs Frauen von etwas niedrigerem Status, die, da die Eingänge zu ihren Grabkammern von den Bauten des Pharao verschlossen wurden, etwa gleichzeitig, in der Anfangszeit seiner Regierung, gestorben sein müssen. Sie sind den Königsgemahlinnen **Henhenet**, **Sadeh** und **Aschait**, den nicht weiter erklärten Frauen **Kawit** und **Kemsit** (deren Heirat angenommen wird) und Muyet, die bei ihrem Tod etwa fünf Jahre alt und wahrscheinlich eine Königstochter war, gewidmet. Von den fünf anderen

Perücken und Haartracht

Der Barbier arbeitet bis zum Abend. Er reist in eine Stadt, baut seinen Stand auf und klappert die Straßen ab auf der Suche nach Kunden. Er strengt seine Arme an, um seinen Bauch zu füllen wie die Biene, die nur isst, wenn sie arbeitet.[6]

Kawits schön gravierter Sarkophag zeigt eine von mehreren Barbierszenen aus dem Mittleren Reich. Die Verstorbene sitzt auf einem Sessel, in der Linken hält sie einen Spiegel aus poliertem Metall, in der Rechten eine Schale. Vor ihr steht ein Diener, der Wasser in eine Schale gießt, hinter ihr eine Dienerin, die ihre kurze Perücke in Form bringt.

In einer Kultur, in der Bilder Worte sind und Worte in Bildern ausgedrückt werden, kann diese Szene sowohl als tatsächliche Darstellung der königlichen Morgentoilette als auch als Symbol für Wiedergeburt interpretiert werden, wobei das Wasser den Sexualakt andeutet (das Wort „Seti" bedeutet gießen und ejakulieren), der Spiegel steht für Weiblichkeit und Fruchtbarkeit und das Frisieren deutet Erotik an. Eine souveräne Verführerin löste zuallererst ihr Haar.

Wie man Haarausfall verursacht: Verbrannte Lotosblätter werden in Öl gerührt und auf den Kopf der verhassten Frau geschmiert.[7]

Viele Ägypter der Oberschicht rasierten ihren Kopf und trugen zu offiziellen Anlässen kunstvolle Perücken aus Menschenhaar. Konnte man sich diese aufwendigen Kreationen nicht leisten, legte man einen Haarschmuck aus den Fasern der Dattelpalmen, der nicht sehr überzeugend aussah und zudem juckte, an. Die Haartracht der Frauen änderte sich schneller als die Mode bei Kleidung und Schmuck: von den einfachen, glatten Perücken im Alten Reich zu den langen, schweren mit kunstvollen Locken im Neuen Reich.

In einer Szene voll von Symbolik lässt Königin Kawit ihre Perücke frisieren. Auf ihrem Kalkstein-Sarkophag, Deir el-Bahari.

Frauen wurde keine älter als 22. Sie waren alle Priesterinnen der Hathor, und da Deir el-Bahari bereits stark im Zusammenhang mit Hathor und ihrer Rolle als Göttin des Westens gesehen wurde, können wir annehmen, dass die Gräber Teil einer Kultstätte zu Ehren Hathors waren. Die Vermutung, dass alle sechs zusammen – durch eine Epidemie, einen Unfall oder ein weit unheimlicheres Ereignis – gestorben sind, geht jedoch zu weit. Zumindest Henhenet starb erwiesenermaßen eines natürlichen Todes. Wie ihre Mumie zeigt, starb sie qualvoll bei der Geburt eines Kindes: Ihr abnorm geformtes Becken war zu klein, als dass ein normal großes Neugeborenes durchgepasst hätte. Sie erlitt eine Urogenitalfistel als Folge eines Risses von der Blase zur Vagina. Tragödien wie diese waren nur allzu häufig, denn obwohl die Ärzte Ägyptens im gesamten Mittelmeerraum berühmt waren, blieb eine Geburt aufgrund mangelnden Wissens für alle Beteiligten eine gefährliche Sache.

(*Oben*) In einer Szene, die in ihren Sarkophag graviert wurde, riecht Königin Aschait an einer blauen Lotosblüte, der man verjüngende Kräfte zuschrieb. Eine ähnliche Szene ist an der Innenseite des Sarkophags als Malerei zu finden.

(*Darunter*) Ein Fragment eines bemalten Kalksteinreliefs zeigt Königin Kemsit. Ein Fund aus Kemsits Totentempel im Grabkomplex von Mentuhotep II. in Deir el-Bahari.

Imi

Mentuhotep II. folgte Mentuhotep III., Sohn der Königin Tem. Zwölf Jahre später bestieg Mentuhotep IV., der Sohn einer Frau namens Imi, von der wir annehmen können, dass sie eine Gemahlin von Mentuhotep III. war, den Thron. Mit seiner Regentschaft endet die 11. Dynastie.

FRAUENGESUNDHEIT UND GEBURT

Ägyptens einzigartiger Totenkult schuf die Gelegenheit, tief in die Körper der Verstorbenen zu blicken. Dennoch hatten die damaligen Ärzte nur wenig Kenntnis vom menschlichen Körper, die Funktion des Gehirns war unbekannt. Bei der Mumifizierung wurden zwar Herz, Lunge, Leber, Eingeweide und Magen sorgfältig konserviert, das Hirn aber warf man weg. Dennoch enthält der Papyrus Ebers mit medizinischen Aufzeichnungen aus der 18. Dynastie auch ein nützliches Kapitel über Frauengesundheit mit Abschnitten über Verhütung, Schwangerschaft und Stillen:

Rezept, damit die Gebärmutter einer Frau wieder an den richtigen Platz geht: Teer vom Holzrumpf eines Schiffs wird mit dem Bodensatz von gutem Bier vermischt. Die Patientin trinkt die Mixtur.

Ein folgenschwerer Fehler war die Annahme, dass die Gebärmutter frei im Bauch umherschwebe. Bei einer gesunden Frau, so glaubte man, gebe es einen durchlässigen Gang, der die (fixierte) Gebärmutter mit dem Rest des Körpers verbindet. Jede Blockade des Gangs mache die Frau selbstverständlich unfruchtbar. Gebärwilligen Frauen wurde ein Pessar aus Knoblauch oder Zwiebel in die Vagina eingeführt. Wenn ihr Atem nach einiger Zeit nach Zwiebel roch, konnten sie empfangen! Ein erfahrener Arzt konnte auch vieles aus dem Gesicht der Frau erfahren:

Gleicht eines ihrer Augen dem eines Asiaten und das andere jenem der Leute aus dem Süden, ist sie unfruchtbar.

Um das Geschlecht eines Ungeborenen zu bestimmen, benetzte man Gersten- und Weizenkörner mit dem Urin der Schwangeren. Spross die Gerste, wurde es ein Junge, spross der Weizen, ein Mädchen. Die meisten Kinder wurden drei Jahre lang gestillt, was einer natürlichen Verhütung gleichkam. Königinnen jedoch beschäftigten Ammen, und zwar keine Dienstboten, sondern die Frauen der höchsten Regierungsbeamten.

(Oben) Zu den Werkzeugen der Hebammen zählten Geburtshocker, ein scharfes Messer aus Obsidian und vielleicht, zur Zeit des Mittleren Reichs, dieser sonderbare gebogene Stab aus dem Zahn eines Nilpferds. Amuletten und Zauberformeln vergleichbar, zog man damit möglicherweise einen Schutzring um die Mutter.

(Unten) Das Bild der Mutter, die den Säugling an der linken Brust stillt, symbolisierte erfolgreiche Mutterschaft. Man findet es sowohl in der weltlichen als auch in der religiösen Kunst. Den Müttern wurde erzählt, dass gute Milch angenehm rieche, während schlechte Milch nach Fisch stinke.

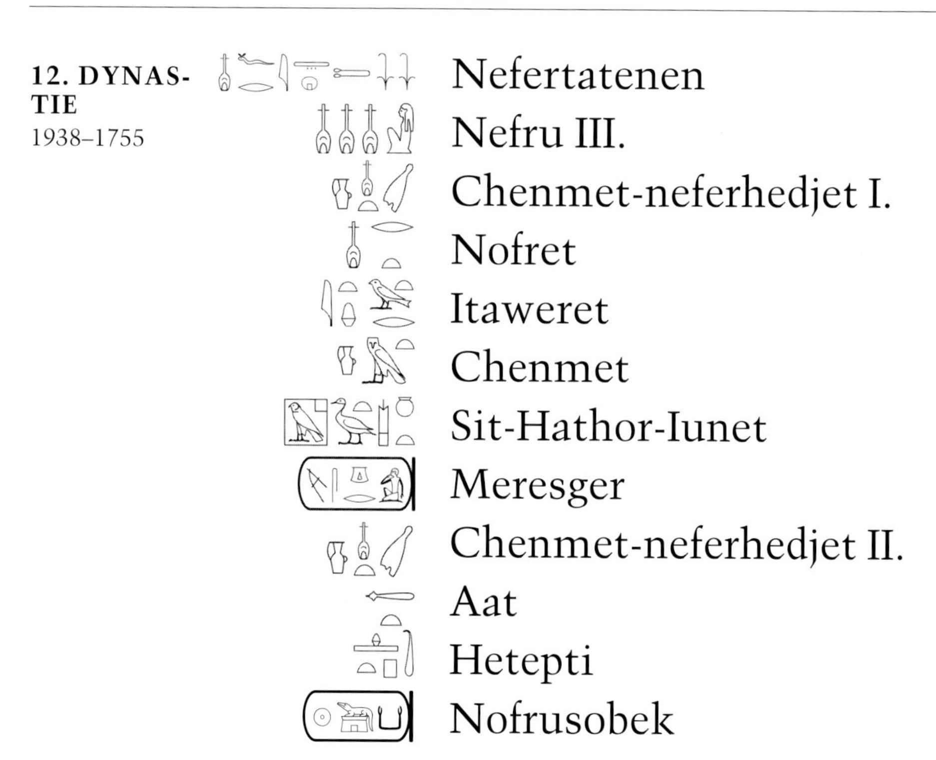

12. DYNASTIE
1938–1755

Nefertatenen
Nefru III.
Chenmet-neferhedjet I.
Nofret
Itaweret
Chenmet
Sit-Hathor-Iunet
Meresger
Chenmet-neferhedjet II.
Aat
Hetepti
Nofrusobek

13. & 14. DYNASTIE
1755–1630

Königinnen unbekannt

FAMILIE UND TITEL

NEFERTATENEN
Ehemann
Amenemhet I.
Eltern
Unbekannt
Sohn
Sesostris I.
Töchter
Nefru III., Nefrutasherit?, Kaiet?
Titel
Königsmutter
Begräbnisstätte
Lischt?

NEFRU III.
Ehemann
Sesostris I.
Vater
Amenemhet I.
Mutter
Nefertatenen
Sohn
Amenemhet II.
Titel
Königstochter, Königsgemahlin, Königsmutter
Begräbnisstätte
Lischt

NEFRET
Ehemann
Sesostris II.
Vater
Amenemhet II.?
Mutter
Keminub?
Titel
Königstochter, Große des Zepters, Herrscherin der beiden Länder
Begräbnisstätte
Lahun

SIT-HATHOR-IUNET
Ehemann
Sesostris III.
Vater
Sesostris II.
Mutter
Unbekannt
Sohn
Amenemhet III.?
Titel
Königstochter, Königsgemahlin
Begräbnisstätte
Lahun

Nefertatenen

Der Wesir Amenemhet, nun König Amenemhet I., zog mit seinem Hof nordwärts und gründete die neue Hauptstadt Itj-Taui. Itj-Taui ist heute verschollen, man vermutet sie aber in der Region von Faijum. In Anlehnung an die Regenten des Alten Reichs verwarf Amenemhet die aus Stein gehauenen Grabstätten des knappen thebanischen Stils und baute eine Pyramide in der neuen Nekropole Lischt. Innerhalb ihrer Mauern baute er 22 Schachtgräber für wichtigere königliche Frauen, darunter, wie wir annehmen, Amenemhets Gemahlin Nefertatenen, die Mutter seines Sohnes und Mitregenten Sesostris, und seine Tochter Nefru.

Nach 30-jähriger Regentschaft wurde Amenemhet ermordet. Anders als die meisten Mordopfer konnte er noch einen Brief an seinen Sohn schreiben, der die schrecklichen Ereignisse beschreibt, die zu seinem Tod führten. „Sein" Brief wurde tatsächlich vom Schreiber Cheti verfasst, der aus der Sicht des toten Königs schrieb, um die Dramatik zu steigern:

Als ich einschlafen wollte, wurde genau jene Waffe, die mich schützen sollte, gegen mich gerichtet, wie eine Schlange in der Wüste lag ich da. Ich erwachte mit einem Sprung, kampfbereit, und fand mich im Kampf mit den Wachen. Hätte ich meine Waffe gehabt, hätte ich die feigen

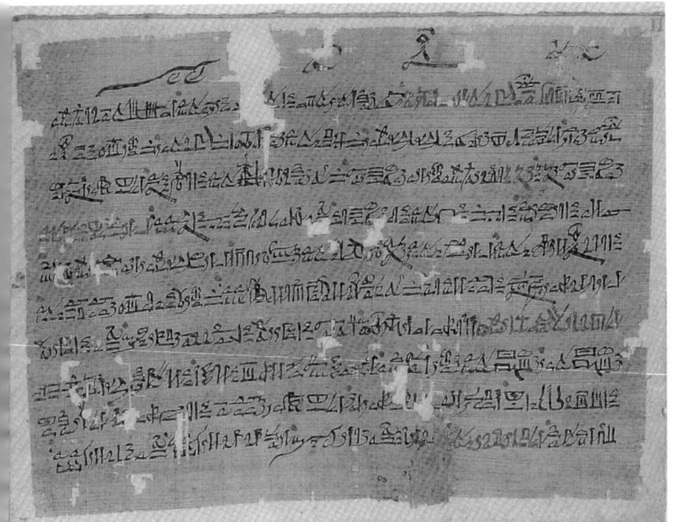

Eine Abschrift des Textes „Die Anweisungen von König Amenemhet“ aus dem Mittleren Reich, verfasst in der Zeit des Neuen Reichs. Zuerst glaubte die Wissenschaft, Amenemhet habe den Anschlag überlebt. Heute gilt allgemein, dass der König starb und daher nicht von seinen Erlebnissen erzählt haben kann. Der Bericht über seinen Tod beschreibt die Verbitterung des Pharao und sein Entsetzen darüber, dass er ausgerechnet im Palast angegriffen wurde, jenem Platz, an dem er abolut sicher sein sollte.

Einhänder geschlagen, doch niemand ist nachts stark … Ich hatte den Verrat meiner Diener weder geahnt noch vorhergesehen. Hat je eine Frau Truppen kommandiert? Werden Rebellen im Palast genährt?[8]

Ägyptens Schreiber hüteten sich davor, etwas aufzuschreiben, das das Fehlen von *maat* andeutet, daher sind Darstellungen von Verbrechen gegen die königliche Familie dünn gesät. Wen überrascht es also, dass eine offizielle Bestätigung des gewaltsamen Todes von Amenemhet fehlt? Doch Chetis Bericht wird, wenn auch versteckt, durch die Geschichte von Sinuhe aus dem Mittleren Reich bestätigt: Der Titelheld flieht, als er vom Tod des Königs erfährt. Warum sollte Sinuhe aus Ägypten fliehen, wenn der alternde Amenemhet eines natürlichen Todes starb? Und warum sollte er fliehen, wenn er nicht fürchten musste, mit diesem Tod in Verbindung gebracht zu werden? Wir erfahren, dass Sinuhe im Dienst des Harems stand: „Ich war ein Wächter des Pharao, ein Diener des königlichen Harems zur Verfügung von Prinzessin Nefru, Gattin von König Sesostris und Tochter von König Amenemhet.“ Der Verdacht, dass der König einer Haremsverschwörung zum Opfer fiel, die die geplante Nachfolge verhindern sollte, bleibt unausgesprochen. Die Verschwörung war jedoch nur ein Teilerfolg. Der König war zwar tot, doch sein Nachfolger wurde wie geplant Sesostris I.

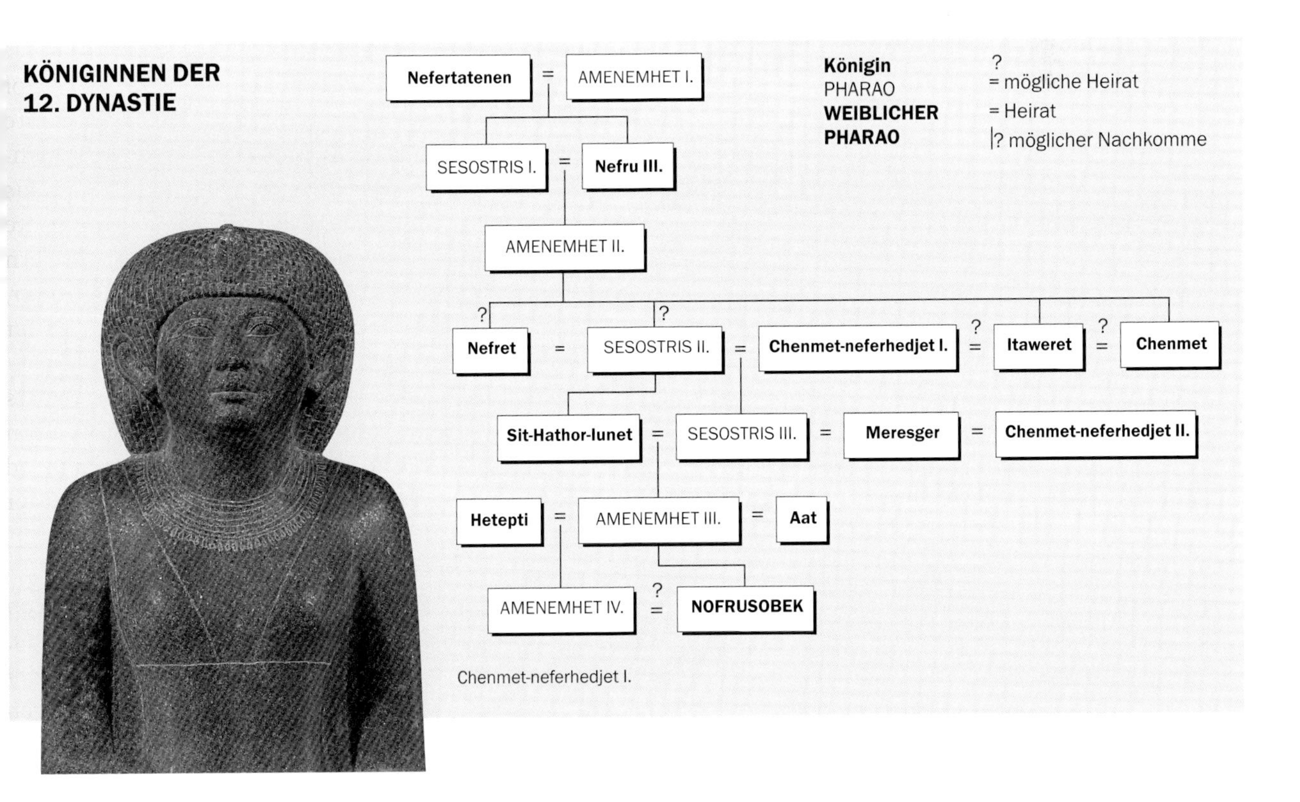

Chenmet-neferhedjet I.

Nefru III.

Sesostris I. baute seine Pyramide südlich des Komplexes seines Vaters und umgab sie mit der einzigartigen Zahl von neun Nebenpyramiden für Ehefrauen und Töchter. Diese waren nicht alle ursprünglich vorgesehen sondern wurden im Lauf der Zeit hinzugefügt, wobei die letzte vielleicht einige Jahre nach Sesostris' Tod gebaut wurde. Die Königinnenpyramide von Nefru, wahrscheinlich bereits zu Anfang geplant, war die größte der neun. Die Königin taucht am Ende von Sinuhes Geschichte wieder auf. Zusammen mit der königlichen Prinzessin grüßt sie den Reisenden bei seiner Rückkehr nach Ägypten, singt und schlägt die Rassel zum Dank an Hathor für seine sichere Heimkehr.

Die Königinnen der 12. Dynastie nahmen eine Vielzahl von Titeln an, darunter „Herrin beider Länder", „Edle beider Länder" und „Herrin von Ober- und Unterägypten". Dies entsprach jedoch keineswegs wachsendem politischen Einfluss. Von hier an wird die Geschichte der Königinnen der 12. Dynastie zu einem Stöbern in den Pyramidenfeldern, da es Hinweise nur in Grabstätten gibt. Wir wissen etwa, dass Amenemhet II. – Sesostris' Sohn mit Königin Nefru III. – seine Pyramide im Osten der Roten Pyramide in Dahschur baute. Eine Dame namens Keminub, die man erst für eine Gattin von Amenemhet II. hielt, wird nun aufgrund von Inschriften in ihrem schlecht erhaltenen Grab in Dahschur der 13. Dynastie zugeordnet. Der Name ihres Gatten bleibt unerwähnt.

Von Chenmet-neferhedjet I. bis Chenmet

Amenemhets Nachfolger und möglicher Sohn Sesostris II. war mit **Chenmet-neferhedjet I.** (Mutter seines Sohnes Sesostris III.) und seiner Schwester **Nefret** verheiratet. Zwei weitere Ehefrauen, **Itaweret** und **Khnemet**, beide Töchter von Amenemhet II., werden genannt, doch da sie beide im Grabkomplex ihres Vaters bestattet wurden, kann ihr Königinnenstatus nicht bestätigt werden.

Nefret ist heute die am besten sichtbare von Sesostris' Königinnen, da man zwei überlebensgroße Statuen aus schwarzem, poliertem Granit in der Ramessidenstadt Tanis (Dritte Zwischenzeit) im Nildelta fand. Natürlich war dies nicht ihr ursprünglicher Aufstellungsort. Ägyptens Könige beraubten mit Freuden die Grabstätten ihrer Vorgänger, um ihre Städte mit einer Vielzahl eindrucksvoller Antiquitäten zu schmücken. Wir können daher vermuten, dass diese Prachtstücke, einst Teil von Nefrets Grab in Lahun, einige Zeit lang die neue Ramessidenstadt Per-Ramesse zierten, bevor sie nach Tanis übersiedelten (heute im Ägyptischen Museum, Kairo). Sie zeigen die Königin in engem Kleid mit einer dreiteiligen „Hathor"-Perücke, wobei die Vorderteile mit Bändern gebunden und um flache Scheiben geschlungen sind. Nefret trägt ein Pektorale mit der Kartusche ihres Gatten und eine Uräusschlange.

Seite 72) Schwarze Granitstatue von Königin Nefret, gefunden in Tanis. Das Pektorale der Königin ist hier schwer zu erkennen, doch es ähnelt in Stil und Herstellung dem Brustschmuck von Sit-Hathor-Iunet, der in Lahun gefunden wurde (siehe Seite 76). Ägyptisches Museum, Kairo.

SIT-HATHOR-IUNET, MERESGER UND CHENMET-NEFERHEDJET II.

Sesostris III. baute seine Pyramide in Dahschur. Eine unterirdische Galerie ist der Zugang zu den Fundamenten von vier Königinnenpyramiden. Direkt darunter befand sich eine Galerie für die sterblichen Überreste der Königstöchter, die sowohl Kultgegenstände als auch Schmuck enthielt (siehe Seite 76/77). Sesostris' drei Gattinnen waren seine Halbschwester Sit-Hathor-Iunet, Meresger und Chenmet-neferhedjet II.

AAT UND HETEPTI

Sesostris' Sohn Amenemhet III. baute zwei Pyramiden, eine in Dahschur, eine in Hawara. Die Pyramide in Dahschur wurde aufgegeben, als der Untergrund nachgab, sie blieb jedoch nicht leer. An ihrer Südflanke führten zwei getrennte Eingänge zu zwei Grabkammern im Inneren, die durch einen Gang sowohl miteinander als auch mit der unbenutzten Grabkammer des Pharao verbunden waren. Ein Grab, jenes von Königin Aat, enthielt einen Sarkophag aus Rosengranit, ähnlich dem, der für die Grablegung des Königs vorbereitet worden war, eine Kanopentruhe, allerlei Kultgegenstände und genug Gebeine, um festzustellen, dass Aat

„Amenemhet ist mächtig": Die Pyramide von Amenemhet III. in Dahschur, die heute – aufgrund des zutage getretenen Kerns aus schwarzem Lehm – besser bekannt ist als die Schwarze Pyramide. Im Hintergrund sieht man die Knickpyramide von Pharao Snofru aus dem Alten Reich.

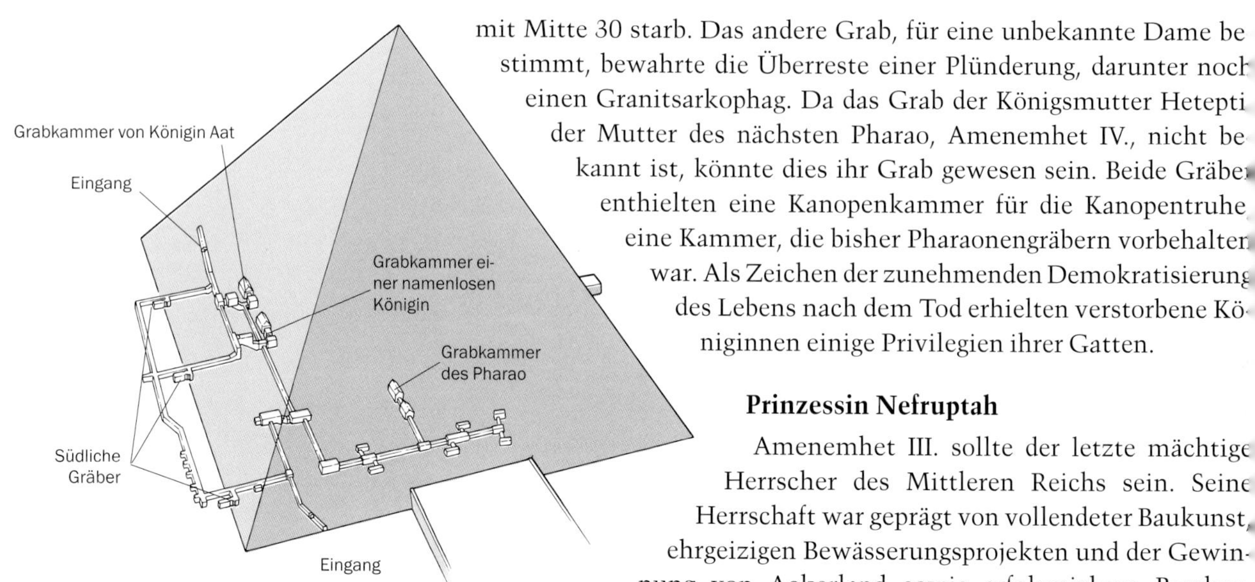

Querschnitt durch die aufgegebene Pyramide von Amenemhet III. in Dahschur mit den Vorkehrungen für die Beisetzung zweier Königinnen.

mit Mitte 30 starb. Das andere Grab, für eine unbekannte Dame bestimmt, bewahrte die Überreste einer Plünderung, darunter noch einen Granitsarkophag. Da das Grab der Königsmutter Hetepti, der Mutter des nächsten Pharao, Amenemhet IV., nicht bekannt ist, könnte dies ihr Grab gewesen sein. Beide Gräber enthielten eine Kanopenkammer für die Kanopentruhe, eine Kammer, die bisher Pharaonengräbern vorbehalten war. Als Zeichen der zunehmenden Demokratisierung des Lebens nach dem Tod erhielten verstorbene Königinnen einige Privilegien ihrer Gatten.

Prinzessin Nefruptah

Amenemhet III. sollte der letzte mächtige Herrscher des Mittleren Reichs sein. Seine Herrschaft war geprägt von vollendeter Baukunst, ehrgeizigen Bewässerungsprojekten und der Gewinnung von Ackerland sowie erfolgreichem Bergbau. Dieser offensichtliche Reichtum lässt uns schwer verstehen, wie eine so stabile Dynastie plötzlich zugrunde gehen konnte. Man vermutete inneren Zwist in der übergroßen Königsfamilie, hat aber keinerlei Beweise dafür, sodass die 12. Dynastie möglicherweise an etwas so simplem wie dem Fehlen eines männlichen Erben scheiterte.

Untermauert wird diese These durch eine Grabkammer in Amenemhets Pyramide in Hawara. Dort gab es einen zusätzlichen Sarkophag für die sterblichen Überreste der Königstochter Nefruptah, entweder die Tochter oder, weniger wahrscheinlich, die Schwester von Amenemhet. Es ist schwer, die exakte Abfolge der Geschehnisse in der Grabkammer zu rekonstruieren, doch es scheint, als ob Nefruptah, die unerwartet starb, im Grab ihres Vaters beigesetzt wurde, während man ihr eigenes Monument fertigstellte. Dann wurde ihr Leichnam etwa eine Meile weit weg in ihre eigene Pyramide verlegt, ein Bauwerk, das heute fast völlig verfallen und überflutet ist. Die Pyramide wurde von Labib Habachi (1936) und Naguib Farag (1956) untersucht und barg eine Reihe von Grabbeigaben, darunter ein Adlercollier aus Perlen, Dreschflegel und Schürze, Armreifen, Streifen verrotteter Mumienbandagen und einen Granitsarkophag mit Nefruptahs Namen. Der Körper war leider durch das eindringende Wasser zerstört. Die offensichtlich enge Verbindung von Amenemhet III. zu seiner Tochter und die Tatsache, dass sie eine Kartusche annahm, lässt vermuten, dass sich Nefruptah – und nicht ein königlicher Sohn – darauf vorbereitete, dem Vater auf den Thron zu folgen.

Nofrusobek

Nofrusobek	
Thronname Ka-Sobek-Re	*Kinder* Unbekannt
Ehemann Amenemhet IV.?	*Titel* Königstochter, König
Vater Amenemhet III.	*Begräbnisstätte* Unbekannt
Mutter Unbekannt	

Da Nefruptah bereits tot war, folgte Amenemhet IV. Amenemhet III. für eine kurze Regentschaft nach. Dieser wiederum wurde durch seine vermutliche Halbschwester und Ehefrau, Königin Nofrusobek, abgelöst (von antiken Historikern Scemiophris genannt). Um ihren rechtmäßigen

Zylindrisches Siegel mit dem Horusnamen von No-rusobek in einem *Serekh*, darüber ein Falke. Die Königin verwendete eine Mischung aus männlichen und weiblichen Titeln, und diese Zweideutigkeit zeigt sich auch in der Kleidung, in der sie abgebildet ist. Britisches Museum, London.

Anspruch auf den Thron zu untermauern, brachte sich Nofrusobek auf Inschriften durchweg mit ihrem mächtigen Vater und kaum mit ihrem wenig eindrucksvollen Bruder/Gemahl in Verbindung. Es gibt Hinweise, dass sie als Erste Amenemhet III. als Gott des Faijum vergöttlichte. Dies ergab politisch durchaus Sinn, da die Tochter eines Gottes als äußerst passende Regentin anzusehen wäre. Nichts deutet darauf hin, dass Nofrusobek nur vorübergehend im Namen eines minderjährigen Sohnes regierte. Stattdessen existiert ein glasiertes, zylindrisches Siegel, heute im Britischen Museum, London, das ihren Status bestätigt: Ihr Name als Kartusche wird ergänzt von dem weiblichen Horusnamen „Geliebte des Re" in einem *Serekh*, darüber ein Falke, darunter die „Zwei Damen", die Göttinnen von Ober- und Unterägypten.

Laut Turiner Königspapyrus regierte Nofrusobek drei Jahre, zehn Monate und 24 Tage lang – wenig Zeit, um der archäologischen Nachwelt einen Stempel aufzudrücken. Wir würden erwarten, ihre sterblichen Überreste in einer Pharaonenpyramide zu finden, doch obwohl es einige Pyramiden der späten 12. und beginnenden 13. Dynastie gibt, deren Besitzer nicht feststehen (mindestens eine in Dahschur und zwei in Masghuna), wurde das Grab von Nofrusobek noch nicht identifiziert. Fragmente von Bauwerken lassen vermuten, dass sich ihre Bautätigkeit auf Faijum konzentrierte, wo sie wahrscheinlich auch begraben liegt, obwohl eine Inschrift aus ihrem dritten Regierungsjahr, gefunden in der nubischen Festung Kumma, bestätigt, dass sie über ganz Ägypten herrschte. Das Ende ihrer Regentschaft liegt im Dunklen, doch nichts weist darauf hin, dass sie nicht eines natürlichen Todes gestorben wäre.

Der Torso zeigt Nofrusobek in einer einzigartigen Kombination aus männlicher und weiblicher Kleidung. Louvre, Paris.

Nofrusobeks Statuen

Wir haben mindestens drei kopflose Statuen von Nofrusobek, die in Auaris gefunden wurden, aber wahrscheinlich aus Faijum stammen. Die bemerkenswerteste davon ist aus rotem Quarzit, heute im Louvre, und zeigt den sichtbar weiblichen Torso der Königin in dem üblichen engen (weiblichen) Kleid, doch mit dem (männlichen) Königsschurz darüber und einem (männlichen) *Nemes*-Kopftuch auf dem nun verschwundenen Kopf. Auf anderen Darstellungen erscheint Nofrusobek rein weiblich und zerstört in männlicher Pose die Feinde Ägyptens in einem archaischen Ritual.

Nofrusobek und ihre Künstler mussten einer Tradition folgen, die über die Jahrhunderte bis zur Narmer-Palette zurückreicht. Ein ägyptischer Pharao sollte immer wie jeder andere König aussehen, handeln und gekleidet sein: groß, muskulös, mit Schurz, gesund, in der Lage, Feinde zu töten, und unbestreitbar männlich. Egal wie der Pharao tatsächlich aussah – die Untersuchungen der Mumien zeigten, dass manche recht weit von diesem Ideal entfernt waren –, so musste er vor den Göttern und vor seinem Volk erscheinen. Allein schon die

DIE SCHÄTZE VON LAHUN UND DAHSCHUR

Sesostris II. errichtete seine Pyramide in Lahun (auch: Illahun) am Eingang des Faijun-Beckens. Darin befanden sich vier Schachtgräber für weibliche Familienmitglieder. Alle wurden in der Antike geplündert, doch in einem davon, dem Grab von Sesostris' Tochter Sit-Hathor-Iunet, fanden Flinders Petrie und Guy Brunton den „Schatz von Lahun": fünf Kästen mit Juwelen und Toilettartikeln, die ein Räuber in der Antike in einer schlammigen Nische versteckt hatte. Petrie schreibt:

Am 10. Februar [1914] wurde ein Grab freigelegt, das vor langer Zeit geplündert worden war; der Sarkophag war leer, und wir erwarteten nichts. In einer Nische (von etwa einem m³) an der Seite, die mit hartem Schlamm, der ins Grab gewaschen worden war, gefüllt war, wurden einige dünne Goldringe gefunden und sofort gemeldet ... Da ich wegen einer Zerrung nicht hinuntergehen konnte, ging Brunton, um den Platz zu untersuchen ... Eine Woche lang lebte Brunton Tag und Nacht in dem Grab und barg vorsichtig alle Objekte aus dem harten Schlamm, ohne auch nur ein Stück zu verbiegen oder zu zerkratzen. Sobald ein Stück nach oben kam, wusch ich es mit klarem Wasser und einer Kamelhaarbürste, um die natürliche Oberfläche nicht zu verändern, und fotografierte es ...[9]

Das Versteck enthielt einen angelaufenen Silberspiegel mit wunderschönem Hathor-Griff aus Gold und Obsidian, ein Golddiadem mit farbigen Rosetten und zwei Pektorale (Halsbänder) mit den Kartuschen von Sesostris II., dem Vater der Prinzessin bzw. ihres Sohns oder Stiefsohns Amenemhet III.

20 Jahre zuvor war in den Pyramiden von Dahschur ein ähnlicher Schatz aus dem Mittleren Reich gefunden worden. Der Archäologe Jacques de Morgan entdeckte Schmuck und persönliche Besitztümer einer Reihe von königlichen Frauen. Die Schmuckstücke beider Funde sind so ähnlich gearbeitet, dass sie von einem Handwerker stammen müssen. Heute ist der Großteil des Schatzes von Lahun im New Yorker Metropolitan Museum of Art ausgestellt, der Rest – und der Schatz von Dahschur – ist im Ägyptischen Museum in Kairo zu sehen.

(Oben rechts) Das restaurierte Golddiadem von Sit-Hathor-Iunet, verziert mit Rosetten, Bändern, Doppelfedern und einer Uräusschlange. Das Diadem ist groß genug, um über eine Perücke zu passen. Die 215 mm langen Federn haben sich leicht bewegt, wenn sie den Kopf bewegte. Gefunden in Lahun im Jahr 1914.

(Rechts) Pektorale mit Einlegearbeit von Sit-Hathor-Iunet mit der Kartusche ihres Vaters Sesostris II., flankiert von zwei Horusadlern. Gefunden in Lahun im Jahr 1914.

(Seite 77, oben links) Ein früher Versuch, einige der Schmuckstücke aus Lahun zu restaurieren. Die Goldperlen, zwei entgegengesetzte Löwenköpfe, stammen im Original von einem Gürtel.

(Seite 77, oben rechts) Pektorale von Prinzessin Mereret, der Tochter von Sesostris III., mit dem Namen ihres Bruders Amenemhet III. Teil des Schatzes von Dahschur, gefunden von Jacques de Morgan 1894.

(Seite 77, unten) Gürtel und Pektorale aus Kaurimuscheln. Das Pektorale zeigt die Kartusche von Sesostris II., die Stücke gehörten seiner Gattin, Königin Chenmet. Teil des Schatzes von Dahschur.

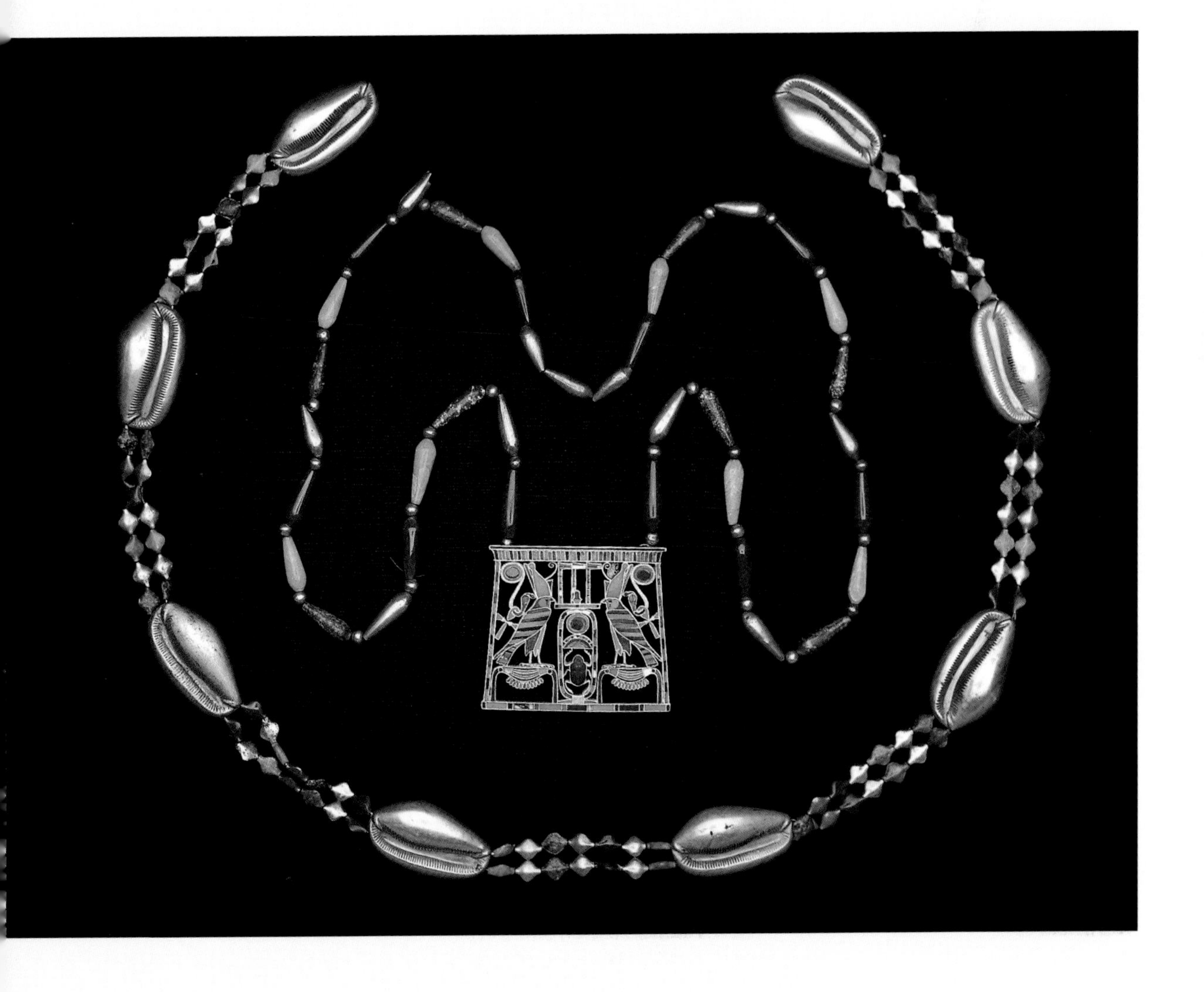

idealisierte Darstellung des Königs sollte ihm (oder ihr) helfen, diesem Ideal zu entsprechen. Ohne ihre Weiblichkeit zu verleugnen – sie benutzte fast ausschließlich weibliche Titel –, benutzte Nofrusobek jene Insignien, die sie auf magische Weise von der Königin zum König machten. Ob sie diese Kleidung auch im Alltag trug, wissen wir nicht. Bei den überaus wichtigen Tempelritualen musste sie sicher Priestergewände tragen. Der Ursprung von Nofrusobeks Statuen ist unbekannt, höchst wahrscheinlich wurden sie, wie alle Statuen des Alten und Mittleren Reichs, für ihren Totentempel gefertigt. Daher repräsentieren sie den idealisierten toten Herrscher oder möglicherweise den Geist des idealisierten toten Herrschers weit mehr als die lebendige Nofrusobek.

Königinnen der 13. und 14. Dynastie

Die 70 Könige der 13. Dynastie herrschten für insgesamt 125 Jahre, wobei keiner genug Geld oder genug Zeit hatte, um ein Grabmal zu bauen. Dennoch wäre es falsch, die erste Hälfte der 13. Dynastie als eine Zeit des Chaos zu sehen, denn die Archäologie konnte nachweisen, dass die Bürokratie nach wie vor funktionierte und Kunst und Literatur während dieser schlecht dokumentierten Periode blühten. Wir wissen wenig über die Könige der 13. Dynastie und noch weniger über deren Königinnen.

Während der letzten Jahre der 13. und der ersten Jahre der 15., der Hyksos-Dynastie, etablierte sich parallel dazu eine regionale 14. Dynastie im Nildelta.

Frauen in der Literatur

Ägyptens trockenes Klima hat uns mit einer unschätzbaren Sammlung schriftlicher Aufzeichnungen versorgt: monumentale Gravierungen, Papyrii und Lederrollen sowie inoffizielle Notizen auf Kalksteinfragmenten und zerbrochenem Geschirr. Doch da weniger als 10% der Bevölkerung schreiben konnten – und dies fast ausschließlich Männer der Mittel- und Oberschicht –, können die schriftlichen Zeugnisse keinen unbeeinflussten Blick auf das Leben im Alten Ägypten vermitteln. Dennoch lässt uns die Darstellung der Frau in der Literatur dieser Zeit verstehen, wie die damalige Gesellschaft ihre Frauen sah.

Die älteste erhaltene Geschichte stammt aus dem Mittleren Reich. Die Erzählungen reichen von einfachen Abenteuergeschichten bis zu komplizierten Allegorien, die auf mehreren Ebenen interpretiert werden können. Doch allen ist eines gemeinsam: die praktisch völlige Abwesenheit von Frauen. Während sich Männer in unvorstellbare Gefahren begeben, sind deren Frauen, Mütter und Töchter anscheinend damit zufrieden, zu Hause auf die Heimkehr der Helden zu warten.

Gegen Ende des Neuen Reichs beginnen auch Frauen, eine etwas markantere Rolle zu spielen. Diese sind jedoch nicht immer jene braven Hausmütterchen der älteren Texte. Die Erzählung über zwei Brüder aus der 19. Dynastie schildert zum Beispiel die versuchte Verführung eines unschuldigen Jünglings, Bata, durch seine Schwägerin:

Bata fand die wunderschöne Frau seines Bruders lümmelnd im Garten, träge spielte sie mit ihrem langen dunklen Haar. Sie lächelte ihn an …

„Mmm …“, murmelte die Frau und warf einen abschätzenden Blick auf seine schweißüberströmte Brust, „welch kräftige Muskeln du hast, wie stark musst du sein. Ich habe dir viele Tage lang bei der Feldarbeit zugesehen, den nackten Oberkörper der Sonne ausgesetzt …“ Zu Batas Entsetzen sprang sie auf die Beine und ergriff dabei sein festes Fleisch. „Komm, ich werde mein Haar lösen. Wollen wir nicht ein Stündchen zusammen liegen? Es wird dir gefallen. Und danach mache ich dir schöne neue Kleider.“[10]

Kein Wunder, dass die Schreiber ihr junges Publikum warnten, die Frauen anderer Männer in Ruhe zu lassen:

Wenn du willst, dass in dem Haus, das du als Herr, Bruder oder Freund betrittst, Frieden herrscht, bleib weg von den Frauen![11]

Doch nicht alle Frauen in Geschichten waren böse. Die im Ausland geborene Gattin des „Verdammten Prinzen“, ein Märchen dieser Zeit, kann durch Klugheit das Schicksal ihres Gatten – Tod durch Schlangenbiss – abwenden.

15. DYNASTIE
1630–1520

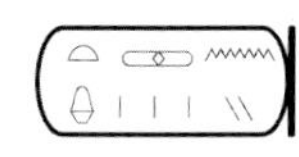

Tani

16. DYNASTIE
1630–1520

Königinnen unbekannt

17. DYNASTIE
1630–1539

Tetischeri
Ahhotep I.
Inhapi
Satdjehuti
Ahhotep II.

DIE KÖNIGINNEN DER HYKSOS

Die sechs Könige der 15. (Hyksos-)Dynastie regierten in Nordägypten für kaum ein Jahrhundert. Obwohl sie die syrisch-palästinensische Kultur größtenteils beibehielten, übernahmen sie in der Tradition der Ägypter die königlichen Insignien, die Hieroglyphenschrift und Namenskartuschen. Über ihre Königinnen ist nichts bekannt, nur **Tani**, Schwester und mögliche Gemahlin von Apophis, wird auf einer Stele in Auaris erwähnt.

DIE KÖNIGINNEN DER THEBANER

Die 16. Dynastie bestand aus 15 unbedeutenden thebanischen Herrschern, zeitgleich mit den Hyksos und von diesen dominiert. Dann begann mit einem Wechsel der königlichen Familie die 17. Dynastie. Die neuen Pharaonen waren aus härterem Holz geschnitzt und entschlossen, die Koexistenz mit den Hyksos zu beenden und Ägypten wieder zu vereinigen. Leider sind die Chronologie und die Abfolge der Herrscher dieser Zeit sehr verwirrend. Anjotef VII. wird allgemein als der Erste der starken thebanischen Herrscher erachtet. Er könnte in einem großen, imposanten Grab beigesetzt worden sein, dessen Sarg einen Bogen und sechs Pfeile enthielt. Ein weiterer mächtiger König, Sobekemsaf (ob I. oder II., ist unter Experten umstritten), wurde mit seiner Gemahlin (entweder Nubchaes, Gattin von Sobekemsaf I., oder Nubemhat, Gattin von Sobekemsaf II.) unter einer kleinen Pyramide beigesetzt, die während der turbulenten Herrschaft von Ramses IX. (20. Dynastie) völlig geplündert wurde. Details des abscheulichen Verbrechens findet man im Papyrus Leopold II.-Amherst, eines der als „Grabräuber-Papyrii" bekannten Dokumente. Der Steinmetz Amun-Panufer gesteht unter der Folter:

DER KOPFSCHMUCK MIT DER DOPPELFEDER

Dieser Kopfschmuck, der erstmals in der 13. Dynastie auftaucht, bestand aus zwei Falkenfedern auf einem Modius (einer runden, flachen Krone) und wurde oft über der Geierhaube und den Uräusschlangen getragen.

Die Illustrationen legen nahe, dass diese Federn sowohl unwahrscheinlich hoch waren als auch kein Gleichgewicht hatten; doch dies ist wohl die Aufgabe einer Krone – ihre Trägerinnen unter allen anderen hervorzuheben. Wir dürfen die ägyptische Kunst nicht für realistisch halten. Oft dient die Länge der Federn der Königin, um den freien Platz im Bild zu füllen.

Die exakte Bedeutung dieses komplizierten Kopfschmucks ist unklar, doch er spielt sowohl auf die Falkengestalt des Sonnengottes Horus an als auch auf Hathor, die Tochter und das Auge von Horus, und die männlichen Gottheiten Amun von Theben, Montu (Kriegsgott) und Min (phallustragender Fruchtbarkeitsgott), die alle Federn tragen.

Göttinnen tragen die Doppelfedern erst ab der späten 18. Dynastie, und es scheint, als ob hier der steigende Einfluss der Königin mit der wachsenden Bedeutung des Amunkults einhergeht, der bis dahin ein außerhalb Thebens wenig bedeutender Gott war.

Die Doppelfedern verbanden die Königinnen Ägyptens sowohl mit weiblichen als auch mit männlichen Gottheiten der Sonne. Dieser goldene Kopf des Horusfalken mit Augen aus Obsidian (6. Dynastie) stammt aus Hierakonpolis. Ägyptisches Museum, Kairo

(*Seite 83*) Der Deckel des inneren Sargs von Ahhotep I. und eine Sammlung von Grabbeigaben, gefunden im Grab von Dra Abu el-Naga. Die goldenen Fliegen, die Streitaxt und der Dolch scheinen Ahhoteps aktive Rolle bei der Verteidigung Ägyptens zu bestätigen.

AHHOTEP I.

Ehemann
Sekenenre (Taa II.)
Vater
Senachtenre (Taa I.)
Mutter
Tetischeri
Kinder
Ahmes-Nefertari, Ahmes-Nebta, Ahmose der Ältere, Ahmose der Jüngere
Titel
Königstochter, Königsschwester, Große Königsgemahlin, Königsmutter, Gottes Gemahlin
Begräbnisstätte
Dra Abu el-Naga, Theben

AHHOTEP I. UND DIE GEHEIMNISVOLLE AHHOTEP II.

Sekenenre (Taa II.), der Sohn von Tetischeri, hatte seine Schwestern Inhapi, Sitdjehuti und Ahhotep geheiratet. Ahhotep wurde seine Gemahlin. Sie gebar ihm mindestens vier Kinder: zwei Töchter, Ahmes-Nefertari und Ahmes-Nebta, und zwei Söhne. Ahmose der Ältere starb jung, so dass Ahmose der Jüngere seinem Vater nachfolgte. Doch es gab einen Bruch in der Thronfolge. Sekenenre starb in der Schlacht. Seine Mumie, gefunden in einer Cachette in Deir el-Bahari, zeigt schreckliche Kopfverletzungen durch eine Streitaxt der Hyksos. Ahmose übergehend, bestieg

Kamose den Thron, ein Mann, der oft für Sekenres Sohn gehalten wird, der aber keine bekannte Verbindung zur königlichen Familie hat. Wie dem auch sei, es ist vernünftig anzunehmen, dass Kamose ein Krieger edler Abstammung war, der den Kampf gegen die Hyksos fortführen sollte. Dies tat er auch, bis er – kaum drei Jahre später – ebenfalls auf einem fernen Schlachtfeld den Tod fand. Kamose folgte Ahmose, der jüngere Sohn von Sekenenre und Ahhotep.

Nun waren die Kämpfe für fast ein Jahrzehnt unterbrochen, als Ahhotep ihren Sohn großzog und Ägypten an seiner statt regierte. Als Erwachsener und König eines wiedervereinten Landes schämte sich Ahmose nicht einzugestehen, wie viel er seiner Mutter verdankte. Auf einer einzigartigen Stele aus Karnak fordert er sein Volk auf, sie zu ehren als „die Eine, die den Brauch erfüllt und für Ägypten gesorgt hat":

Sie hat sich um Ägyptens Soldaten gekümmert, sie hat Ägypten bewacht, sie hat die Flüchtigen zurückgebracht und die Verlorenen versammelt, und sie hat Oberägypten befriedet und die Rebellen vertrieben.

Wenn wir die Stele wörtlich nehmen (und es gibt keinen Grund, das nicht zu tun), scheint Ahhotep gezwungen gewesen zu sein, zu den Waffen zu greifen und ihr Land (Theben) zu verteidigen, vielleicht in der unsicheren Zeit nach dem Tod von Kamose. Zum ersten Mal haben wir einen schriftlichen Beweis für die tatsächliche Macht einer Regentin.

Ahhoteps Begräbnis

Es gibt kaum Zweifel, dass Ahhotep ein glanzvolles Grabmal in der königlichen Nekropole Dra Abu el-Naga westlich von Theben erhielt. Ihr Grab ist jedoch bis heute unbekannt, und die Zeugnisse über ihre Grablegung sind, gelinde gesagt, verwirrend. 1858 fanden Arbeiter, die im Auftrag von Auguste Mariette in Dra Abu el-Naga gruben, einen Sarg mit der Inschrift „Große Königsgemahlin Ahhotep". Dieser Titel unterschied zur damaligen Zeit die Gefährtin des Pharao von seinen weniger bedeutenden Frauen. Da der Grabungsdirektor in Kairo weilte, öffnete der Provinzgouverneur den Sarg. Er fand eine Mumie und eine Sammlung goldener Artefakte. Die Mumie wurde ausgerollt, Körper und Bandagen warf man weg. Die Wertgegenstände wurden auf einen Dampfer verladen, um zum Hof des Khediven gebracht zu werden. Wutentbrannt verfolgte Mariette das Schiff, um seine Antiquitäten zurückzufordern. Théodule Devéria, ein Augenzeuge, berichtet:

... wir sahen das Schiff mit den Schätzen, die sie der königlichen Mumie geraubt hatten, auf uns zukommen. Nach einer halben Stunde lagen beide Schiffe längsseits. Nach einigen heftigen Worten, unterstrichen durch lebhafte Gesten, versprach Mariette einem, ihn über Bord zu werfen, einem anderen, sein Gehirn zu rösten, einem dritten, ihn auf die Ga-

leeren zu schicken, und einem vierten, ihn hängen zu lassen. Dann endlich entschlossen sie sich, die Kiste mit den Antiquitäten auszuhändigen, und verlangten eine Empfangsbestätigung.[14]

Unter den Grabbeigaben waren Schmuckstücke, eine gravierte rituelle Axt aus Kupfer, Gold, Neusilber und Holz, dekoriert mit einem Greif im Stil der Minoer, ein goldener Dolch mit Scheide und drei goldene Fliegen, eine Tapferkeitsauszeichnung für hohe ägyptische Offiziere. Obwohl einige Gegenstände den Namen Kamoses trugen, zeigten noch mehr den Namen Ahmose, sodass vermutet wird, dass er seine Mutter bestattet hat.

Wenig später, im Jahr 1881, wurde ein großer äußerer Sarg, der der Königstochter, Königsschwester, Großen Gemahlin des Königs und Königsmutter Ahhotep gehörte, in der Mumiencachette in Deir el-Bahari entdeckt. In diesem Sarg fand man jedoch die Mumie von Pinedjem I., einem Hohepriester der Dritten Zwischenzeit, die von den Priestern, die die Verstorbenen zur Seite geschafft hatten, verwechselt worden sein muss. Zuerst dachte man, der Sarg gehöre Ahhotep II., der Gemahlin von Amenophis, doch Amenophis' Gemahlin wurde nie Königsmutter und der auf ihn folgende König, Thutmosis I., war in die königliche Familie adoptiert worden. Jüngste Überlegungen besagen, dass beide Särge möglicherweise ein und derselben Ahhotep (Ahhotep I., der Mutter von Ahmose) gehören, obwohl es ein Rätsel bleibt, wie sie getrennt wurden. Eine dritte Möglichkeit ist, dass es tatsächlich zwei Königinnen namens Ahhotep gab: Ahhotep I., Mutter von Ahmose und Gemahlin von Sekenenre und Eigentümerin des Sarges aus Deir el-Bahari, sowie Ahhotep II., eine Königin unbekannter Herkunft, die mit Kamose verheiratet gewesen sein könnte und der der Sarg aus Dra Abu el-Naga gehörte.

Modell eines goldenen Bootes, das auf einem sonderbaren Modellfahrzeug aus Holz und Bronze steht, gefunden im Grab von Ahhotep I. in Dra Abu el-Naga. Ägyptisches Museum, Kairo

DAS NEUE REICH
1539–1069 v. Chr.

18. DYNASTIE
1539–1292

Ahmose = = **Ahmes-Nefertari, Ahmes-Nebta**

Amenophis I. = = **Ahmes-merit-Amun**

Thutmosis I. = = **Ahmose**

Thutmosis II. = = **Hatschepsut**

Hatschepsut

Thutmosis III. = = **Sat-jah, Meritre-Hatschepsut, Nebtu, Menui, Menhet, Merti**

Amenophis II. = = **Tia**

Thutmosis IV. = = **Nofretiri, „Jaret“, Mutemwia**

Amenophis III. = = **Teje, Sitamun, Isis? Henut-tau-nebu? Giluchepa, Taduchepa**

Amenophis IV./Echnaton = = **Nofretete, Kija**

Semenchkare = = **Meritaton**

Tutanchamun = = **Anchesenpaaton**

Eje = = **Teje**

Haremhab = = **Mutnedjmet**

19. DYNASTIE
1292–1190

Ramses I. = = **Sitre**

Sethos I. = = **Tuja**

Ramses II. = = **Henutmire, Nofretiri, Isisnofret I., Bint-Anat I., Meritamun, Nebettawi, Maathorneferure**

Merenptah = = **Isisnofret II., Bint-Anat II.**

Amenmesse = ? = **Baketwerel I.**

Sethos II. = = **Tachat, Tausret**

Siptah = ?

Tausret

20. DYNASTIE
1190–1069

Sethnacht = = **Teje-Mereniset**

Ramses III. = = **Isis Ta-hemdjert, Teje**

Ramses IV. = ? = **Tentopet**

Ramses V. = = **Henuttawi, Taurettenru**

Ramses VI. = = **Nubchesbed, Isis**

Ramses VII. = ?

Ramses VIII. = ?

Ramses IX. = ? = **Baketwerel II.**

Ramses X. = ? = **Titi**

Ramses XI. = = **Tentamun**

Königinnen **fett** gedruckt
= = bekannte Heirat
= ? = mögliche Heirat
= ? Königin unbekannt

ENDE ZWEITE ZWISCHENZEIT
BEGINN NEUES REICH
Ahmose I. (***Ahmes-Nefertari* & *Ahmes-Nebta***)
Amenophis I. (***Ahmes-merit-Amun***)
Thutmosis I. (***Ahmose***)
Thutmosis II. (***Hatschepsut***)
Hatschepsut
Thutmosis III. (***Sat-jah, Meritre-Hatschepsut, Nebtu, Menui, Menhet, Merti***)
Amenophis II. (***Tia***)
Thutmosis IV. (***Nofretiri, „Jaret“* & *Mutemwia***)
Amenophis III. (***Teje, Sitamun, Isis? Henut-tau-nebu? Giluchepa* & *Taduchepa***)
Amenophis IV./Echnaton (***Nofretete* & *Kija***)
Semenchkare (***Meritaton***)
Tutanchamun (***Anchesenpaaton***)
Eje (***Teje***)
Haremhab (***Mut***
Ramses I
Sethc
18. DYNASTIE
1600
1550
1500
1450
1400
1350
1300

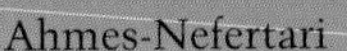

Ahmes-Nefertari

Hatschepsut

Anchesenpaaton

Nofretiri

Königinnen der Hochblüte

Das Neue Reich 1539–1069 v. Chr.

Als sich Ägypten zum reichsten Land des Mittelmeerraums entwickelte, wurde Amun von Theben zum einflussreichsten Gott. Die thebanischen Könige gaben die Pyramidenform auf und errichteten versteckte, aus Fels gehauene Gräber und sehr auffällige Totentempel.

Königsgemahlinnen blieben bedeutend und wurden mit immer mehr politischen und religiösen Titeln geehrt. Die wachsende Vielfalt der Kopfbedeckungen machte den stets etwas unscharfen Unterschied zwischen den sterblichen Gattinnen und den unsterblichen Göttinnen noch unklarer. Gleichzeitig wuchs der königliche Harem während der 18. Dynastie weiter an.

Der revolutionäre Pharao Echnaton störte kurz die innere Ruhe, da er sich der Verehrung eines einzigen Gottes, des Sonnengottes Aton, hingab. Seine Nachfolger stellten die alten Götter wieder her, doch die Linie des Königshauses riss ab und die 19. Dynastie endete mit der Thronbesteigung des Ex-Generals Ramses I. Sein Enkel Ramses II. regierte über 65 Jahre.

Dem Tod Ramses' II. folgte eine Zeit internationaler Unsicherheit und von Bevölkerungsbewegungen, deren Hauptziel das fruchtbare Ägypten war. Die 19. Dynastie endete mit der Pharaonin Tausret, und der geheimnisvolle Sethnacht begründete die 20. Dynastie. Noch neun Könige namens Ramses bestiegen den Thron, einer schwächer als der andere, und nach dem Tod von Ramses XI. war Ägypten wieder ein geteiltes Land.

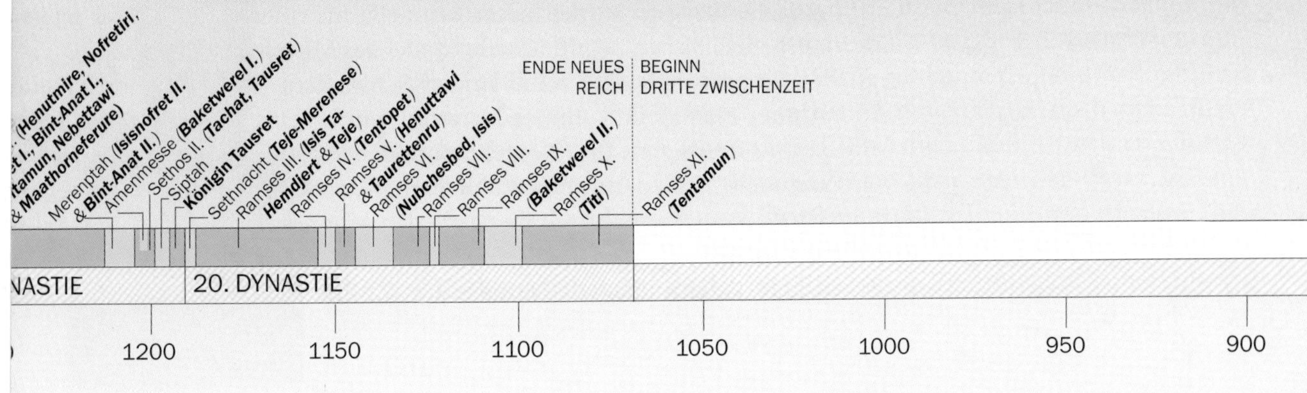

Die vergöttlichte Ahmes-Nefertari, deren schwarze Haut die Fruchtbarkeit der ägyptischen Erde symbolisiert und ihre Rolle als Göttin der Wiedergeburt unterstreicht. Nach dem Tod der Königin und ihres Sohnes Amenophis I. wurden beide als Schutzgötter der Nekropole von Theben verehrt. Aus einem unbekannten Privatgrab in Theben, heute im Britischen Museum, London.

Ahmes-Nefertari beschränkte ihren Einfluss nicht auf die Religion allein. Texte aus den Kalksteinbrüchen von Memphis und aus den Alabastersteinbrüchen von Assiut nennen ihren Namen gemeinsam mit dem von Ahmose. Den Plan zur Errichtung des Ehrengrabmals für seine Großmutter Tetischeri besprach der König zuerst mir seiner „Gefährtin"; diese Wortwahl deutet darauf hin, dass Ahmes-Nefertari mit der Göttin Maat gleichzusetzen ist, der ständigen Gefährtin von Re und allen ägyptischen Pharaonen.

Ahmes-Nefertari gebar mindestens vier Söhne und fünf Töchter, fünf ihrer Kinder starben jedoch in frühester Kindheit. Nach dem Tod von Ahmose regierte sie für ihren jungen Sohn Amenophis I. und später, nach dem Tod von dessen kinderloser Schwestergemahlin Ahmes-merit-Amun, nahm sie wieder die Position der Königsgemahlin ein, um ihren Sohn zu unterstützen. Als solche spielte sie eine wichtige Rolle bei der Auswahl und Adoption von Amenophis' Nachfolger, Thutmosis I. Sie starb während der Regierungszeit von Thutmosis I. und wurde im Westen Thebens, in der Nekropole Dra Abu el-Naga, beigesetzt. Ihr Totentempel wurde in der Nähe errichtet, ist heute aber fast völlig zerstört.

Die Mumie von Ahmes-Nefertari fand sich in einem riesigen Sarg, gemeinsam mit dem Körper von Ramses III. aus der 20. Dynastie in der Königscachette von Deir el-Bahari. Ihr Körper wurde von Emile Brugsch im September 1885 ausgewickelt, roch jedoch so unangenehm, dass man ihn sofort auf dem Museumsgelände begrub, bis sich der Gestank gelegt hatte. Die Untersuchung der nunmehr geruchlosen Überreste zeigte, dass Ahmes-Nefertari 70-jährig starb, auch nach heutigem Standard ein beachtliches Alter. Ihr ausgedünntes Haar war durch eine Reihe von falschen Zöpfen voller gemacht worden, die auf magische Weise im Leben nach dem Tod zu echtem Haar werden würden, und auch sie hatte die familientypischen großen Schneidezähne, die wir schon bei ihrer Großmutter Tetischeri gesehen haben. Ahmes-Nefertaris rechte Hand fehlte, sie war vermutlich von Räubern der Antike auf der Suche nach Schmuckstücken gestohlen worden.

Mutter und Sohn waren so eng verbunden, dass sie beide als Schutzpatrone des Dorfes Deir el-Medina im Westen Thebens vergöttlicht wurden. In diesem staatseigenen Dorf wohnten die Arbeiter, die die Königsgräber im Tal der Könige (und später im Tal der Königinnen) aushoben und dekorierten. Hier wurde Ahmes-Nefertari als Göttin der Wiedergeburt, „Herrin des Himmels" und „Edle des Westens", bis zum Ende des Neuen Reichs verehrt. In diesem Zusammenhang wird sie oft mit schwarzer Haut dargestellt, was jedoch kein Zeichen für Verfall, sondern für Fruchtbarkeit und Wiedergeburt ist.

AHMES-MERIT-AMUN

Ägypten war mit drei Generationen höchst einflussreicher Königinnen gesegnet. Dann kam es zu einem Einbruch, da die starke Persönlichkeit von Ahmes-Nefertari ihre Tochter Ahmes-merit-Amun völlig in den Schatten stellte. Ahmes-merit-Amun übernahm von ihrer Mutter die Rolle der Gottesgemahlin von Amun, viel mehr wissen wir nicht über sie, außer dass sie jung starb, bevor sie ihrem Gemahl einen männlichen Erben schenken konnte. Dieses „Versagen", auch wenn es für die Königin erniedrigend gewesen sein mag, war keine Katastrophe für die Dynastie – dafür gab es den königlichen Harem. Doch es scheint, dass auch dem Harem kein passender Sohn entsprang, und Amenophis wollte, anders als andere Könige, nicht wieder heiraten. So übernahm Ahmes-Nefertari nochmals die wichtige Funktion der Königsgemahlin, und Thutmosis I. wurde in die königliche Familie adoptiert.

Die Mumie von Ahmed-merit-Amun wurde umschlossen von zwei Särgen und einer Hülle aus Pappe in ihrem Grab in Deir el-Bahari (TT 358) gefunden. Sie war in der Antike entweiht und während der 21. Dynastie neu gewickelt worden. Der Körper der Königin zeigt, obwohl sie jung starb, Zeichen von Arthritis und Rückgratverkrümmung.

Thutmosis I. hatte bereits vier Söhne, Wadjmose, Amunmose, Ramose und Thutmose, von denen Letzterer als Thutmosis II. seinem Vater auf den Thron folgen sollte. Amunmose und Wadjmose starben knapp 20-jährig, vor ihrem Vater, hinterließen jedoch archäologische Spuren.

MUTNOFRET: DIE ERSTE FRAU VON THUTMOSIS I.

Wadjmose und der kaum bekannte Ramose fanden im stark zerstörten Totentempel ihres Vaters in Theben eine Ruhestätte. Eine Seitenkammer war als Schrein für die sterblichen Überreste diverser Familienmitglieder eingerichtet, darunter die Königsschwester Mutnofret, eine Dame, die Geierhaube und Uräusschlangen trägt und deren Namen eine Kartusche ziert. Es wird nirgendwo explizit gesagt, doch anscheinend war sie als frühere Gattin von Thutmosis I. die Mutter der vier Söhne und muss gestorben sein, bevor ihr Gemahl zum Thronerben wurde. Auf einer Inschrift aus Karnak wird die Dame Mutnofret (die mit jener aus dem Tempel von Thutmosis identisch sein dürfte) als Königstochter bezeichnet, sie könnte also die Tochter von König Ahmose gewesen sein.

(Oben links) Ahmes-merit-Amuns riesiger Sarg aus Zedernholz, mit Einlegearbeiten und Vergoldung, gefunden in ihrem Grab in Deir el-Bahari. Zu Lebzeiten war sie von ihrer großartigen Mutter Ahmes-Nefertari völlig in den Schatten gestellt worden.

(Links) Mutnofret, die Gattin von Thutmosis I., bevor dieser in die königliche Familie adoptiert wurde. Mutnofret war nie Königin von Ägypten, doch einer ihrer Söhne regierte als Thutmosis II. Mutnofret wurde als Tochter von Amenophis I. und mögliche Schwester von Königin Ahhotep identifiziert.

18. DYNASTIE 
1539–1292

Hatschepsut

Das Gesicht der Hatschepsut ist auf einer der Kolossalstatuen erhalten geblieben, die einst ihren Totentempel zierten. Dort nimmt die Königin die Gestalt des Totengottes Osiris an.

HATSCHEPSUT	
Thronname Maat-ka-Re *Ehemann* Thutmosis II. *Vater* Thutmosis I. *Mutter* Ahmose *Sohn* Keiner; Stiefmutter von Thutmosis III.	*Tochter* Neferure *Titel* Gottesgemahlin des Amun, Königstochter, Königsschwester, Große Königsgemahlin, König *Begräbnisstätte* Tal der Könige (KV 20)

HATSCHEPSUT

Thutmosis II. nahm seine Halbschwester, die Königstochter, Königsschwester und Große Königsgemahlin Hatschepsut, zur Frau, die jedoch den von Ahmes-merit-Amun übernommenen Titel der „Gottesgemahlin von Amun" bevorzugte. Ägyptens neue Königin begann mit dem Bau eines passenden Königinnengrabes im versteckten Wadi Sikkat Taka el Zeida in Theben West. Dort findet sich ihr Sarkophag aus Quarzit mit einer Inschrift, einem Gebet zur Muttergöttin Nut:

Die Königstochter, Gottesgemahlin, Große Königsgemahlin, Edle beider Länder, Hatschepsut sagt: „Oh, meine Mutter Nut, erstrecke dich über mich, auf dass du mich zwischen die unsterblichen Sterne setzen kannst, die du in dir trägst, sodass ich niemals sterbe."

Das Grab in Wadi Sikkat Taka el-Zeida wurde aufgegeben, bevor die Arbeiten am Gräberschacht abgeschlossen waren.

Hatschepsut, die Gemahlin des Königs

Hatschepsut gebar ihrem Bruder eine Tochter, Neferure, doch keinen Sohn. Als dann Thutmosis II. nach etwa 13 Regierungsjahren unerwartet starb, ging der Thron am Thutmosis III., einen Sohn von Isis aus dem königlichen Harem. Da der Thronerbe noch ein Kind war und man seine Mutter als zu wenig „königlich" erachtete, wurde Hatschepsut berufen, die Regentschaft für den Stiefsohn zu übernehmen. Thutmosis III., stolz auf seine Mutter und bemüht, seine Abstammung zu betonen, schrieb Isis posthum den Titel Große Königsgemahlin und Gottesgemahlin zu.

Nur die reichsten und gesegnetsten Herrscher Ägyptens konnten Obelisken errichten. Hatschepsuts Obelisk in Karnak diente daher als Bestätigung dafür, dass ihre Regentschaft von ihrem göttlichen Vater Amun akzeptiert wurde, und stellte gleichzeitig eine Verbindung mit ihrem irdischen Vater Thutmosis I. her, der ebenfalls Obelisken erbauen ließ.

Wir sehen sie auf einem Pfeiler im Grab von Thutmosis (KV 34) hinter ihrem Sohn in einem Boot. Sie trägt ein einfaches, enges Kleid und eine dreiteilige Perücke, aber keine Krone. Im Gegensatz dazu zeigt eine Statue aus Karnak Isis mit Modius und Doppeluräus (siehe Seite 14).

Sein Sohn erhob sich an seiner statt als König beider Länder. Er [Thutmosis III.] übernahm den Thron seines Erzeugers. Seine Schwester, die Gottesgemahlin Hatschepsut, regierte das Land und befehligte beide Länder. Man arbeitete für sie, und Ägypten neigte das Haupt vor ihr.[16]

Für einige Jahre agierte Hatschepsut als typische Regentin und erlaubte dem jungen Thutmosis, an allen Aktivitäten teilzunehmen. Doch es gab bereits Anzeichen, dass Hatschepsut mit der Tradition brechen würde. Ihr neuer Titel „Herrin beider Länder" war eine Anlehnung an den damaligen Ehrentitel des Königs „Herr beider Länder". Ungewöhnlicher war, dass sie vor dem Aufgang zum Amuntempel in Karnak zwei Obelisken aufstellen ließ. Obelisken – schlanke, sich nach oben verjüngende Pfeiler mit pyramidenförmigen, vergoldeten Spitzen, die in der starken Sonne Ägyptens funkelten – waren ein Symbol für die ersten Lichtstrahlen bei der Erschaffung der Welt. Schwer zu meißeln und zu transportieren und so schwierig aufzustellen, dass die moderne Wissenschaft noch nicht sagen kann, wie dies bewerkstelligt wurde, galten sie damals als das teuerste Geschenk eines Königs an seine Götter. Als ihre Obelisken gemeißelt wurden, war auch Hatschepsut zum König geworden, und ihre neuen Titel wurden stolz in ihre Monumente graviert.

Hatschepsut, der Pharao

Im 7. Jahr wurde Hatschepsut zum König Ägyptens gekrönt und nahm alle Königsinsignien und fünf Königsnamen an – Horus, Reich an *Ka*-Kräften; Nebti, Gedeihlich an Jahren; Weiblicher Goldname, Mit göttlichen Erscheinungen; König von Ober- und Unterägypten, Maat-ka-Re (Wahrheit ist die Seele des Re); Tochter des Re, Chenmet-Amun Hatschepsut (Die Amun umarmt, die Erste unter den vornehmen Damen). Thutmosis III. wurde jedoch nicht vergessen, sondern pflichtbewusst als Mitregent anerkannt, und die gemeinsamen Regierungsjahre wurden von seiner Thronbesteigung an gezählt, doch Hatschepsut war zweifellos der wahre Herrscher Ägyptens. Erst gegen Ende ihres Lebens kam Thutmosis in seinem Status als Mitregent jenem von Hatschepsut in etwa gleich.

Wir können Hatschepsuts Weg von der Königsgemahlin zur Pharaonin an einer Reihe widersprüchlicher Bilder festmachen. Eine Stele (Ägyptisches Museum, Berlin) zeigt die königliche Familie kurz vor Thutmosis' Tod. Der junge König blickt dem Sonnengott Re ins Gesicht. Dahinter steht seine Stief-/Schwiegermutter Ahmose mit Geierhaube, Uräusschlange und Falkenfedern. Hatschepsut steht pflichtbewusst hinter ihrer Mutter, ihr einfaches Kleid und der Modius kennzeichnen sie als Jung-Königin. Der Modius, eine flache, mit Blumen dekorierte Krone, wurde von einer Reihe nicht immer besonders bedeutender königlicher

Frauen des Neuen Reichs getragen. Zwei Jahre nach dem Tod von Thutmosis II. zeigen Wandbilder aus dem Semna-Tempel in Nubien einen erwachsen aussehenden Thutmosis III. als einzigen König von Ober- und Unterägypten und Herren beider Länder, der die weiße Krone von dem alten nubischen Gott Dedwen empfängt. Und Hatschepsuts Roter Tempel in Karnak zeigt Hatschepsut und Thutmosis III. nebeneinander. Sie sehen gleich aus, mit brustlosen männlichen Körpern, tragen beide den Schurz und die blaue Krone, einen Stab und die Lebensschleife *Anch*. Die Kartuschen zeigen, dass Thutmosis als der Jüngere hinter Hatschepsut steht.

Hatschepsut gibt uns keine Erklärung für ihre einzigartige Machtergreifung. Ihre Thronbesteigung scheint auf keinen Widerstand gestoßen zu sein und wenn, wäre er wohl nicht aufgezeichnet worden. Wir können nur annehmen, dass eine politische oder religiöse Krise nach einem erwachsenen Herrscher verlangte. An den Wänden ihrer Monumente rechtfertigt Hatschepsut sich allerdings. Sie hat Anrecht auf den Thron, nicht nur als geliebte Tochter und Erbin des verehrten Thutmosis I. (der wenig eindrucksvolle Thutmosis II. wird vergessen), sondern auch als Tochter des großen Amun. Dieser habe in einem Orakel Hatschepsut mitgeteilt, dass er seine Tochter als Herrscherin Ägyptens wünsche.

DAS ORAKEL

Orakel erlaubten es Ägyptens Göttern, direkt zum Volk zu sprechen. Normalerweise blieben die kultischen Statuen der Götter und Göttinnen in ihren Tempeln versteckt, wo sie nur die höchsten Priester sehen konnten. Doch im Lauf des Neuen Reichs durften sie anlässlich einer steigenden Zahl religiöser Feste ihre Heiligtümer verlassen und andere Tempel und Gottheiten besuchen, wobei sie „in der Menge baden". An bestimmten Stellen dieser Prozessionen konnten sich die Menschen den Göttern nähern und Fragen stellen. Mit Beginn der 19. Dynastie stand die Weisheit des Orakels in Rivalität zu den öffentlichen Gerichten, und die Streitparteien oder Menschen, die beraubt worden waren, wandten sich auf der Suche nach Gerechtigkeit an das Orakel.

Während das Volk niedere, aber sehr effektive Orakel befragte, etwa den vergöttlichten Amenophis I., wandte sich Hatschepsut an Gott Amun persönlich. Wir wissen nicht, wie Amun seine Entscheidung seiner Tochter mitteilte. Niedere Orakel „sprachen", indem sie sich bewegten (oder ihre Träger dazu veranlassten, sich zu bewegen). Möglicherweise sprachen manche Orakel tatsächlich. Eine Stierstatue aus der Zeit der Ptolemäer, gefunden in Kom el-Wist, enthielt ein bronzenes Sprachrohr, das zu einem Nebenraum führte!

Seite 96) Hatschepsut, die dominante Regentin, steht vor dem jungen Thutmosis III. Hatschepsut hat jeden Versuch aufgegeben, sich als weiblicher Pharao darzustellen, und beide erscheinen an den Wänden des Roten Tempels als Stereotype der ägyptischen Könige.

Unten) Hier trägt Hatschepsut, die noch an ihrer Darstellung feilt, die traditionellen Insignien der ägyptische Könige, doch ihr Gesicht und ihr Körper sind weiblich. Metropolitan Museum of Art, New York.

Von göttlicher Abstammung

Hatschepsuts halbgöttliche Abstammung wird auf den Wänden ihres Totentempels betont. Eine Bildfolge und ein kurzer Begleittext erzählen die Geschichte ihrer göttlichen Geburt. Amun, so erfahren wir, hatte sich in eine wunderschöne Königin Ägyptens verliebt und wollte zum Vater ihres Kindes werden. In einer der wenigen Darstellungen einer Königin in direktem Kontakt mit einem Gott sehen wir Königin Ahmose allein in ihrem Boudoir. Amun besucht sie, aus Gründen des Anstands als ihr Gatte verkleidet. Er erzählt Ahmose, dass sie auserwählt wurde, seine Tochter, die zukünftige Königin von Ägypten, zu empfangen. Dann gibt er ihr das Lebenssymbol *Anch*, und sein potenter Geruch erfüllt den Palast. In der Zwischenzeit stellt im Himmel der widderköpfige Schöpfergott Chnum das Baby und dessen Seele auf seiner Töpferscheibe her. Neun Monate später ist es Zeit für die Geburt. Die schwangere Ahmose mit kaum sichtbarem Bauch wird von Chnum und der froschköpfigen Hebamme Heket ins Wochenbett geleitet. Dort wird, in einer Szene, die unserer Fantasie überlassen bleibt, Hatschepsut geboren.

Amun, von der Liebe zu seiner neugeborenen Tochter überwältigt, nimmt sie von der Säugamme Hathor entgegen, küsst sie und spricht:

Komm zu mir in Frieden, Tochter meiner Lenden, geliebte Maat-ka-Re, du seist die Königin, die das Diadem des Horusthrons aller Lebenden für ewige Zeiten entgegennimmt.[17]

Die Tempelwände zeigen den neuen König Ägyptens nackt und unbestreitbar männlich; auch die identische, ebenfalls nackte Seele ist offensichtlich die eines Mannes. Doch die Namen des neuen Königs sind weiblich, und weder Ahmose noch Amun haben Zweifel am Geschlecht ihres Kindes. Die Darstellung Hatschepsuts im Männerkörper ist eine Konvention, das Pendant zum Dilemma jener Künstler, die drei Jahrhunderte zuvor Nofrusobek in einer Mischung aus Frauen- und Männerkleidern darstellten. Als Königin wollte Hatschepsut immer als Frau abgebildet werden: schlank, blass und passiv. Doch als Pharao musste sie ein Bild finden, das ihre neue Position betonte und sie von der einer Königsgemahlin abgrenzte. Zu Beginn ihrer Regierungszeit wurde sie entweder ganz als Frau oder als Frau in [männlichen] Königsgewändern dargestellt. Zwei sitzende Kalksteinstatuen aus Deir el-Bahari zeigen sie in dieser Kleidung. Hatschepsut trägt den traditionellen Kopfschmuck und den Schurz, hat aber ein rundliches, bartloses Gesicht und einen weiblichen Körper mit Brüsten und Taille. Bald jedoch wird sie zu einem völlig maskulinen Pharao in Männerkleidung, mit männlichen Insignien und männlichen Ritualen. Offenbar ist die Erscheinung eines Königs wichtiger als sein tatsächliches Geschlecht – die maskuline Hatschepsut wechselt auch gerne zwischen weiblichen und männlichen Titeln.

Höfling Senenmut demonstriert seine Nähe zum Königshaus, indem er die Königstochter Neferure hält. Eine Haltung, die man normalerweise eher mit Frauen assoziiert. Ägyptisches Museum, Kairo.

Prinzessin Neferure

Ab dem Zeitpunkt ihrer Krönung war Hatschepsut stets bemüht, den Bild des traditionellen Pharao zu entsprechen. Daher erzählt uns ihre Geschichte viel über das Bild des Königs in der Öffentlichkeit, jedoch weniger über die Königin, als wir gehofft hatten. Doch ein wichtiges Detail wird dennoch bestätigt: dass die Königin ein wichtiges Element des Königtums war. Wie jeder andere König brauchte Hatschepsut also eine Königin, um dem femininen Aspekt der Monarchie zu entsprechen, und dafür nahm sie ihre Tochter Neferure. Die meisten Königskinder blieben in ihren Kinderzimmern versteckt, und während der Regentschaft ihres Vaters bildete auch Neferure keine Ausnahme. Doch nach der Thronbesteigung ihrer Mutter spielte sie in der Öffentlichkeit eine ungewöhnlich wichtige Rolle – die Königinnenrolle. Neferure benutzte die Titel Herrin von Ober- und Unterägypten und Herrin beider Länder und übernahm von ihrer Mutter das Amt der Gottesgemahlin des Amun, das diese aufgeben musste, da es mit dem Königsstatus unvereinbar war. Wie alle anderen Gottesgemahlinnen vor ihr bevorzugte auch Neferure diesen Titel. Darstellungen an der Wand des Roten Tempels in Karnak zeigen die erwachsene Neferure bei den entsprechenden Ritualen.

Neferures Erziehung wurde ungeheuer wichtig genommen. Die junge Prinzessin wurde zuerst von dem Beamten Ahmose-Pennechbet unterrichtet, dann von Senenmut, Hatschepsuts einflussreichstem Berater und zuletzt von dem Verwalter Senimen. Einige Steinstatuen – sehr teure Kunstwerke aus den königlichen Werkstätten – zeigen Neferure zusammen mit Senenmut. Neferure trägt, wie alle ägyptischen Kinder, den Kopf kahl mit einer seitlichen Locke. Senenmut, mit gezopfter Perücke nimmt eine typisch weibliche Haltung ein und hält die Prinzessin entweder fest an sich gedrückt oder wickelt sie in seinen Mantel. Neferure verschwindet gegen Ende der Regentschaft ihrer Mutter; sie erscheint au einer Stele in Serabit el-Khadim im Jahr 11, wird jedoch in Senenmut Grab aus dem Jahr 16 nicht erwähnt. Offensichtlich war sie bereits gestorben und in ihrem Grab, das nahe dem für ihre Mutter gebauten in dem versteckten Wadi Sikkat Taka el-Zeida liegt, beigesetzt worden.

Senenmut

Die neue Pharaonin übernahm den Hofstaat ihres Bruders, wählte aber im Lauf ihrer Regierungszeit nach und nach neue Berater, viele davon wie Senenmut, von niederer Herkunft. Wie Hatschepsut sehr wohl wusste, war diesen „Emporkömmlingen" sehr an der Erhaltung ihrer Herrschaft gelegen: Fiel sie, fielen sie mit ihr. Senenmut, „Vermögensverwalter des Amun" und Lehrer von Prinzessin Neferure, erfreute sich einer steilen Karriere. Dies hat zu einigen Spekulationen über sein Verhältnis zu Hatschepsut geführt. Sie waren sicher niemals verheiratet – eine Heirat war für einen weiblichen Pharao aufgrund der unweigerlichen Rollenkonflikte unmöglich –, könnten sie jedoch ein Liebespaar gewesen sein? Eine grobe Zeichnung an der Wand

eines Grabes in Deir el-Bahari, das einen Mann beim Geschlechtsakt mit einer Frau mit königlichem Kopfschmuck zeigt, kann nicht als schlüssiger Beweis angesehen werden, außer dafür, dass die Ägypter genauso begeistert von Schmuddelgerüchten waren wie jedes andere Volk. Für ein enges Band zwischen den beiden spricht eher, dass Senenmut sein Bild in Hatschepsuts Totentempel gravierte – ein noch nie dagewesenes Wagnis für einen Bürgerlichen – und dass sich sein zweites Grab innerhalb der Bannmeile in Deir el-Bahari befindet. Es ist schwer vorstellbar, dass Senenmut diese protokollarischen Verstöße ohne das Wissen und die ausdrückliche Erlaubnis Hatschepsuts befohlen hat.

Politik

Die neue Pharaonin stellte sich, um *Maat* zu bewahren, mit aller Macht dem Chaos entgegen. Fremde mussten unterworfen, die Monumente der Vorfahren wiederhergestellt und ganz Ägypten mit einer Serie ehrgeiziger Bauprojekte verschönert werden. Die Unterwerfung der Fremden war in einer Folge von Feldzügen gegen die Vasallen im Süden und Osten schnell geschehen. Der Tempel in Deir el-Bahari zeigt nochmals den nubischen Gott Dedwen, wie er nubische Städte (allesamt abgebildet als Stadt mit Stadtmauern oder als befestigte Kartusche mit einem nubischen Kopf) der siegreichen Hatschepsut zuführt.

Dann widmete sich Hatschepsut dem Handel. Man holte Holz aus dem Libanon, nutzte verstärkt die Kupfer- und Türkisminen im Sinai und, am allerwichtigsten, man unternahm im Jahr 9 eine erfolgreiche Handelsexpedition nach Punt. Das reale, jedoch fast legendäre Land Punt war eine Quelle vieler exotischer Schätze: wertvolle Harze, seltsame wil-

(*Oben*) Graffito aus einem Grab in Deir ·l-Bahari. Die weibliche Figur, brustlos, loch mit dem charakteristischen ichamdreieck, trägt möglicherweise den Kopfschmuck eines Pharao ohne Uräus ınd wurde als Hatschepsut identifiziert. Der Mann soll Senenmut sein.

(*Unten*) Ägyptens Königinnen waren auf ıllen Darstellungen ausnahmslos von ichlanker Gestalt. Die Königin von Punt nusste sich als Fremde von diesem ünstlerischen Ideal unterscheiden und vurde stattdessen mit einer Unzahl an 'ettwülsten ausgestattet. Ihr Gatte, der vor ihr geht, ist anmutig schlank.

de Tiere und die allseits begehrten Materialien Ebenholz, Elfenbein un Gold. Es war ein langer Weg, weit weg von Theben. Die genaue Lag Punts ist nicht mehr bekannt, doch Fauna und Flora auf den Reliefs i Hatschepsuts Totentempel lassen vermuten, dass es ein Handelszen trum in Ostafrika, an der Küste Äthiopiens, war. Die Reise in das fern Utopia bedeutete einen Marsch durch 160 km Wüste, vielleicht mit ei nem zerlegten Schiff, bis nach Al-Qusair, einem Hafen am Roten Mee Darauf folgte eine Seereise die Küste entlang, ein Abenteuer, das di Ägypter, an die ruhigen Fluten des Nil gewöhnt, fürchten mussten.

Hatschepsuts Gesandter Neshi brach mit einer kleinen, aber gut be waffneten Armee auf; die genaue Route ist unbekannt. Nach harten Ve handlungen mit dem Herrscher von Punt – die Tempelwände zeigen de Austausch einer Handvoll Gerümpel gegen herrliche Güter, sicherlic übertrieben – kehrte er im Triumph heim. Hatschepsut, die beobachtete wie ihre Schiffe die kostbare Fracht in Theben entluden, muss außer sic vor Freude gewesen sein. Die sichere Heimkehr der Truppen zerstreut jeden Zweifel darüber, dass ihre Herrschaft unter dem Segen ihres göttli chen Vaters stand. Mit großem Scharfsinn opferte sie Amun die wert vollsten Stücke und befahl, dass die historische Reise an den Tempel wänden von Deir el-Bahari für die Ewigkeit festgehalten würde.

Bauprojekte

Einstweilen kam man zu Hause mit den Bauprojekten gut voran. Es is wahrscheinlich, dass Hatschepsut in allen größeren Städten Ägyptens ei nen Tempel bauen ließ, doch die meisten gingen, wie auch die Städte verloren, sodass allein die Monumente von Theben vom Reichtum ihre Regierung zeugen. Wir wissen von Bauvorhaben in Nubien, Kom Ombo Hierakonpolis, El-Kab, Armant und auf der Insel Elephantine, wo ma zwei Tempel für die lokalen Gottheiten errichtete. In Mittelägypten, un weit von Beni Hasan und den Steinbrüchen von Hatnub, waren die erste beiden Felsentempel Ägyptens der geheimnisvollen löwenköpfigen Göt tin Pachet geweiht, „Der Kratzenden“, einer lokalen Variante der Götti Sechmet, die wiederum eine Variante von Hathor darstellte. In einem de Tempel, der heute unter dem griechischen Namen Speos Artemido (Grotte der Artemis) bekannt ist, hielt Hatschepsut ihre Politik des Wie deraufbaus und der Restaurierung in gewagten Worten fest:

Ich habe niemals als Vergessliche geschlummert, sondern Verfallene erstarken lassen. Ich habe die Trümmer wieder aufgebaut, sogar jene de ersten Zeit, als die Asiaten in Auaris im Land im Norden waren und mi vagabundierenden Horden das Bestehende zum Einsturz brachten; si regierten ohne Re … Ich habe ihre Abscheu vor den Göttern gebann und ihre Fußspuren vom Angesicht der Erde getilgt.[18]

Mit der Behauptung, sie selbst habe die Hyksos aus Ägypten vertrieben geht Hatschepsut mehr als großzügig mit der Wahrheit um. Diese frech Lüge ist jedoch gerechtfertigt, wenn wir, wie Hatschepsut dies sicherlic

Der zentrale Teil des Großen Amuntempels in Karnak war hauptsächlich das Werk von Hatschepsut und ihrem Mitregenten und Nachfolger Thutmosis III.

tat, jeden ägyptischen König als direkte Fortsetzung seiner Vorgänger sehen, was ihn (oder sie) berechtigt, sich auch all derer Taten zu rühmen. Ihre Versicherung, sie würde zerstörte Monumente erneuern und wieder aufbauen, scheint auch aus heutiger Sicht wahr. Wir wissen zum Beispiel, dass sie den Hathortempel in Cusae wieder aufbaute, eine Stadt an der Grenze zwischen den Reichen der Thebaner und der Hyksos, die in den Kriegen, die der 17. Dynastie ein Ende setzten, schwer gelitten hatte.

Der Tempel in Karnak profitierte sehr von der Großzügigkeit der neuen Pharaonin. Er erhielt ein zweites Paar Obelisken – dieses Mal zur Gänze vergoldet – zum 15-jährigen Thronjubiläum Hatschepsuts, einen Schiffsschrein (der Rote Tempel) für das Prozessionsboot von Amun, einen neuen südlichen Pylon (Torturm), einen neuen Königspalast und eine Reihe von Ausbauten der Prozessionsgänge, die die einzelnen Tempel des Komplexes verbanden. Doch das großartigste aller Bauwerke war ihr eigener Totentempel in Deir el-Bahari, in der Nähe des Grabes von Mentuhotep II., einem Herrscher des Mittleren Reichs.

Der Königstempel von Deir el-Bahari

Hatschepsuts ehrgeizigstes Projekt war ihr eigener Totentempel in Deir el-Bahari, in der Nähe des Grabmals von Mentuhotep II., einem König des Mittleren Reichs. Errichtet inmitten der ausgedörrten Wüste, ist der zweistufige Tempel sicherlich ein architektonisches Meisterwerk, eines der schönsten Bauwerke in der Welt der Antike. Der damaligen Zeit muss er allerdings noch weit spektakulärer erschienen sein.

Jene Besucher, die sich des Privilegs erfreuen durften, durch das Tor in den dicken Kalksteinmauern zu schreiten, betraten einen friedlichen, schattigen Garten mit Pflanzen, Bäumen und Teichen. Der Tempel selbst, ein sanft strahlendes Bauwerk aus Kalkstein, nahm drei stufenförmig in die Felsen von Theben gehauene Terrassen ein. Die mehrstufigen Säulenhallen waren durch eine offene Treppe verbunden, die direkt aus dem Stein gemeißelt war und in der Mitte des Tempels aufwärts zum dunklen Heiligtum des Amun führte. Der Tempel war mit einer Reihe kolossaler Statuen geschmückt, die Hatschepsut als lebenden Osiris mit weißem, bandagiertem Körper und blankem Gesicht und entweder mit der weißen Krone von Südägypten oder der Doppelkrone beider Länder zeigen. Als Architekt dieses Meisterwerks gilt allgemein Hatschepsuts Günstling Senenmut.

(Unten) Dieser Plan illustriert die räumliche Nähe des Tempelkomplexes von Mentuhotep II. aus dem Mittleren Reich zum Totentempel der Hatschepsut aus dem Neuen Reich.

(Unten links) Hatschepsut als mumifizierter Osiris, König der Toten.

(Ganz unten und Seite 103) So zeigen sich die ansteigenden Terrassen des teilweise restaurierten Tempels der Hatschepsut heute dem Besucher. Eine Luftaufnahme der beiden Tempelkomplexe, Seite an Seite, in einer natürlichen Ausnehmung der Klippen von Theben.

(*Seite 105*) Die Säulen von Hatschepsuts Hathortempel haben die Form von hathorköpfigen Sistra (Rasseln). Hathor, die Herrin von Punt und Göttin der Liebe, Mutterschaft und Trunkenheit, wurde in der Region als lokale Göttin der Bucht von Deir el-Bahari verehrt. Viele ägyptische Königinnen zeigten eine besondere Hingabe zu Hathor.

Deir el-Bahari

In Deir el-Bahari stand ein multifunktionaler Tempel mit einer Reihe von Schreinen und Tempeln für eine Vielzahl von Göttern. Das Hauptheiligtum war Hatschepsuts göttlichem Vater Amun geweiht. Es gab auch Tempel für die königlichen Ahnen, einschließlich eines kleinen Gedenktempels für ihren leiblichen Vater Thutmosis I. und eines weit größeren für Hatschepsut selbst. Dort, vor der Kultstatue Hatschepsuts, konnten die Priester ihre täglichen Opferrituale mit Speisen, Getränken, Musik und Duftstoffen abhalten, die den Seelen der Verstorbenen Unsterblichkeit verleihen sollten. Ein offener Innenhof, der Anbetung des Sonnengottes Re-Harachte geweiht, bildete das Gegengewicht zu den dunklen, düsteren Totentempeln, die die Toten mit dem Osiriskult verbanden. Eine Ebene tiefer befanden sich Tempel für den Totengott Anubis und für Hathor, die nicht nur die lokale Göttin der Bucht von Deir el-Bahari, sondern auch die „Herrin von Punt" war. Wie viele ägyptische Königinnen fühlte sich auch Hatschepsut (mittlerweise Ex-Königin) zu dem dominant weiblichen Hathorkult besonders hingezogen, und Hathor nimmt in der Tempelanlage eine Sonderstellung ein. Sie ist bei Hatschepsuts Geburt anwesend und säugt, in Gestalt einer Kuh, das Neugeborene. Wenn man Amun als göttlichen Vater des Pharao ansehen kann, scheint Hathor nun zu seiner (bzw. ihrer) Mutter zu werden.

Ihr Totentempel war die eine Hälfte von Hatschepsuts Vorkehrungen für ihren Tod. Ihr Grab, die andere Hälfte, sollte sich im Tal der Könige, der nunmehr traditionellen Begräbnisstätte der Pharaonen, befinden. Das alte Königinnengrab in Wadi Sikkat Taka el-Zeida wurde aufgegeben, doch Hatschepsut (vielleicht unter Zeitnot) unternahm keinen Versuch eines Neubaus. Stattdessen wurde das Grab ihres Vaters (KV 20) so lange erweitert, bis es zum längsten und tiefsten Grab des Tales wurde. Vater und Tochter sollten, so hoffte sie, in zwei gleichen Sarkophagen aus gelbem Quarzit für

Ägyptische Sphingen mit weiblichen Gesichtszügen sind selten, doch Hatschepsut gab gleich mehrere davon in Auftrag. Manche davon zeigten den weiblichen Pharao mit Löwenkörper, Löwenkopf und menschlichem Gesicht, andere, wie diese hier, trugen einen zur Gänze menschlichen Kopf auf dem Körper eines Löwen.

immer Seite an Seite ruhen. Der Sarkophag von Thutmosis I., etwas we
niger prächtig als Hatschepsuts eigener, war bereits ein Stück aus zweite
Hand und ursprünglich für seine Tochter bestimmt gewesen. Die beider
lagen tatsächlich für einige Zeit nebeneinander, doch Thutmosis III. lief
seinen Großvater in ein brandneues Grab (KV 38) mit einer Vielzahl ver
schachtelter Särge und einem neuen Sarkophag umbetten.

Das Ende einer Ära

Eine einzelne Stele aus Armant berichtet, dass Hatschepsut am 10. Tag
des sechsten Monats des 22. Jahres ihrer Regierungszeit starb. Danach erfreute sich Thutmosis 33 Jahre lang einer höchst erfolgreichen Alleinre-
gentschaft. Zuerst musste er jedoch seine Mitregentin begraben, um sei
nen Anspruch auf den Thron zu festigen. Hatschepsuts Grab wurde in
der Antike geplündert, doch unter den von den Räubern zurückgelasse-
nen Trümmern fand man zwei Vasen – Familienerbstücke? – der Königin
Ahmes-Nefertari. Wir haben Hatschepsuts Sarkophag, die Kanopentruhe
und ein paar Teile ihrer Möbel, doch ihr Körper ist verschwunden. Alles,
was blieb, ist eine Truhe aus der Königscachette von Deir el-Bahari mit
Hatschepsuts Kartusche und mumifiziertem Gewebe von Leber oder
Milz. Wir haben allerdings auch eine Reihe unidentifizierter weiblicher
Mumien aus dem Neuen Reich, die Hatschepsut sein könnten – oder
auch nicht. Favorisiert werden die „Ältere Dame", eine etwa 40-jährige

Die Göttin Isis, Gemahlin von Osiris, sollte den Körper von Hatschepsut in deren Sarkophag aus Quarzit bewachen. Ägyptisches Museum, Kairo.

(*Oben*) Thot, der Gott der Schrift und Mathematik, assistiert beim Reinigungsritual des toten Königs. Doch das Objekt dieses Rituals – Hatschepsut – wurde sorgfältig weggemeißelt.

(*Unten*) In dieser Szene an der Wand des Roten Tempels in Karnak kniet Hatschepsut (nun entfernt) zwischen ihrem Vater Amun und der Göttin Heret-Kau.

Frau, die in einer versiegelten Seitenkammer im Grab von Amenophis II. (KV 35) gefunden wurde, und eine fettleibige Frauenmumie aus dem Grab der königlichen Amme Sitre (KV 60). Sitre war Hatschepsuts Säugamme, eine arg zerstörte Kalksteinstatue zeigt sie mit der jungen Hatschepsut (eher eine kleine Erwachsene als ein Kind) auf dem Schoß.

Hatschepsuts Spuren werden verwischt

Gegen Ende von Thutmosis' Amtszeit wurde versucht, Hatschepsut aus allen Aufzeichnungen zu löschen, und zwar im möglichst wahrsten Sinn des Wortes. Ihre Kartuschen und Bilder wurden von den Steinwänden gemeißelt – zurück blieben deutliche Hatschepsut-förmige Löcher in den Kunstwerken –, und sie wurde aus der offiziellen Geschichte entfernt, die Thronfolge verlief nun ohne Mitregentschaft von Thutmosis II. zu Thutmosis III. Im Tempel von Deir el-Bahari wurden Hatschepsuts monumentale Statuen niedergerissen, in vielen Fällen zerschlagen oder enthauptet und vergraben. Gegenüber, in Karnak, versuchte man sogar, ihre Obelisken zu ummauern. Zwar wissen wir, dass diese Neuschreibung der Geschichte in den letzten Regierungsjahren Thutmosis' III. geschah, aber nicht warum.

Viele Jahre lang nahmen Ägyptologen an, dass es sich dabei um eine *damnatio memoriae*, die absichtliche Löschung des Namens, Bildes und der Erinnerung

18. DYNASTIE
1539–1292

Sat-jah
Meritre-Hatschepsut
Nebtu
Menui
Menhet
Merti
Tia
Nofretiri
„Jaret"
Mutemwia

VON SAT-JAH BIS MERTI: GATTINNEN VON THUTMOSIS III.

Es scheint unvorstellbar, dass Neferure, Tochter zweier Könige und Schwester eines dritten, nicht entschlossen war, ihren Halbbruder Thutmosis III. zu heiraten. Doch es gibt nur einen einzigen, wenig beweiskräftigen Hinweis auf eine solche Heirat. Eine Stele aus der Anfangszeit von Thutmosis' Alleinregierung nennt seine Gefährtin „Sat-jah" und beschreibt sie als Gottesgemahlin. Wir kennen Sat-jah als erste Frau von Thutmosis III., doch nirgendwo sonst trägt sie den Titel Gottesgemahlin. Kann es sein, dass diese Stele ursprünglich Neferure als Königin nennen sollte und nach ihrem Tod zugunsten ihrer Nachfolgerin geändert wurde?

Das Amt der Gottesgemahlin erlebte unter Thutmosis III. einen Niedergang und wurde nach Thutmosis IV. vorübergehend nicht besetzt. Dies und die offensichtliche Ablehnung von Königsschwestern als Gemahlinnen, was bis zur Herrschaft von Semenchkare anhielt, lassen vermuten, dass sich das Königshaus nunmehr davor hütete, seinen Schwestern

(Oben rechts) Tia, Gattin von Amenophis II., trägt Geierhaube und Uräusschlange.

(Rechts) Thutmosis III., seine Gattinnen Sat-jah, Meritre-Hatschepsut und Nebtu und seine Tochter Nefertiri beobachten, wie die Göttin Isis in der Gestalt einer Platane den jungen Thutmosis säugt. In der Regel gilt Hathor als Baumgottheit, doch die Geschichte wurde zugunsten von Isis, der bürgerlichen Mutter von Thutmosis, ein wenig abgewandelt.

Zwei von drei rekonstruierten Kopfbede-
kungen, die den ausländischen Ehefrau-
n von Thutmosis gehörten. Der Kopf-
chmuck unten ist mit zwei Gazellen
erziert, die, als symbolisches Äquiva-
ent der Kobra und der Falkenfeder, mit
er Vorstellung von Schöpfung und Wie-
ergeburt und mit der Göttin Hathor as-
oziiert wurden. Gazellenkronen finden
vir erstmals im Mittleren Reich, sie
vurden von prominenten königlichen
rauen, aber niemals von Königsgemah-
innen oder Königsmüttern getragen.

und Töchtern zu viel Macht und zu viel unabhängigen Reichtum einzuräumen. Nur den Königsmüttern – Frauen, die mit dem Schöpfergott in Kontakt getreten waren und keine Bedrohung für regierende Söhne darstellten – konnte man erlauben, ihre frühere Position zu behalten, falls sie sich kein Beispiel an Hatschepsuts Machtergreifung nähmen.

Ein Pfeiler in Thutmosis' III. Grab im Tal der Könige (KV 34) zeigt den König im Kreis von drei Ehefrauen – Sat-jah (bereits verstorben), **Meritre-Hatschepsut** und **Nebtu** – sowie einer toten Tochter, Nefertiri. Alle fünf sehen zu, wie der kleine Thutmosis von der als Baum dargestellten Göttin Isis (eine Anspielung auf den Namen der Königsmutter Isis) gesäugt wird. Diese drei Gemahlinnen bekamen etwa zwölf Kinder, wobei Meritre-Hatschepsut, Gottesgemahlin, Große Königsgemahlin und Königsmutter, fast sicher die Mutter des Thronfolgers Amenophis II. war. Lange hielten Ägyptologen Meritre-Hatschepsut für die jüngere Tochter von Hatschepsut und Thutmosis II., doch es gibt keinen Beweis für diese Annahme außer dem gemeinsamen Namen. Doch Meritre-Hatschepsut war fast sicher die Tochter der Priesterin und königlichen Amme Hui.

Auf Thutmosis' Annalenstein im Tempel von Karnak erfahren wir, dass er eine Fremde aus Palästina zur Frau nahm: eine Fürstentochter, die mit einer wertvollen Mitgift sowie Dienern und männlichen wie weiblichen Sklaven in Ägypten ankam. Die anonyme Prinzessin aus „Retenu" war nur eine von vielen Frauen (Frauen von unterschiedlichem sozialen Status), die infolge Thutmosis' energischer Ausweitung des ägyptischen Reichs nach Ägypten kamen. Wir wissen sonst nichts über sie.

Drei Frauen aus dem Ausland

Die königlichen Haremsdamen haben sich bisher in unserer Geschichte der ägyptischen Königinnen still im Hintergrund gehalten. Doch ein schlichtes Grab im versteckten Wadi Gabbanat el-Qurud („Tal der Affen"), nicht weit von Hatschepsuts Königsgrab, enthielt lang ersehnte Informationen über die ausländischen Frauen von Thutmosis III. Leider war das Grab von ortsansässigen Grabräubern entdeckt worden, sodass wir über dessen tatsächlichen Inhalt nichts wissen, obwohl zeitgenössische Ägyptologen, die damals in Ägypten lebten (August 1916), übereinstimmend von drei unbeschädigten Grabstätten und einer Vielzahl von Grabbeigaben, darunter viele Alabasterkrüge, berichten. Die Beigaben aus Holz und die Mumien waren verrottet (das Grab liegt in einer Wasserschneise), doch Stein und Gold überlebten. Bei den offiziellen Ausgrabungen im September desselben Jahres fand man nur mehr jene Objekte, die die Grabräuber zurückgelassen hatten. Kostbarkeiten aus diesem Grab tauchten mehrere Jahre lang auf Antiquitätenmärkten auf und ein paar davon fanden ihren Weg in die Sammlungen des Metropolitan Museum of Art, New York.

Die Namen von Thutmosis III. und Hatschepsut wurden auf den Grabbeigaben gefunden, wobei Hatschepsut sowohl als Königsgemahlin als auch als Pharao genannt wird. Unter den Kostbarkeiten waren zwei Perücken oder Hauben aus mit Rosetten geschmückten

Bändern und eine Gazellenkrone. Die Namen der drei Gattinnen, die auf den Kanopentruhen gefunden wurden, lauteten **Menui**, **Menhet** und **Merti**. Die Namen lassen darauf schließen, dass sie aus der Region Syrien/Palästina stammten, doch es ist unmöglich festzustellen, ob alle drei aus demselben Land kamen. Die Tatsache, dass zumindest eine dieser fremden Frauen die Gazellenkrone trug, beweist, dass dieser Kopfschmuck nicht, wie oft behauptet, nur für die älteste königliche Prinzessin reserviert war.

Wir wissen nicht, ob diese drei Königinnen gleichzeitig bestattet wurden. Sie könnten Mitglieder derselben Geburtsfamilie gewesen sein; nach den Darstellungen ihrer Gesichter auf den Kanopentruhen sahen sie sich nicht besonders ähnlich, doch dies könnte auch an den persönlichen Freiheiten der Steinmetze liegen. Es erscheint wahrscheinlich, dass alle drei etwa zur selben Zeit verstarben, doch da die Körper verloren gingen, wissen wir nicht, wie oder woran sie starben.

TIA	
Ehemann Amenophis II. *Eltern* Unbekannt *Sohn* Thutmosis IV.	*Titel* Große Königsgemahlin, Gottesgemahlin, Königsmutter *Begräbnisstätte* Tal der Könige (KV 32)

Tia

Amenophis II. regierte Ägypten fast 30 Jahre lang und hat uns doch nur Beweise für eine einzige mit Namen genannte Gemahlin hinterlassen. Tia, Mutter von Thutmosis IV., ist eine Dame unbekannter Herkunft, die sich erwiesenermaßen einige Monumente ihrer Schwiegermutter Meritre-Hatschepsut angeeignet hat. Tia wurde möglicherweise im Tal der Könige beigesetzt; ihr Grab enthielt ein paar zerstörte Grabbeigaben, jedoch keine Mumie, und man fand auch nirgendwo sonst eine Spur ihres Leichnams.

Tia hielt sich während der Regierungszeit ihres Gatten sehr im Hintergrund und trat erst unter ihrem Sohn als Gottesgemahlin des Amun ans Licht der Öffentlichkeit. Eine Statue aus Karnak zeigt eine jugendliche Tia mit engem Kleid, Geierhaube und Uräusschlange neben dem mit Königsschurz, Perücke und Uräus bekleideten Thutmosis sitzend. Mutter und Sohn sitzen weit voneinander entfernt, unterstützen sich jedoch gegenseitig, indem sie je einen Arm um den Partner legen. Das enge Verhältnis von Thutmosis und Tia wird auch in den verschiedensten Inschriften betont, wobei Tia als irdisches Gegenstück zu Hathor, Isis und Mut, der göttlichen Mutter von Amun, angesehen wird. Ab diesem Zeitpunkt bis zum Ende der 18. Dynastie spielt die Königsmutter eine immer bedeutendere Rolle im politischen, mehr aber noch im religiösen Leben, da die nachfolgenden Könige ihren Status als Halbgott durch die Geschichte ihrer Geburt zu untermauern suchten.

Gegen Ende der Regierungszeit von Amenophis wird die Geschichte der Königsfamilie zunehmend verwirrend, die Thronfolge scheint nicht ganz klar gewesen zu sein. Thutmosis IV. selbst bestätigt in der Traumstele, die er zwischen die Pfoten der Großen Sphinx von Giseh setzte, dass er nicht der offensichtlichste Nachfolger seines Vaters war, sondern den Thron aufgrund des direkten Eingreifens des Sphinxgottes, einer antiken Form des Sonnengottes, bestieg. Damit begründete er ein lange währendes Interesse der Königsfamilie am Sonnenkult.

'ia, Gattin von Amenophis II., sitzt ne-
en ihrem Sohn Thutmosis IV. Die bei-
en halten einander. Die Statue stammt
us Karnak und befindet sich heute im
gptischen Museum, Kairo.

MUTEMWIA	
Ehemann Thutmosis IV. *Eltern* Unbekannt *Sohn* Amenophis III.	*Titel* Große Königsgemahlin, Königsmutter *Begräbnisstätte* Unbekannt

Nofretiri, „Jaret" und Mutemwia: Die Gemahlinnen von Thutmosis IV.

Von Thutmosis IV. sind zumindest zwei Hauptfrauen bekannt, deren Namen gemeinsam mit seinem eigenen auftauchen. Seine erste Gemahlin, Nofretiri, erscheint auf einigen Statuen aus Giseh und Luxor. Nach Nofretiris frühem Tod wurde Thutmosis' Schwester „Jaret" (ihr genauer Name ist unbekannt, da sie immer nur als Kobra geschrieben wird) zur Königsgemahlin. Thutmosis hat anscheinend die rituellen Aspekte des Königinnentums zwischen diesen beiden Damen und seiner Mutter Tia aufgeteilt. Eine dritte, weniger bekannte Ehefrau war die Tochter des Königs von Mitanni; diese diplomatische Ehe sollte den Friedensvertrag besiegeln, der Mitanni und Ägypten zu Verbündeten machte.

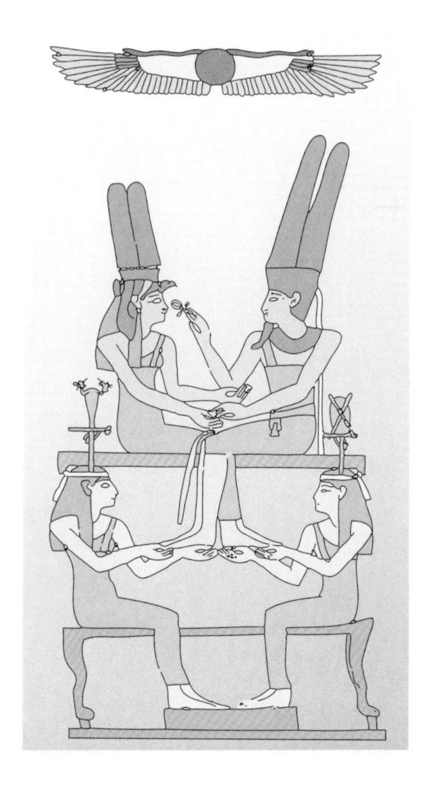

(*Oben*) Nachzeichnung einer Wandgravur im Tempel von Luxor. Königin Mutemwia sitzt auf einem Bett und erhält das Geschenk des Lebens von Gott Amun. Das Bett wird von den Göttinnen Selket (links) und Neith (rechts) gehalten.

(*Unten*) Zerbrochene Statuette von Mutemwia in ihrem Boot. Gefunden in Karnak, heute im Britischen Museum, London.

Eine vierte Frau, Mutemwia, Mutter des nächsten Königs Amenc
phis III., taucht erst mit der Thronbesteigung ihres Sohnes aus der Abge
schiedenheit des Harems auf. Wir vermuten, dass sie von niederer Ge
burt und daher weniger bedeutend war, bis sie eine Wendung de
Schicksals zur Königsmutter erhob. Daraufhin wurde, wie schon bei Ah
mose (Mutter von Hatschepsut), in der Geschichte der göttlichen Ab
stammung ihres Sohnes ihr körperliches Verhältnis zum Gott Amun vol
ausgeschlachtet. Amenophis ließ die Geschichte in die Wände des Tem
pels in Luxor, der sowohl Gott Amun als auch der Feier der göttliche
Seele des Königs geweiht ist, gravieren. Hatschepsut hatte ihre Gebur
benutzt, um ihren nicht zweifelsfreien Anspruch auf den Thron zu recht
fertigen. Amenophis, Sohn eines Königs, musste sein Recht nicht bewei
sen. Er unterstrich damit vielmehr den halbgöttlichen Status der König
von Ägypten im Allgemeinen, ganz besonders aber seine eigene Göttlich
keit. In einer Kopie der Szenen aus Deir el-Bahari sehen wir nun Mutem
wia, die sich, auf einem Bett sitzend, der Aufmerksamkeit des Gotte
Amun, anstandshalber als Thutmosis IV. verkleidet, erfreut:

Also verwandelte er sich in ihren Gatten, den König von Ober- und
Unterägypten, Mencheperure [Thutmosis IV.] … Er fand sie ruhend i
der Schönheit des Palasts. Sie erwachte durch den Geruch des göttliche
Parfums und schrie auf. Er ging direkt auf sie zu …

Amenophis mag sich seiner Mutter besonders verpflichtet gefühlt haben
Da er bereits im Alter von zwölf Jahren den Thron erbte, muss er sich au
Mutemwia verlassen haben, die seine Interessen schützte, obwohl wi
keinen offiziellen Hinweis auf eine formale Regentschaft finden. Er lief
eine Statue seiner Mutter in seinem Totentempel aufstellen, und mar
findet sie, klein aber keineswegs winzig, neben dem linken Fuß de
Memnonkolosses, der noch immer dort steht
wo man ihn errichtete: vor dem Aufweg zu
Amenophis' mittlerweile verfallenem Tempel
Amenophis' Gemahlin Teje (siehe nächster Ab
schnitt) und eine seiner vier Töchter leister
Mutemwia Gesellschaft; der König schier
seine Verbundenheit zu drei Generationer
königlicher Frauen besonders betonen zu
wollen.

Das bekannteste Abbild von Mutemwia
(heute im Britischen Museum, London) ist
die leider zerbrochene Statue einer Frau, die
in einem Boot sitzt, das die Geiergöttin Mut
mit ihren Schwingen beschützt. Die Statue
ist ein Rebus – die bildliche Darstellung des
Namens Mut-m-wia oder „[Göttin] Mut in
einem Boot" –, und Mutemwia wird, wie
ihre Schwiegermutter Tia vor ihr, klar mit
der Muttergöttin Mut gleichgesetzt.

18. DYNASTIE
1539–1292

Teje
Sitamun
Isis?
Henut-tau-nebu?
Giluchepa
Taduchepa

Dieser abgebrochene Kopf aus Steatit (Speckstein), gefunden in Serabit el-Khadim, Sinai, zeigt Teje, die Gemahlin von Amenophis III. mit der doppelten Uräusschlange. Ihr Name steht in einer Kartusche auf ihrer Krone. Ihr ernstes Gesicht lässt auf eine starke Persönlichkeit schließen. Ägyptisches Museum, Kairo.

Der Hochzeitsskarabäus von Teje und Amenophis III. (*unten*) sollte sicherstellen, dass Tejes Kinder als legitime Thronerben galten.

TEJE	
Ehemann Amenophis III. *Vater* Juja *Mutter* Tuja *Söhne* Thutmosis und Amenophis IV. (Echnaton) *Töchter* Sitamun, Henut-tau-nebu, Isis, Nebet-tah, Baket-Aton	*Titel* Große Königsgemahlin, Herrin von Ober- und Unterägypten, Herrin beider Länder, Königsmutter *Begräbnisstätte* Unbekannt

TEJE, DIE GEMAHLIN VON AMENOPHIS III.

Im Jahr 2 seiner Regierungszeit ehelichte der junge Amenophis III. eine Bürgerliche, Teje, und veröffentlichte diese Tatsache auf einer Reihe großer Gedenkskarabäen, die die freudige Nachricht im ganzen Reich verbreiten sollten:

... Amenhotep [Amenophis], Herrscher von Theben, er lebe hoch, und die erste Gemahlin des Königs, Teje, möge sie hoch leben. Der Name ihres Vaters ist Juja, der Name ihrer Mutter ist Tuja; sie ist die Gemahlin eines mächtigen Pharao ...

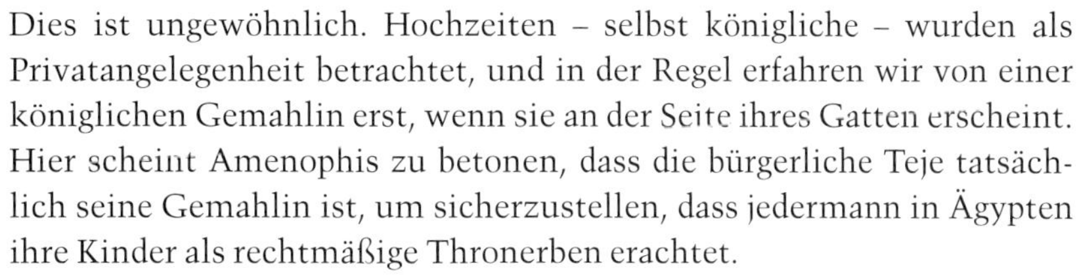

Dies ist ungewöhnlich. Hochzeiten – selbst königliche – wurden als Privatangelegenheit betrachtet, und in der Regel erfahren wir von einer königlichen Gemahlin erst, wenn sie an der Seite ihres Gatten erscheint. Hier scheint Amenophis zu betonen, dass die bürgerliche Teje tatsächlich seine Gemahlin ist, um sicherzustellen, dass jedermann in Ägypten ihre Kinder als rechtmäßige Thronerben erachtet.

Teje war zwar nicht von königlichem Blut, aber auch keinesfalls von niederer Geburt. Ihre Eltern waren Teil der hochangesehenen Elite Ägyptens, deren Dynastien parallel zu jenen der Königshäuser, denen sie dienten, geführt wurden, und stammten aus Achmim, einer blühenden Stadt in der Nähe von Abydos in Oberägypten. Sie könnten sogar mit Königin Mutemwia verwandt gewesen sein; dies würde erklären, wie der junge Amenophis III. seine Zukünftige traf. Juja war ein reicher Grundbesitzer und rühmte sich einer Reihe eindrucksvoller Titel, etwa „Oberaufseher der königlichen Pferde" und dem unüblichen „Gottesvater" (königlicher

Schwiegervater?). Seine Frau Tuja war wie viele Damen der Oberschich im religiösen Leben aktiv und trug die Titel „Sängerin der Hathos", „Sän gerin des Amun" und „Oberster Unterhalter der Gottheiten Amun un Min". Tejes Bruder Anen diente als „Zweiter Prophet des Amun". E könnte noch einen Sohn gegeben haben, Eje, dessen Herkunft zwar ni offiziell bestätigt wird, der aber viele von Jujas Titeln erbte und ein ho her Beamter am Hof von Amenophis III. wurde.

Die Schwiegereltern des Pharao

1905 entdeckte Theodore Davis die erstaunlich gut erhaltenen Leich name von Juja und Tuja in einem fast unbeschädigten Grab im Tal de Könige (KV 46). Die königlichen Schwiegereltern erfreuten sich eine Unzahl von Grabbeigaben, und dennoch fand sich nirgendwo ein Hin weis auf das enge Verhältnis von Juja zu Königin Teje. Tuja dageger machte aus dieser Verwandtschaft kein Hehl, und ihr Titel „König liche Mutter der Hauptfrau des Königs" wird wiederholt sowoh auf den Särgen als auch auf den Grabbeigaben verwendet. Das is interessant: Wären nicht die Skarabäen, die Tejes Eltern erwähnen, müssten wir fast glauben, dass Juja nicht Tejes Vater war Auch Tejes Bruder Anen verschweigt diese für Historiker immens bedeutende und für ihn, wie wir annehmen, nicht unwichtige Tatsache – dass seine Schwester Königin von Ägypten war. Dies läss vermuten, dass es Männer als unschicklich empfanden, damit zu prahlen, dass sie über die weibliche Linie mit dem Königshaus verwandt waren. Dies ist selbstverständlich sehr wichtig für unser Verständnis de königlichen Stammbaums. Wir können niemals daraus, dass eine Person nicht auf ihre Verwandtschaft zum Königshaus pocht, schließen, dass eine solche nicht existiert.

Angesichts der als gesichert geltenden, rein ägyptischen Herkunft von Teje überrascht es, dass sie immer wieder als syrische oder libanesische Prinzessin oder nubische Schönheit bezeichnet wird. Anscheinend haben frühe Ägyptologen nach einer Erklärung für Tejes energischen Charakter und vielleicht auch für die ungewöhnlichen religiösen Ideen, die gegen Ende der Regierungszeit ihres Gatten zutage traten, gesucht und diese Tatsachen der fremdländischen Erziehung der Königin zugeschrieben. Die Sicht Tejes als blauäugige, hellhäutige syrische Prinzessin ist eine völlige Missinterpretation aller archäologischen Beweise. In ihr eine Nubierin zu vermuten, ist verständlicher: Eine Büste, gefunden in den Ruinen des Haremspalasts von Medinet Gurob, Faijum (in der Antike Mer-Wer), zeigt die Königin mit schwarzer Haut; das Stück ist jedoch aus Ebenholz und wird von anderen Darstellungen, die Teje wie gewohnt mit hellerer Haut zeigen, relativiert. Vielleicht war Juja ausländischer Abstammung – sein Name ist nicht typisch für Ägypter –, doch nichts weist darauf hin, dass die Familie nicht als ägyptisch galt oder gar anders aussah als alle anderen Ägypter mit bronzener Haut und dunklem Haar.

Seite 116) Vergoldete Masken aus Karon zierten die Mumien von Juja (oben) und Tuja (unten), die Eltern von Königin Teje. Die durch Einlegearbeit betonten Augen geben den Masken ein lebensechtes Aussehen. Beide heute im Ägyptischen Museum, Kairo.

Unten) Ein beschrifteter Schminktopf, verziert in Tejes Lieblingsfarben Gelb und Blau. Die mittlere und linke Kartusche benennen Neb-Maat-Re Amenophis III., die rechte Kartusche ist jene der Königsgemahlin Teje, „Möge Sie gesund bleiben".

Königin von Ägypten

Teje, bei ihrer Hochzeit kaum 15 Jahre alt, wurde fast unmittelbar zu einer von Ägyptens mächtigsten und auffälligsten Königsgemahlinnen. Sie stellte Mutemwia völlig in den Schatten und wurde regelmäßig an der Seite ihres Gatten sowohl auf öffentlichen Monumenten als auch in privaten Gräbern abgebildet, ihre Kartusche ist mit seiner nicht nur auf offiziellen Inschriften, sondern auch auf privaten Haushaltsgegenständen, Kosmetiktöpfen und Skarabäen verbunden. Hier, auf den beschrifteten Kosmetikschalen und Kajaltöpfchen aus Fayence, die einst das königliche Schlafzimmer zierten, sehen wir, dass, anders als Amenophis, der elegantes Dunkelblau mit hellblauen Einlagen bevorzugte, Teje fröhliches Gelb mit blauer Schrift lieber hatte. Eine Kolossalstatue aus Amenophis' Totentempel (heute im Ägyptischen Museum, Kairo) zeigt König und Königin Seite an Seite und gleich groß mit drei Miniaturtöchtern zu ihren Füßen.

Amenophis' lange, friedvolle und äußerst wohlhabende Regierungszeit erlaubte es ihm, Baukunst, Kunst und Handwerk im ganzen Reich zu fördern. Ägyptens Malerei und Bildhauerei kamen zu einer neuen Hochblüte, und die Produktion von Glas, Schmuck, Töpferwaren und Fayence florierte wie nie zuvor. Wir haben viele Darstellungen von Amenophis und Teje, in allen möglichen Größen und Posen, doch es sollte noch weit mehr davon geben. Die Schuld an deren Verschwinden liegt eindeutig am Beginn der 19. Dynastie, bei Ramses II. Mit dem komfortablen Abstand von einem Jahrhundert zu seinem berühmten Vorgänger, dessen blühende Regentschaft er so sehr bewunderte, schreckte Ramses II. nicht davor zurück, die Statuen und Monumente von Amenophis für sich zu verwerten. Viele der bekannten Abbilder von Ramses II. stellten vorher Amenophis III. dar; daraus folgt, dass zumindest einige der Bildnisse von Ramses' Gemahlin Nofretiri einst Königin Teje zeigten.

Der Kopf von Königin Teje aus Medinet Gurob

Die unzähligen Porträts von Königin Teje in verschiedenen Lebensaltern zeigen, dass sie zwar nicht als Schönheit gelten kann, jedoch von sehr eindrucksvoller Gestalt war.

Der Statuenkopf, der in Medinet Gurob gefunden und nach dem Tod ihres Gatten gefertigt wurde, zeigt anstatt der üblichen langweiligen, stereoptypen, ewig jungen Königinnen eine reale, alternde, weise Frau. Die Mundwinkel weisen nach unten, schwere Lider beschatten die schrägen Mandelaugen und tiefe Linien haben sich von der Nase zum Mund gegraben. Auf anderen Darstellungen, die eine jüngere Teje zeigen, hat sie ein jugendlich-rundes Gesicht, und ihre vollen Lippen wirken eher sinnlich denn mürrisch.

Seltsamerweise wurde der Kopf aus Medinet Gurob in der Antike umgestaltet. Im Original trägt Teje einen taschenartigen Kopfschmuck und kostbare Ohrringe. Darüber hat jemand eine rundliche Perücke mit langen Federn und eine Sonnenscheibe platziert. Die genaue Bedeutung dieser Veränderung ist für uns schwer zu erkennen, scheint aber die sich wandelnde Rolle Tejes in der königlichen Familie wiederzugeben.

Der Kopf von Königin Teje aus Medinet Gurob. CAT-Scans haben gezeigt, dass sie ursprünglich einen anderen Kopfschmuck und Ohrringe trug. Ägyptisches Museum, Berlin.

Tejes Einfluss sprengte die Grenzen Ägyptens, und sie spielte eine wichtige Rolle im diplomatischen Umgang mit den Ländern im Nahen Osten. Auf diesem Gebiet überlebte ihr Ruf als die wahre Machthaberin hinter dem Thron Amenophis' Regentschaft. Ein Beileidsbrief von König Tuschratta von Mitanni, geschrieben kurz nach dem Ableben von Amenophis, nimmt (fälschlicherweise) an, dass die Königswitwe ihren Sohn genauso beeinflussen könnte wie zuvor ihren Gemahl:

> *... Ihr wisst, dass ich Nimmuaria [Neb-maat-Re Amenophis III.], Eurem Gatten, immer in Liebe zugetan war, so wie er mir ... Ich hatte Euren Gatten um Statuen aus purem Gold gebeten ... Doch nun sandte mir Napchururija [Nefercheperu-Re Amenophis IV.], Euer Sohn, vergoldete Statuen aus Holz. Gold gibt es wie Dreck im Land Eures Sohnes, warum gab er mir nicht, worum ich bat? ...*[19]

Königin Teje erscheint ebenso groß wie ihr kolossaler Gatte Amenophis III. Drei königliche Prinzessinnen (zwei davon durch Erosion stark zerstört), weit weniger bedeutend als ihre Eltern, reichen diesen kaum bis zum Knie. Weder Prinz Thutmosis noch Prinz Amenophis (Amenophis IV./Echnaton) erscheinen in dieser Familiengruppe. Ägyptisches Museum, Kairo.

WEIBLICHE SPHINGEN

Viele Szenen auf den Paletten der Frühdynastischen Zeit – die Narmer-Palette eingeschlossen – bestätigen die Assoziation des Königtums mit roher tierischer Kraft. Mit der 4. Dynastie findet dieses Konzept seinen Niederschlag in der Form der Sphinx. Geprägt durch die Große Sphinx des Cheops in Giseh hatten Sphingen einen Löwenkörper und das Gesicht oder den Kopf eines Menschen (des Königs). Sie wurden sowohl mit den vielerlei Formen des Sonnengottes als auch mit dem lebenden Bild des Königs assoziiert. So scheint es recht passend, dass Thutmosis IV. seine Krone gewonnen haben soll, weil er die Große Sphinx aus einer sie erstickenden Sanddüne befreite.

Von Ägypten aus verbreitete sich die Idee der Sphinx in den Nahen Osten und nach Griechenland. Obwohl die Sphinx der Griechen – die böse, geflügelte Befragerin des Ödipus – weiblich war, waren die Sphingen der Ägypter fast ausschließlich männlich; die weitverbreitete Missinterpretation der Großen Sphinx als weiblich kommt daher, dass sie keinen Bart trägt. Unter all diesen männlichen Sphingen finden wir aber auch viele der Pharaonin Hatschepsut.

Mit Beginn des Mittleren Reichs konnten auch Frauen als Sphinx dargestellt werden, wodurch man sie mit den Sonnengöttinnen Hathor und Tefnut verband. Hathor kennen wir bereits. Tefnut ist die Göttin der Feuchtigkeit, einer der Zwillinge, die dem Sonnen- und Schöpfergott Atum auf der Insel der Schöpfung geboren werden. Sie trägt eine typische, oben abgeflachte Krone aus sprießenden Pflanzen. Diese ersten weiblichen Sphingen waren passive Beobachter in Darstellungen ihrer Könige. Teje, Königin der 18. Dynastie, war die Erste, die in der königlichen Rolle als Verteidigerin des Landes auftrat. Eine Szene in Cheruefs Grab in Theben (TT 192) zeigt Teje auf einem Thron hinter dem ihres Gatten. Etwas kleiner als dieser, trägt sie Uräusschlange, Modius und hohe Federn und hält einen Fliegenwedel und das *Anch*. Die Seite ihres Stuhls, kleiner, aber reicher dekoriert als der einfache Königsthron, ziert ein Bild der Königin als Sphinx mit Menschenkopf, die zwei gefesselte weibliche Gefangene zertrampelt, ein Symbol für die weiblichen Feinde Ägyptens im Allgemeinen.

Eine weitere Darstellung von Teje als Sphinx – dieses Mal mit Flügeln, der typischen Pflanzenkrone Tefnuts und der Kartusche ihres Gatten in der Hand – schmückt eine Brosche aus Karneol, heute im Metropolitan Museum of Art, New York.

Königin Teje als geflügelte Sphinx, ihr Kopfschmuck ist von jenem der Göttin Tefnut, einem der Zwillinge des Schöpfergottes Atum, abgeleitet.

Die einzige Position, die Teje nicht übernahm, war jene der Gottesgemahlin des Amun. Diese unübliche Auslassung lässt darauf schließen, dass Amun im Königshaus aus der Mode gekommen war. Dies erklärt vielleicht, warum sich so wenige Abbilder Tejes im Tempel von Karnak finden. Wie viele der früheren Königinnen Ägyptens sah sich Teje in engem Verhältnis zu den Sonnengöttinnen Maat und Hathor. Sie nahm als erste Königin Kuhhörner und Sonnenscheibe in ihre hohe, gefiederte Krone auf und trug meist das Sistrum, eine Rassel, die in engem Zusammenhang mit dem Hathorkult steht. Amenophis hingegen sollte als Hohepriester der ägyptischen Kulte alle traditionellen Staatsgötter ehren, auch den Schutzpatron seiner Dynastie, Amun von Theben. Doch im Lauf seiner Regierung entwickelte er ein steigendes Interesse sowohl an den verschiedenen Sonnengottheiten Ägyptens als auch an seiner eigenen Göttlichkeit, was zur Folge hatte, dass er auch die Göttlichkeit seiner Gemahlin unterstrich. Im Grab von Cheruef, dem Verwalter der Königin (Theben, TT 192), sehen wir König und Königin im Abendboot des Re: Bootsfahrt und Wasser standen für die Reise des Sonnenschiffs über den Himmel. Zurück auf Erden, wurde die Barke, die über jenen See fuhr, den Amenophis einer Reihe von Skarabäen zufolge für Teje anlegen ließ, zu Ehren des alten, jedoch unbedeutenden Sonnengottes Aton „Die Sonnenscheibe [Aton] funkelt“ genannt.

Teje, die lebendige Göttin

Im Tod wurden Ägyptens Könige von Halbgöttern zu Göttern. Ihre Ehefrauen und Mütter konnten ebenfalls Göttlichkeit erlangen, wenn sie mit dem Gott Osiris verschmolzen. Ahmes-Nefertari erreichte als einzige von Ägyptens Königinnen vor den Ptolemäern nach dem Tod den Status einer Göttin. Nun versuchten Amenophis und Teje, bereits zu Lebzeiten zu Gottheiten zu werden. Dieser Verstoß gegen alle religiösen Gepflogenheiten ereignete sich außerhalb der Grenzen Ägyptens, in Soleb in Nubien, wo Amenophis gegen Ende seiner Regierung einen Tempel baute, der ihm selbst als „Amenophis, dem Herrscher Nubiens" geweiht war. Ein kleinerer Tempel im nahen Sedeinga ehrte seine nun ebenfalls göttliche Gemahlin. Hier schleicht Teje als Repräsentantin von Hathor-Tefnut in Form einer Sphinx mit der hohen, von Pflanzen geschmückten Krone Tefnuts um die Pfeiler des Tempels.

In Ägypten selbst zeigt ein ungewöhnlicher, hölzerner Schminktopf Teje als Geburtsgöttin Tauret in der Gestalt eines schwangeren Nilpferds. Tauret und Bes (ein Zwerg und ebenfalls Geburtsgott) spielten in der Volksreligion immer eine wichtige Rolle, und das königliche Schlafzimmer im Palast in Theben war mit Abbildungen von Bes dekoriert. Tejes Möbel, die im Grab von Juja und Tuja gefunden wurden, waren mit Bildern von Bes und Tauret verziert.

Tejes Kinder

Teje gebar sechs, relativ gut dokumentierte Kinder: zwei Söhne (Thutmosis, Ahmenophis) und vier Töchter (Sitamun, Henut-tau-nebu, Isis und Nebetah). Es könnte eine fünfte Tochter gegeben haben. Das Grab von Huy, „Oberaufseher des königlichen Harems, Obervermögensverwalter, Verwalter der Königsmutter, Königsgemahlin Teje", in Amarna zeigt Teje zweimal mit einem jungen Mädchen. Das Mädchen trägt die kindliche Seitenlocke und wurde als „Königstochter Baket-Aton" (Dienerin Atons) identifiziert. Weder Vater noch Mutter werden genannt, doch die Nähe zur verwitweten Königin lässt vermuten, dass Teje ihre Mutter war.

Wer aber war ihr Vater? Leider sind die Szenen undatiert. Da Amarna jedoch erst unter Tejes Sohn Echnaton (Amenophis IV.) gebaut wurde, müssen die Bilder lange nach Amenophis' III. Tod entstanden sein, doch wie lange? Und wie alt ist die Prinzessin genau? Ihre Erscheinung lässt annehmen, dass sie ein Kind von vier oder fünf Jahren ist, zu jung, um Amenophis' Tochter zu sein. In Anbetracht des starken Symbolismus in der ägyptischen Kunst könnte sie aber genauso gut 14 oder 15 Jahre alt sein. In diesem Fall wäre sie eine Tochter von Teje und Amenophis, entweder ein weiteres Kind oder die sonst unbedeutende Nebetah, umbenannt, um in die neuen religiösen Vorstellungen zu passen. Warum ist das wichtig? Einige pseudowissenschaftliche Publikationen behaupten, Baket-Aton sei die Tochter von Teje und ihrem Sohn Echnaton, und diese Vermutung fand auch in der Wissenschaft Gehör. Es gibt jedoch keinerlei Beweise für diese sensationelle Theorie, und Inzest zwischen Mutter und Sohn ist im ägyptischen Königshaus völlig unbekannt.

SITAMUN	
Ehemann Amenophis III.? *Vater* Amenophis III. *Mutter* Teje	*Titel* Große Königstochter, Königsgemahlin, Große Königsgemahlin *Begräbnisstätte* Theben

(*Seite 120, oben*) Die Modiuskrone mit den Doppelfedern verbindet Teje mit dem Sonnenkult. Sie trägt eine atemberaubende gefiederte Geierhaube (in Anlehnung an Mut, die Gemahlin von Amun), die unter der Brust von einem Gürtel zusammengehalten wird. Louvre, Paris.

(*Seite 120, unten*) Der Künstler, der in dieser Holzskulptur der Nilpferdgöttin Tauret Tejes Kopf gab, spielt damit auf Tejes Göttlichkeit an. Ägyptisches Museum, Turin.

(*Unten*) Sitamuns Stuhl aus Grab KV 46, heute im Ägyptischen Museum in Kairo. Die Rückenlehne zeigt Sitamun (spiegelverkehrt) mit einer an Tefnuts Kopfschmuck erinnernden Krone mit Gazellen und Lotosblüten. Laut einer Inschrift opfert man ihr das „Gold des Landes im Süden". Auf den Armlehnen sehen wir innen opfernde Frauen mit Goldringen, außen die Gottheiten Tauret und Bes.

Sitamun und ihre Schwestern

Prinzessin Sitamun, Tejes älteste Tochter, ist das auffälligste aller Königskinder. Einige ihrer Möbel wurden im Grab ihrer Großeltern Juja und Tuja gefunden. So sehen wir zum Beispiel die junge Sitamun auf der Rückenlehne eines kunstvoll dekorierten Sessels mit einer Krone mit Lotosblüten und zwei Gazellenköpfen anstelle der Uräusschlangen. Sitamun trägt Menitperlen und ein Sistrum, beides im Hathorkult beliebte Klanginstrumente. Es scheint, dass man erstgeborenen Töchtern nunmehr einen besonderen Platz in der königlichen Hierarchie zugestand – wo zwar prominente Königstöchter toleriert wurden, die ihrem Vater weibliche Stütze und Hilfe sein konnten, männliche Nachkommen außer dem König aber nach wie vor nichts galten. Die Prinzen Thutmosis und Amenophis werden von ihrer Schwester völlig in den Schatten gestellt. Gegen Ende der Regierungszeit ihres Vaters erhielt Sitamun den Titel „Große Königsgemahlin", trat jedoch nie vor ihre noch lebende Mutter. Wenn wir davon ausgehen, dass Königin Sitamun und Prinzessin Sitamun ein und dieselbe Person sind, muss Sitamun ihren Vater geheiratet haben. Es besteht jedoch auch eine geringe Chance, dass ihr Gemahl der designierte Thronfolger Thutmosis war.

Es wäre völlig logisch, wenn Sitamun ihren Bruder geheiratet und ihre einflussreiche Stellung auch nach dessen frühem Tod beibehalten hätte. Weniger sinnvoll erscheint die Heirat mit dem Vater zu Lebzeiten ihrer Mutter, und wir müssen uns fragen, ob diese Verbindung (falls es sie gab) eine echte Heirat war oder nur dazu diente, Sitamun, die andernfalls keinen entsprechenden Gatten gefunden hätte, mit Ansehen, einem Haushalt und entsprechendem Einkommen zu versorgen und der noch immer mächtigen, jedoch älteren Teje eine passende Helferin bei ihren vielfältigen Aufgaben zur Seite zu stellen. Man wusste bereits, dass sich ein Pharao jederzeit einen Mitregenten wählen konnte, hier sehen wir vielleicht das erste Beispiel einer Mitregentin. Wenn, wie wir annehmen, die religiösen Pflichten der Königin einen Bezug auf ihre Fruchtbarkeit mit einschlossen, erscheint die Vertretung durch eine jüngere Tochter in manchen Ritualen durchaus sinnvoll.

Amenophis' III. lange Amtszeit – fast 40 Jahre – mag seinen Entschluss, seine Tochter zu seinen Lebzeiten zu fördern, begünstigt haben. Vater-Tochter-Ehen kommen in kurzen Regierungszeiten nicht vor. Dass Sitamun keine bekannten Kinder hatte, weist darauf hin, dass die Ehe vielleicht nie vollzogen wurde, doch wir müssen uns davor hüten, anzunehmen, dass Amenophis eine tatsächliche Ehe mit seiner Tochter als ebenso geschmacklos empfunden hätte wie wir heute. Es gab ein göttliches Vorbild – Sonnengott Re, Gemahl seiner Tochter Hathor –, und dies könnte für einen König, der wie Amenophis III. so sehr an sein Selbstbild als Gottheit der Sonne glaubte, ein passendes Modell gewesen sein. Nun standen Amenophis eine Muttergöttin (Teje oder Nut) und eine göttliche Tochtergemahlin (Sitamun, Hathor, Maat oder Tefnut) zur Seite. Es gibt sogar Anzeichen dafür, dass auch **Isis** und **Henut-tau-nebu** zu Königinnen wurden, da sie beide Namenskartuschen haben, keine davon nennt sie jedoch „Große Königsgemahlin".

Tejes letzte Jahre

Auf einer der letzten Darstellungen seiner langen Regierungszeit – eine bemalte Kalksteinstele aus einem privaten Schrein – hat Amenophis III. jede formelle, königliche Pose zugunsten einer entspannten, fast lässigen Haltung abgelegt. Sein Körper ist fett, fast feminin, und er lümmelt in einem Sessel vor einem Tisch, auf dem sich Opfergaben türmen, während Teje, die fast ganz aus der Szene verschwunden ist, neben ihm sitzt und ihn umarmt. Soweit wir sehen, ist Teje fit und aktiv wie immer. Dieses interessante Bild hat einige Beobachter dazu verleitet anzunehmen, dass Amenophis an einer unglücklichen Kombination aus Fettsucht und Senilität litt und die gesunde Teje das Königreich für ihren Gatten regierte. Doch wenn wir diese Darstellung in einem weiteren Kontext sehen, erkennen wir darin den Anfang eines dramatischen Wechsels im Stil der darstellenden Kunst, der die königliche Familie ab sofort vermehrt in informeller Haltung zeigt. Es gibt keinen Grund anzunehmen, dass Teje jemals Ägypten regierte.

Stele aus dem Haus von Panehsi. Der gealterte Amenophis III. sitzt entspannt – fast lümmelnd – mit der Königin (heute fast gänzlich verschwunden) neben sich. Der fast lässige Stil dieser Darstellung kennzeichnet den Beginn des Amarnastils. Britisches Museum, London.

Teje überlebte ihren Gatten um mindestens acht Jahre. Als Amenophis IV. (der sich später Echnaton nannte) den Thron bestieg, zog sie sich fast ganz in den Palast in Medinet Gurob zurück. Berichte über gelegentliche Besuche in ihrem Haus in Amarna beweisen, dass sie im neunten Regierungsjahr ihres Sohnes noch am Leben war, und Wein von ihren Gütern wurde bis ins 14. Regierungsjahr an den Königshof geliefert. Tejes Tod wird nicht erwähnt, und wir wissen nicht, wo sie beigesetzt wurde, obwohl sich eine Haarlocke in einem winzigen, mit ihrem Namen beschrifteten Sarg unter Tutanchamuns Grabbeigaben findet. Teile von Tejes Sarkophag wurden in dem geplünderten Königsgrab von Amarna gefunden, Reste ihrer Grabbeigaben tauchten im Grab von Pharao Semenchkare im Tal der Könige (KV 55) auf und eine *Uschebti* wurde in Amenophis' III. Grab im westlichen Seitental des Tals der Könige entdeckt. Es scheint, dass Teje ursprünglich in Amarna bestattet worden war und während der Herrschaft von Tutanchamun in das

Die „Ältere Dame" wurde aus dem Grab von Amenophis II. (KV 35) geborgen und wird manchmal als Hatschepsut, manchmal als Teje identifiziert. Die Mumie ist heute im Grab eingeschlossen und einer neuerlichen Untersuchung nicht zugänglich.

Grab ihres Gatten umgebettet wurde, nur um am Ende des Neuen Reichs mit den anderen Königsmumien noch einmal verlegt zu werden. Sollte dies der Fall gewesen sein, könnte ihre Mumie in einer der Cachettes von Theben erhalten geblieben sein.

Archäologen haben lange und intensiv nach Tejes Leichnam gesucht. Theodore Davis publizierte, in dem Glauben, die Mumie – mittlerweile ein Skelett – in dem geheimnisvollen Grab KV 55 gefunden zu haben, seinen wichtigsten Fund als *Das Grab von Königin Teje*. Doch das Skelett ist eindeutig männlich und wird mittlerweile als Semenchkare, dem Bruder von Tutanchamun, identifiziert. Viele Jahre lang glaubte man, dass die „Ältere Dame", die provisorisch als Hatschepsut identifiziert worden war, auch Teje sein könnte. Doch diese Mumie starb zu jung. Angesichts der 37 Regierungsjahre von Amenophis III. muss Teje mindestens 55 Jahre alt geworden sein. Wie der Anatom Grafton Elliot Smith notierte, hat die „Ältere Dame" bemerkenswert üppige Locken:

> *... [Die Ältere Dame] ist eine kleine Frau in mittleren Jahren mit langem, braunem, gewelltem, üppigem Haar, das ihr, in der Mitte gescheitelt, beidseitig bis zu den Schultern fällt. Die Enden ringeln sich zu zahlreichen offensichtlich natürlichen Locken. Ihre Zähne sind abgenutzt, aber gesund. Das Brustbein ist völlig steif. Sie hat kein graues Haar.*[20]

Der linke Arm der Mumie liegt über der Brust, der rechte Arm ist an der Seite ausgestreckt. Diese Standardhaltung der Frauen der 18. Dynastie auf Bildern und Skulpturen findet man bei Mumien jedoch selten.

Giluchepa, Taduchepa und andere ausländische Ehefrauen von Amenophis III.

Amenophis III. regierte ein riesiges, friedliches Reich, wodurch er seine Schatzkammern mit Gold und seinen Harem mit ausländischen Frauen, deren Kindern und Dienern füllen konnte. Seine Heiratspolitik – er schloss Eheverträge mit anderen, fast ebenso bedeutenden Herrschern (wobei selbstverständlich keiner an den Pharao von Ägypten herankam) oder mit Vasallen und deren ägyptischen Gouverneuren – sowie die lange Tradition, Frauen zum Geschenk zu machen oder als Kriegsbeute zu verschleppen, verschafften Amenophis Hunderte von Frauen mit höchst unterschiedlichem Status. Diese konnten selbstverständlich nicht gemeinsam mit Teje und dem Pharao in Malqata, dem Palast in Theben, leben. Stattdessen waren sie in getrennten, unabhängigen Haremspalästen untergebracht, deren bekanntester der Palast in Medinet Gurob war, den Thutmosis III. erbaut hatte. Die Haremspaläste waren finanziell eigenständig und mit reichlich Grundbesitz ausgestattet, sodass sie ihr Einkommen daraus sowie aus Pachtgeldern bezogen. Die Damen standen unter dem Schutz einer Reihe männlicher Verwalter, angeführt von dem immens einflussreichen „Oberaufseher des königlichen Harems" und dem „Inspektor der Haremsverwaltung". Doch ihr Leben verlief nicht in

Königin Teje lebte als Witwe einige Zeit im Haremspalast von Medinet Gurob. Man fand einige sehr schöne hölzerne Frauenstatuen aus dieser Zeit, wahrscheinlich aus Gräbern aus der Zeit von Amenophis III. und IV. Die Statuen stellen die vornehmsten Haremsköniginnen dar. Louvre, Paris.

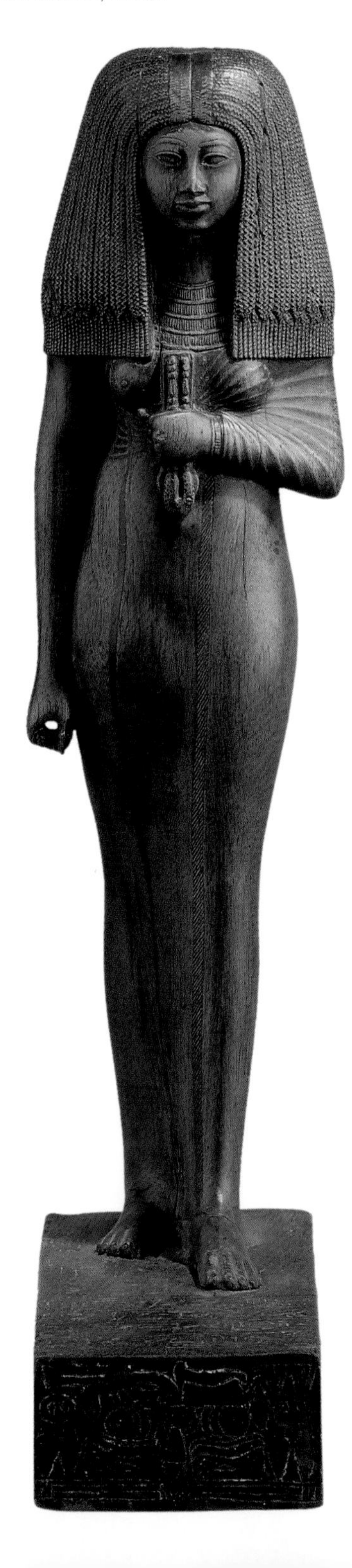

Müßiggang und Luxus. Während man Königstöchtern und -schwestern den gebührenden Respekt zollte, mussten weniger bedeutende Frauen arbeiten, und zwar im Harem als Köchinnen, Wasch- und Kinderfrauen, Weberinnen oder Dienstmägde oder außerhalb des Harems als Händlerinnen des florierenden Textilgewerbes.

Amenophis' Heiratspolitik zielte auf ein enges Verhältnis zu seinen Schwiegervätern ab, daher musste nach jeder politischen Veränderung ein neues Bündnis mit einer neuen Heirat besiegelt werden. So erwartete man von Prinzen, die den Thron des Vaters erbten, dass auch sie ihre Töchter nach Ägypten sandten, um den langlebigen Pharao zu ehelichen. Die Braut wurde mit Pomp empfangen und fand sich, nach dem üblichen Austausch von Brautpreis und Mitgift, im Harem wieder, wo sie unter Umständen ihre Tante traf, den lebenden Beweis einer früheren diplomatischen Verbindung. Es lag im allgemeinen Interesse, dass die Haremsköniginnen von allen außer ihren nächsten Verwandten vergessen wurden. Ausländische Herrscher sandten regelmäßig Geschenke an ihre Schwestern, doch die königlichen Archive enthalten nur eine einzige Beschwerde, von Kadaschman-Enlil von Babylon, der sich beklagt, dass Amenophis um die Hand seiner Schwester angehalten habe, doch „meine Schwester, die Euch mein Vater gab, ging mit Euch, und niemand hat sie seither gesehen oder weiß, ob sie lebendig ist oder tot".

Der Tod des Pharao bedeutete, dass sein Sohn, obschon er alle Frauen des Vaters „erbte", selbst durch Heirat für gute Beziehungen sorgte. Dies war jedoch eine Einbahnstraße. Wie Amenophis Kadaschman-Enlil erklären musste, war es Ägypterinnen verboten, Fremde zu heiraten. Kadaschman-Enlil versuchte seinen Anspruch durchzusetzen und wäre auch mit einer Bürgerlichen, die er als Prinzessin ausgeben wollte, zufrieden gewesen, doch vergebens: Amenophis, mächtigster Herrscher der Welt, konnte jede ihm genehme Regel aufstellen. Er nahm zwei syrische, eine babylonische, zwei anatolische und zwei Prinzessinnen aus Mitanni zur Frau. Letztere sind die bekanntesten der Haremsköniginnen.

Der Tod Thutmosis' IV. zerriss das Band, das er durch die Heirat einer Prinzessin aus Mitanna geknüpft hatte. Daher heiratete Amenophis im 10. Regierungsjahr Giluchepa, die Tochter von Schutturna II. von Mitanni. Wieder machten eine Reihe von Nachrichtenskarabäen (im Namen von Teje und Amenophis) die Heirat des Königs bekannt. In diesem Fall erfahren wir nicht nur von den Eltern der Braut, sondern auch, dass sie 317 Diener nach Ägypten mitbrachte. Als sein Sohn Tuschratta, der Bruder von Giluchepa, Schutturna auf den Thron folgte, war Amenophis bereits alt und krank, brach aber dennoch zu eifrigen Verhandlungen um die Hand von Tuschrattas Tochter Taduchepa auf. Tuschratta wollte für Taduchepa die Position einer Königsgemahlin aushandeln, doch das war angesichts der höchst lebendigen Teje ein unrealistischer Vorschlag. Nach erfolgreichen Verhandlungen – die großzügige Aussteuer enthielt einen Wagen und vier Pferde – reiste die Braut nach Ägypten. Doch die Hochzeit fand nie statt. Amenophis starb vor Ankunft seiner Braut, und Taduchepa wurde mit dem neuen König Amenophis IV. vermählt.

18. DYNASTIE
1539–1292

Nofretete

(*Rechts*) Ein unvollendeter Kopf Nofretetes aus Quarzit, gefunden in Amarna.

(*Links*) Echnaton in Theben. Das Gesicht dieser Kolossalstatue, das von unten gesehen werden sollte, ist verblüffend lang und schmal.

NOFRETETE

Amenophis' III. jüngerer Sohn bestieg den Thron als Amenophis IV. Kurz darauf änderte er zu Ehren des alten, jedoch etwas geheimnisvollen Sonnengottes Aton seinen Namen zu Echnaton, „Lebendiger Geist des Aton". Innerhalb von nur fünf Jahren sollte Echnaton die polytheistische Religion Ägyptens radikal vereinfachen, indem er fast den gesamten etablierten Pantheon negierte und die Vielzahl der Götter durch einen einzigen Gott, den Sonnengott Aton, ersetzte. Im Zentrum seiner Verehrung stand dabei eher das helle Licht der Sonne, nicht die Sonne selbst.

Echnatons Königin Nofretete war kein Mitglied des engeren Königshauses und ihre Eltern werden nirgendwo erwähnt. Aber wir wissen von einer jüngeren Schwester, Mutnodjmet, die auf einigen Grabszenen in Amarna auftaucht. Als Folge davon gibt es reichlich Spekulationen über Nofretetes Herkunft. Obwohl ihr Name, übersetzt „Eine Schöne ist gekommen", andeutet, dass Nofretete aus dem Ausland kam (vielleicht die umbenannte Prinzessin Taduchepa?), deuten Beweise aus dem unvollendeten Grab des hohen Beamten (und späteren Pharao) Eje und seiner Gattin – ebenfalls Teje genannt (siehe Seite 139) – darauf hin, dass sie wie ihre Schwiegermutter der ägyptischen Oberschicht entstammte.

Eje, vielleicht der Bruder von Königin Teje, erhielt ein prächtiges Felsengrab in Amarna. Dort können wir beobachten, wie Eje und seine Gattin Teje von Echnaton und Nofretete mit goldenen Halsbändern belohnt werden. Der Empfang von Gold aus der Hand des Königs war eine Ehre für jeden Mann, für eine Frau ein nie dagewesenes Ereignis. Teje, „Favoritin des guten Gottes, Amme der Großen Königsgemahlin Nofretete, Amme der Göttin, Zierde des Königs", war als Säugamme von Nofretete

NOFRETETE

Voller Name
Neferneferuaton-Nefertiti (ab dem 5. Regierungsjahr von Amenophis IV.)
Ehemann
Amenophis IV. (Echnaton)
Vater
Eje?
Mutter
Unbekannt
Töchter
Meritaten, Meketaten, Anchesenpaaton (Anchesenamun), Neferneferuaton, Neferneferure, Setepenre
Titel
Große Königsgemahlin, Herrin beider Länder
Begräbnisstätte
Unbekannt

Im Grab von Ramose (TT 55) steht Nofretete hinter ihrem Gatten, der sein Volk aus dem Fenster der Erscheinung grüßt. Die Darstellung ist nur teilweise graviert, und Nofretete ist von der Taille abwärts nicht zu sehen. Sie trägt ein Kleid aus plissiertem Leinen, eine Perücke im nubischen Stil und eine Uräusschlange. Dieses Grab war beim Tod von Amenophis III. noch nicht fertig dekoriert und enthält sowohl Arbeiten im traditionellen (wie hier) als auch im Amarnastil.

(*Seite 127, links*) Die alternde Nofretete. Eine Königin, vernichtet durch den Verlust ihrer Schönheit, oder eine kraftvolle, weise Frau, die an den Kopf ihrer Schwiegermutter Teje aus Medinet Gurob erinnert? Die Statue wurde in der Werkstatt des Bildhauers Thutmosis in Amarna gefunden und befindet sich heute im Ägyptischen Museum, Berlin.

(*Seite 127, rechts*) Echnaton oder Nofretete? Nur zu oft ist die Krone das einzige Unterscheidungsmerkmal der beiden, doch hier fehlt sie. Diese seltsame Statue, gefunden in Theben, könnte ein Versuch sein, Echnaton als Kombination der maskulinen und femininen Elemente der Gottheiten Schu und Tefnut, der Zwillinge des Schöpfergottes Atum, darzustellen. Ägyptisches Museum, Kairo.

allerdings eine wichtige Frau. Eje hatte viele Titel seines Vaters Juja geerbt, darunter „Vater Gottes". Wenn er also, wie wir vermuten, Echnatons Schwiegervater war, muss er Nofretetes Vater gewesen sein. Teje benutzte jedoch nie Tujas Titel „Königliche Mutter der Großen Königsgemahlin", sodass sie möglicherweise Nofretetes Stiefmutter ist.

Darstellungen von Nofretete

Eine der ersten Darstellungen von Nofretete findet sich im Grab des Wesirs Ramose (Theben, TT 55): eine schlanke, junge Frau in einem langen, langärmeligen Kleid aus plissiertem Leinen. Nofretete trägt die Uräusschlange und eine gelockte, kastenförmige Perücke im nubischen Stil, die den Nacken frei lässt. Diese Form des Kopfschmucks bleibt von da an dem König nahestehenden Frauen vorbehalten. Nofretete zeigt sich in einer Vielzahl von Kronen: mit einer oder zwei Uräusschlangen (die selbst oft Kuhhörner und Sonnenscheibe tragen), mit Doppelfedern oder mit Doppelfedern, Sonnenscheibe und Kuhhörnern, wodurch sich die Königin dem Kult von Re und Hathor verbunden zeigt. Sie vermeidet allerdings die Geierhaube, die durch die Anspielung auf Amuns Gemahlin Mut wohl im neuen, sonnenzentrierten religiösen Klima recht unpassend gewesen wäre. Nach und nach entwickelt Nofretete jedoch ihre ganz persönliche Krone, einen hohen, geraden und oben abgeflachten, helmartigen blauen Kopfschmuck, dessen Farbe an die blaue Kriegskrone der Pharaonen und dessen Form an die Pflanzenkrone der Sonnengöttin Tefnut erinnert (siehe Kasten Seite 128/129).

Nofretetes stereotype Erscheinung erfährt einen verblüffenden Wandel, ausgelöst durch den König selbst. Ab dem 5. Regierungsjahr zeigen Echnatons bis dahin konventionelle Statuen bizarre Züge. Er bekommt ein schmales Gesicht, verstärkt durch den langen Bart, und einen langen dünnen Hals, eng zusammenstehende Augen, ein kantiges Kinn, eine längliche Nase, hohle Wangen und dicke, sinnliche Lippen. Sein Oberkörper zeigt kaum Muskeln und betont dadurch das breite Becken, feminine Brüste, eine schmale Taille und den vorstehenden Bauch. Man spekulierte, dass er unter einer Hormonerkrankung litt, doch keine bekannte Krankheit zeigt derartige Symptome, sodass diese Bildnisse weit wahrscheinlicher die neue Rolle des Königs als irdisches Pendant des geschlechtslosen Schöpfergottes Aton symbolisieren.

Und Echnatons Hof entwickelt sich mit ihm. Die einst dürre Nofretete formt sich um zu einer Birne: rundlicher Bauch, breite Hüften, dicke Schenkel und ein beachtlicher Po. Ihren Brüsten schenkt man kaum Beachtung, doch ihr runder Bauch wird – als Beweis dafür, dass sie bereits einige Kinder geboren hat – durch eine geschwungene Falte am unteren Ende betont. Der Effekt wird noch durch ihre durchsichtige, plissierte Kleidung verstärkt, die nichts der Fantasie überlässt. Der üppige Bauch

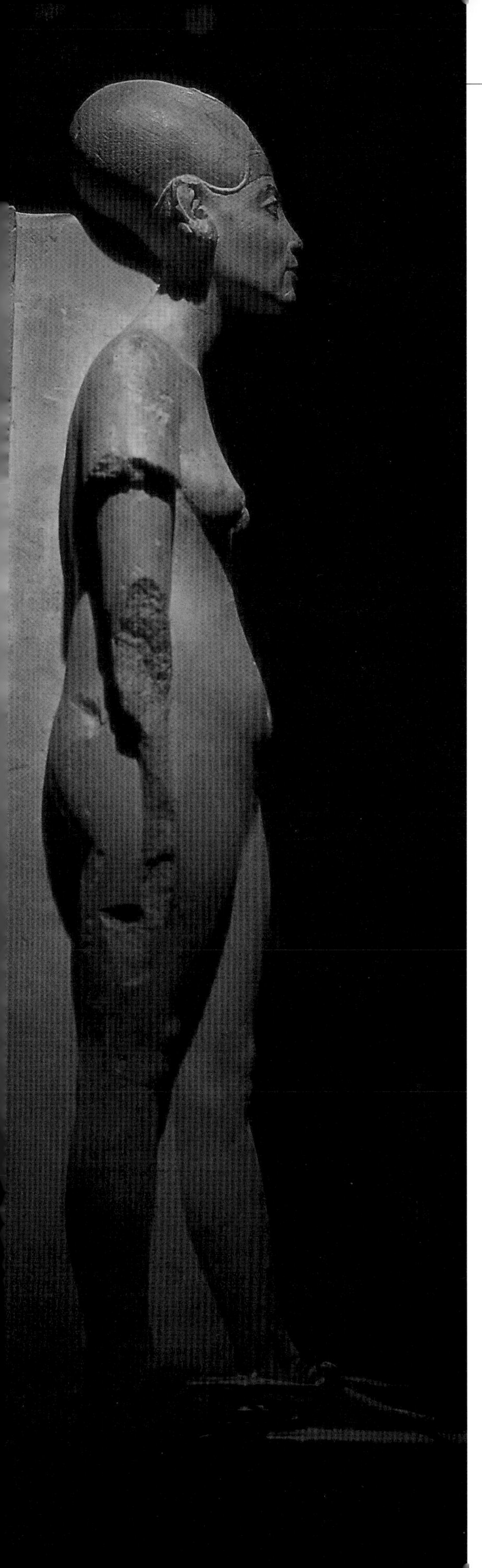

von Königin Teje, die sechs oder sieben Kinder gebar und um einiges älter war als Nofretete, wird gleich durch zwei Falten betont. Uns mögen solche Schwabbelbäuche hässlich erscheinen, für Echnaton, der die Fruchtbarkeit seiner Frauen in den Vordergrund stellte, waren sie es sicher nicht.

Auf einmal sind Echnaton und Nofretete nur schwer zu unterscheiden, vor allem, da sie sich oft ähnlich kleiden. Eine unfertige, beschädigte Kolossalstatue aus Theben hat heftige Debatten ausgelöst. Die Statue ist nackt, hat keine sichtbaren Genitalien und ist mit der Kartusche Atons beschriftet. Ist es Echnaton und wenn ja, wieso hat er keine Genitalien? Oder ist es Nofretete und wenn ja, wieso übernimmt sie die Rolle des Pharao? Die Verwirrung bei der Unterscheidung der Geschlechter wird noch verstärkt durch die Eigenart des Amarnastils, die rotbraune Hautfarbe, die bisher Männern vorbehalten war, auch für Frauen zu verwenden.

Nach dem Umzug in die neue Hauptstadt Amarna wird Nofretetes Gesicht rundlich mit eckigem Kiefer, hervortretenden Wangenknochen und geraderen Lippen. Gleichzeitig nimmt ihr Körper weniger übertriebene weibliche Formen an. Sie ändert ihren Namen, um ihrem neuen Glauben Ausdruck zu verleihen,

Der Kopf Nofretetes in Berlin

Der Bildhauer Thutmosis hatte seine Werkstatt in einer südlichen Vorstadt Amarnas. Hier arbeitete er an den Köpfen und Gliedmaßen, die zu Statuen der königlichen Familie zusammengesetzt wurden. Als Thutmosis irgendwann während der Regierungszeit Tutanchamuns beschloss, Amarna zu verlassen, ließ er mehr als 50 Exemplare seines unfertigen und nun nutzlosen Werks zurück. Eine mit Gips überzogene, bemalte Kalksteinbüste von Nofretete blieb auf einem Regal zurück und fiel, als das Regal zusammenbrach, nach vorne und zu Boden.

Nofretetes Büste wurde am 6. Dezember 1912 von einem einheimischen Arbeiter im Dienst des deutschen Archäologen Ludwig Borchardt gefunden. Die Büste zeigt Nofretete mit ihrer abgeflachten, blauen, mit Goldbändern verzierten Krone, deren rote, blaue und grüne Einlegearbeiten den Farben ihres Perlencolliers entsprechen. Kein Härchen lugt unter der Krone hervor, Nofretete rasierte also möglicherweise ihren Kopf. Das ausge-

ɔrägt symmetrische Gesicht der Königin hat rosabraune Haut, ief rotbraune, lächelnde Lippen und fein geschwungene Augen-ɔrauen. Die Ohrspitzen und die Oberseite der Krone sind leicht ɔeschädigt, und der Uräusschlange vorne fehlt der Kopf.

Nofretetes kajalumrahmtes rechtes Auge ist aus Bergkristall ınd hat eine schwarze Pupille, das linke Auge fehlt. Da die Halte-ung keine Leimreste aufweist, war es vielleicht noch nicht fertig, ıls man die Arbeit aufgab. Dass man, wie manchmal vermutet, las Auge herausriss, um das Andenken der toten Königin zu ;chänden, ist unwahrscheinlich. Vielleicht war die Büste auch ein .ehrstück, und die Augenhöhle blieb absichtlich leer, damit Lehr-inge die Kunst der Einlegearbeit üben konnten.

In Folge der Aufteilung der Fundstücke am Ende der Ausgra-ɔungen kam der Kopf nach Berlin, zu Dr. James Simon, dem Fi-ıancier von Borchardts Expedition. 1920 wurde die Büste dem Ägyptischen Museum in Berlin geschenkt und ab 1924 öffentlich ;ezeigt. Heute gilt Thutmosis' Meisterstück als eine der berühm-esten und beliebtesten Plastiken der Welt.

(Oben) Der Moment der Entdeckung für Ludwig Borchardt und sein Team kam am 6. Dezember 1912. Nofretetes Büste wird aus den Ruinen der Werkstatt des antiken ägyptischen Bildhauers Thutmosis in Amarna geborgen.

(Links) Obwohl ihre Rückkehr nach Ägypten oftmals gefordert wurde, bleibt Nofretetes bemalte, mit Gips beschichtete Kalksteinbüste einer der Höhepunkte des Berliner Ägyptischen Museums. Ihr Entdecker Ludwig Borchardt suchte vergeblich nach dem fehlenden linken Auge.

und nennt sich nun Neferneferuaton-Nofretete: „Schön sind die Schö nen des Aton. Die Schöne ist gekommen." In ihrer Kartusche ist das Bil Atons spiegelverkehrt, sodass es das Zeichen für den königlichen Statu ansieht; diese Umkehr verschafft dem Bild der Königin die hohe Ehre den Namen ihres Gottes betrachten zu dürfen. Manchmal ist Nofretete Name, einem Königsnamen gleich, in einer Doppelkartusche geschrie ben. In Theben beinhalten die Kartuschen ihren kurzen und ihren langer Namen, in Amarna enthalten beide Kartuschen den längeren Namen.

Eine neue Religion

Für die Feier seines Jubiläums erbaute Echnaton eine Reihe Aton geweih ter Sonnentempel. Im Osten des Tempelkomplexes von Karnak domi nierten *Gem-pa-Aton* (Die Sonnenscheibe ist gefunden) und sein Neben tempel, das *Benben*-Haus[21], den Horizont. Beide Gebäude wurden in de Antike zerstört, doch wiederverwendete Blöcke aus dem *Benben*-Haus zeigen Nofretete als Priester, eine Rolle des Königs, assistiert von „des Königs leiblicher Tochter, die er liebt, Meritaton, Geborene aus des Kö nigs großer Gemahlin, die er liebt, der Herrin beider Länder, Nofretete möge sie leben". Meritaton steht hinter ihrer Mutter, in der typischen Haltung einer Königin. Nofretete ist selbstverständlich mehr Königin als König; in Abwesenheit ihres Gatten würde sie jedoch bei allen Ritualen an seine Stelle treten. Doch wenn sie in Abwesenheit Echnatons die männliche Rolle übernimmt (etwa den Göttern opfern), braucht Nofrete te zur Komplettierung des Rituals ein weibliches Gegenstück.

Nofretetes Rolle in der neuen Religion ist in vielerlei Hinsicht eine natürliche Weiterentwicklung der prominenten Position ihrer Vorgän gerin, Königin Teje. Die königliche Göttlichkeit, einst nur für die Toten

Computerrekonstruktion des kleinen Atontempels in Amarna mit drei Reihen funkelnder weißer Pylonen und unzähligen Opferaltären, die im Freien im Sonnenlicht stehen. Im Hintergrund sieht man die Stadt.

n dieser Szene auf einer Kalksteinfliese
pfert Echnaton dem Gott Aton. Hinter
hm stehen Nofretete und zwei ihrer
Töchter, die die seitliche Locke der Kinder tragen, im Körperbau jedoch ihrer
Mutter gleichen. Echnaton hebt die
wachsende Schar seiner Töchter auf seinen Monumenten immer wieder hervor,
doch es gibt keinen Hinweis auf einen
Sohn. Ägyptisches Museum, Kairo.

Goldener Siegelring mit Echnaton und
Nofretete als Schu und Tefnut, den Kin-
der des Sonnengottes. Echnaton hält die
Feder der Maat, Nofretete trägt die
Doppelfedern. Ägyptisches Museum,
Kairo.

reserviert, wurde am Hof von Amarna lebendige, wenn auch unausgesprochene Realität. Doch diese Göttlichkeit ist nicht, wie bei Ahmes-Nefertari, notwendigerweise an eine Person gebunden. Der geschlechtslose Aton verlangt sowohl maskulin als auch feminin dominierte Rituale, und Nofretete, Gemahlin des halbgöttlichen Gottessohns, wird als Sinnbild göttlicher Fruchtbarkeit gebraucht. Gemeinsam kann das Königspaar in dem göttlichen Dreieck aus dem Schöpfergott Aton und seinen Kindern als Entsprechung der Zwillinge Schu und Tefnut gesehen werden. Nofretete ist außerdem die Mutterfigur in dem abgeleiteten Dreieck aus König, Königin und deren Kindern. Sie ist, außer Echnaton selbst, der einzige Mensch, der Leben aus den Strahlen Atons empfängt.

So wie König und Königin Aton anbeteten, betete das Volk von Amarna Echnaton und Nofretete an. Häuser und Gärten der Elite waren mit Statuen der Königsfamilie gespickt, und an den Wänden ihrer Gräber sah man die königliche Familie bei der Arbeit und beim Spiel. Das prächtigste Privatgrab gehörte Eje und Teje, und dort spielte, wie wir uns vorstellen können, Nofretete eine herausragende Rolle. Die dort abgebildeten Szenen unterscheiden sich jedoch sehr von allem bisher Dagewesenen. Aton muss als körperloses Wesen hoch am Himmel über das Königshaus wachen. Dies erlaubt es dem König, zur wichtigsten Figur zu werden, während die Königin, als Zeichen ihrer neuen Macht und aus Gründen der Symmetrie, ihm gegenüber und nicht mehr hinter ihm steht.

Nofretetes Rolle in der Politik

Nofretetes starke religiöse Bedeutung ist offensichtlich, ihr politischer Einfluss weniger leicht zu erkennen. Doch bis zu einem gewissen Grad ist dieser Unterschied ohnehin eine künstliche, neuzeitliche Trennung. Die Ägypter unterschieden nicht zwischen heiligen und säkularen Handlungen, und viele der als politisch geltenden Rituale – das Zerschmettern der Feinde Ägyptens zum Beispiel, wie wir es auf der Narmer-Palette sehen – lassen sich von der Pflicht des Königs, *Maat* zu bewahren, ableiten. Seltsamerweise wird Nofretete, anders als Königin Teje, in der diplomatischen Korrespondenz, deren Reste aus den königlichen Archiven in Amarna geborgen wurden (Amarnabriefe), nicht erwähnt. Dennoch erscheint sie oft gleich groß neben ihrem Gatten, und ihr Titel „Herrin beider Länder", den auch andere Königinnen des Neuen Reichs trugen, aber nie in Kartuschen verwendeten, unterstreicht ihre Funktion als weibliches Gegenstück zum König, dem „Herren beider Länder".

Steinblöcke aus Karnak und Hermopolis Magna (Letztere stammten ursprünglich aus Amarna) zeigen Echnatons Barke dekoriert mit den traditionellen vernichtenden Bildern. Der König steht in den Strahlen der Sonne, sein rechter Arm zum tödlichen Schlag erhoben, und Nofretete steht passiv dahinter. Entsprechende Szenen auf Nofretetes Barke zeigen jedoch die Königin selbst, die, das Schwert in der Rechten, auf einen weiblichen Feind zustürmt. Hinter Nofretete steht die passive Meritaton, wieder einmal in der Rolle der Königin. Auch hier finden wir die logische Weiterentwicklung einer früheren Darstellung, der von Königin Teje, die in Gestalt einer Sphinx Ägyptens weibliche Feinde niedertrampelt. Ob Echnaton und Nofretete jemals tatsächlich Feinden gegenüberstanden, ist unklar – doch es gibt keinen Grund, der dagegen spricht.

Eine andere Szene aus Amarna, graviert in eine private Verehrungsstele unbekannter Herkunft (Ägyptisches Museum, Berlin), zeigt Nofretete, Echnaton und drei ihrer Kinder, offensichtlich informell, in einem Zelt oder einer Laube sitzend. Hier ergibt sich eine leichte Verwirrung der Rollen. Während Nofretete auf dem deutlich thronähnlicheren Stuhl sitzt (aber erinnern wir uns an das Bild von Königin Teje, die in einem schön verzierten Stuhl sitzt, während ihr Gatte mit dem einfachen Thronwürfel vorlieb nimmt), hält Echnaton die älteste Tochter und daher wichtigste Prinzessin. Eine ähnliche, wenn auch nicht identische private Stele im Ägyptischen Museum in

(*Rechts*) Auf diesem Fragment einer Wandmalerei aus dem Haus des Königs in Amarna sitzen die Prinzessinnen Neferneferuaton und Neferneferure zu Füßen ihrer Mutter. Nofretete ist verschwunden, doch die Schärpe ihres Kleides ist noch zu sehen. Die Prinzessinnen haben die charakteristischen „Eierköpfe" aller in Amarna gefundenen königlichen Kinder. Ashmolean Museum, Oxford.

(*Seite 132, oben*) Auf diesem Block aus Hermopolis Magna könnte man die Barke von Nofretete anhand der gravierten Köpfe der Steuerruder identifizieren. Sie hat eine Kabine und einen kleinen Unterstand, der mit einem Bild verziert ist, auf dem Nofretete, gekleidet mit ihrer charakteristischen Krone, ihren Arm hebt, um einen weiblichen Feind zu zerschmettern.

(*Seite 132, unten*) Diese Verehrungsstele aus einem Privathaus in Amarna hat einige Kontroversen ausgelöst. Echnaton hält die älteste und wichtigste Prinzessin Meritaton und sitzt auf einem einfachen Stuhl. Ihm gegenüber sitzt Nofretete auf einem mit dem Symbol der beiden Länder dekorierten Stuhl und hält Meketaton und Anchesenpaaton. Ist dies nur ein Irrtum des Künstlers? Oder ist Nofretete politisch ebenso mächtig wie ihr Gatte?

Kairo zeigt König und Königin auf je einem Thronsessel. Auf beiden Stelen trägt Nofretete ihre bevorzugte blaue Krone, doch andere Darstellungen aus Amarna zeigen sie mit einer Vielzahl von Perücken, einschließlich einer eng sitzenden runden Kappe und dem taschenartigen Kopfschmuck, der in der Regel von Königen, aber auch von Teje und den Göttinnen Isis und Nephthys getragen wurde. Im Grab von Panehsi tragen sowohl Echnaton als auch Nofretete diese Kopfbedeckung sowie eine verzierte *Atef*-Krone, die man meist mit dem Osiriskult verbindet. Die *Atef*-Krone war ein kunstvoller Kopfschmuck mit Straußenfedern, Widder- und Stierhörnern, einer Sonnenscheibe und vielen Uräusschlangen. Echnatons Krone ist noch größer als die seiner Gattin. Die einzige andere Frau, von der wir wissen, dass sie die *Atef*-Krone trug, war Hatschepsut.

Diese Zeichen politischer und religiöser Macht haben zu der Annahme geführt, dass Nofretete Echnatons Mitregentin und nach seinem Tod vielleicht sogar Alleinherrscherin von Ägypten gewesen sein könnte. Theoretisch könnte Nofretete auch Regentin gewesen sein – Echnaton konnte Mitregenten frei wählen –, doch die Wahl seiner Gattin hätte jeden erstaunt. Nofretete war sicher eine mächtige Frau, es gibt jedoch keinen Beweis dafür, dass sie je mehr als eine Königsgemahlin war.

Nofretetes Kinder

Nofretete hatte sechs Töchter, die älteren drei (Meritaton, Meketaton und Anchesenpaaton) wurden in Theben geboren, die jüngeren drei (Neferneferuaton, Neferneferure und Setepenre) in Amarna. In Anbetracht der starken Bindung des Vaters zu Frauen (Mutter, Gattin oder Tochter), ist es ungewiss, ob sie auch einen oder mehrere Söhne hatte. Dass man

Uschebti aus Kalzit, vorbereitet für das Begräbnis von Nofretete. Die beiden Fragmente des *Uschebti* befinden sich heute in den Museen im Louvre und in Brooklyn. Der Kopf wurde rekonstruiert. Die Figur trägt den königlichen Krummstab und den Dreschflegel und ist mit „die Hauptfrau des Königs, Nofretete" beschriftet.

Söhne in einer so gut dokumentierten Familie völlig hätte verschweigen können, ist schwer vorstellbar, wiewohl auch Echnaton bis zur Krönung „unsichtbar" blieb. Doch das Auftauchen einer zweiten Hauptfrau, Kija, deutet Nofretetes Versagen in diesem Bereich an.

Alle sechs Töchter waren während Echnatons Jubiläumsfest im 12. Regierungsjahr am Leben, doch Meketaton, Neferneferuaton, Neferneferure und Setepenre starben, ebenso wie Königin Teje, kurz danach. Nofretete verschwand bald nach Meketatons Tod. Man kann daraus schließen, dass sie ebenfalls starb, vielleicht an einer Epidemie, die Amarna heimsuchte. Doch den einzigen Hinweis auf ihre Beisetzung im Königsgrab in Amarna liefert eine einzelne, zerbrochene *Uschebti*-Figur mit ihrem Namen, und diese könnte natürlich viele Jahre vor ihrem Tod entstanden sein. Das plötzliche Verschwinden einer Königin, die uns so vertraut ist, ist beunruhigend, und es überrascht kaum, dass sich einige Thesen bildeten, die von der Annahme ausgingen, dass Nofretete nicht starb, sondern Ägypten zuerst als Mitregentin und dann als Pharao unter dem Pseudonym Semenchkare regierte. Nach der kürzlichen Identifizierung des unbestreitbar männlichen Leichnams von Semenchkare in Grab KV 55[22] sind diese Theorien jedoch revisionsbedürftig.

Es ist höchst unwahrscheinlich, dass Echnaton Nofretete irgendwo anders als in Amarna beigesetzt hätte, jenem Platz, wo er selbst für alle Zeit begraben sein wollte. Doch es ist nicht unmöglich, dass ihr Leichnam nach der Aufgabe der Stadt umgebettet wurde, daher haben Archäologen Theben lange und gründlich nach Nofretete abgesucht. Bis vor kurzem war die „Jüngere Dame", die man neben der „Älteren Dame" und einem Prinzen im Grab Amenophis' II. gefunden hatte, ein vielversprechender Kandidat. Doch das Alter der Mumie – eine Frau Anfang Zwanzig – legt nahe, dass sie zu jung ist, um Nofretete sein zu können.

Ein unfertiges Modell für eine Skulptur, gefunden im Nordpalast in Amarna, zeigt eine Prinzessin, die eine ganze gebratene Ente verspeist.

Ernährung

Da die alten religiösen Motive verbannt waren, suchten die Künstler von Amarna ihre Inspiration beim Königshaus. Wir haben mehr Bilder einer sich natürlich benehmenden Nofretete als von jeder anderen Königin. In Amarna fährt Nofretete mit dem Wagen, küsst ihren Gatten und verdrückt ein herzhaftes Mahl.

Ägypten war mit einem Überfluss an natürlichen Ressourcen gesegnet. Die jährliche Nilflut ermöglichte den Anbau von Getreide, Obst und Gemüse. Es gab Fische in den Flüssen, Vögel in den Sümpfen, Rinder im Delta und Schafe, Schweine und Ziegen in den Dörfern. Während sich arme Ägypter vorwiegend von Brot, Fisch und Gemüse ernährten, genoss die Elite von allem das Beste.

Durch das Überangebot an Lebensmitteln mussten Ägyptens Köche weder komplizierte Rezepte noch würzige Saucen erfinden. Fleisch wurde gegrillt, gebraten oder gekocht, das meiste Gemüse aß man roh. Es war die schiere Vielfalt, die die Geschmacksnerven stimulierte. Nicht zu Unrecht warnten die Schreiber vor Völlerei:

Wenn du dich in Gesellschaft zum Essen setzt, meide deine Lieblingsspeisen. Zurückhaltung braucht nur ein wenig Anstrengung, Fresssucht ist gemein und niederträchtig. Ein Becher Wasser stillt deinen Durst, und ein Mund voll Kräuter stärkt dein Herz ...[23]

18. DYNASTIE
1539–1292

Kija
Meritaton
Anchesenpaaton
Teje
Mutnedjmet

(*Oben*) Der Kopf von Kija, der nach ihrem Tod in den von Prinzessin Meritaton umgewandelt wurde. Kijas nubische Perücke wurde zu einer unüblichen Haartracht mit Seitenlocke. Kalksteinrelief, gefunden in Hermopolis Magna.

KIJA	
Ehemann Echnaton (Amenophis IV.)	Tochter – Meritaton d. Jüngere und/oder Anchesenpaaton die Jüngere?
Eltern Unbekannt	*Titel* Große geliebte Gemahlin
Kinder Semenchkare?, Tutanchamun? Mindestens eine	*Begräbnisstätte* Amarna?

KIJA

Die Alltagsszenen im Grab von Eje in Amarna erlauben uns einen Blick hinter die verschlossenen Tore von Echnatons Harem. Wir sehen Gruppen von Frauen, die in zwei Gebäuden wohnen, deren Tore von Männern bewacht oder vielleicht geschützt werden. Die meisten Frauen musizieren oder tanzen, und an den Wänden ihrer Zimmer hängt eine Vielzahl an Musikinstrumenten. Die Frauen in den oberen Räumen tragen ihr Haar auf sonderbare, nicht ägyptisch aussehende Art, und dies führte gemeinsam mit dem ungewöhnlichen Rock einer der Frauen zu der Vermutung, es handle sich um syrische Musikerinnen, vielleicht Teil des großen Gefolges von Taduchepa von Mitanni.

(*Unten*) Eines der beiden „Haremshäuser" aus dem Grab von Eje in Amarna. Die Frauen musizieren mit einer Vielzahl von Leiern, Harfen und Lauten.

Wir kennen bereits Echnatons zweite Hauptfrau Kija, „Gemahlin und Große Geliebte des Königs von Ober- und Unterägypten, der in Wahrheit lebt, Herr beider Länder Nefer-cheperu-Re Wa-en-Re [Echnaton], das perfekte Kind des lebenden Aton". Kija ist eine weitere königliche Braut unbekannter Herkunft. Ihr ungewöhnlicher Name – entweder ausländischen Ursprungs oder die Abkürzung eines längeren ägyptischen Namens – hat zu Vermutungen geführt, dass sie eine von Echnatons politischen Ehefrauen sein könnte, vielleicht Taduchepa selbst. Kija wurde nie zur Großen Königsgemahlin (kam sie als Ausländerin dafür nicht in Frage?) und trug nie Uräusschlangen, doch sie durfte eine Rolle in den Ritualen zu Ehren von Aton spielen und gebar dem

Einer von insgesamt vier Kanopenkrügen aus Grab KV 55 (einer befindet sich heute im Metropolitan Museum of Art, New York, drei im Ägyptischen Museum, Kairo). Die Krüge wurden ursprünglich für Kija hergestellt. Die Köpfe sind nicht unbedingt die originalen Stöpsel und wurden abwechselnd als Teje, Kija oder Meritaton identifiziert.

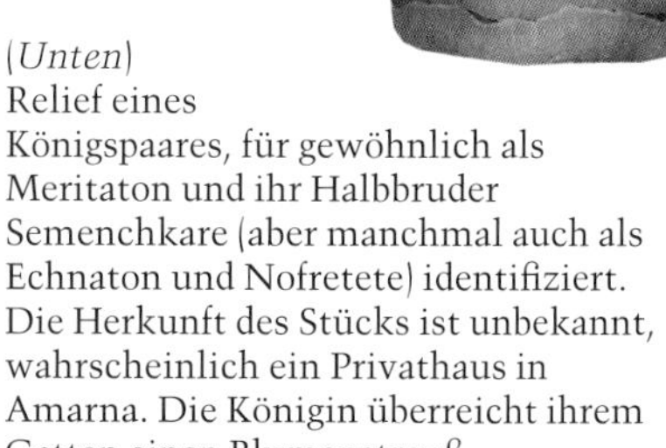

(*Unten*)
Relief eines Königspaares, für gewöhnlich als Meritaton und ihr Halbbruder Semenchkare (aber manchmal auch als Echnaton und Nofretete) identifiziert. Die Herkunft des Stücks ist unbekannt, wahrscheinlich ein Privathaus in Amarna. Die Königin überreicht ihrem Gatten einen Blumenstrauß.

König zumindest eine Tochter unbekannten Namens. Eine Geburtsszene an der Wand des Königsgrabs scheint den Beweis zu liefern, dass Kija Echnaton auch zwei Söhne gebar, Semenchkare und Tutanchamun, bevor sie im Kindbett starb. Kija verschwand – man nimmt an, dass sie starb – im Jahr 12; ein Teil ihrer kunstvollen Möbel wurde in Grab KV 55 gefunden. In Amarna wurde Kijas Name nach ihrem Tod entfernt oder überschrieben, ihre Mumie wurde nie gefunden.

Meritaton

Meritaton war am Hof von Amarna immer eine prominente Person. In engem Zusammenhang mit ihrer Mutter haben wir sie bereits als Nofretetes Gehilfin im *Benben*-Haus in Theben gesehen. Sie kann dabei kaum zehn Jahre alt gewesen sein. In anderen Darstellungen tritt sie mit ihrem Vater auf: Echnaton hält oder steht bei Meritaton, während sich Nofretete um die jüngeren Schwestern kümmert. Mit dem Verschwinden von Teje, Nofretete und Kija wurde Meritaton zur Großen Königsgemahlin, ihr Name wurde in eine Kartusche geschrieben. Ihr Ruhm reichte weit über die Grenzen Ägyptens und veranlasste den König von Babylon, ihr Geschenke zu senden. Zu Hause, in der Tempelanlage von Amarna, bekannt als *Maru Aton*, wurde Meritatons Name über den von Kija graviert und viele Bilder Kijas in Meritaton „verwandelt", wobei man die nubische Perücke der Erwachsenen in eine kunstvolle Seitenlocke der Jugend umarbeitete.

Lange Zeit glaubten Ägyptologen, Meritaton müsste ihren Vater geheiratet haben. Mittlerweile, da wir Semenchkare als real existierenden männlichen Thronerben identifiziert haben, scheint klar, dass sie ihren Halbbruder ehelichte, als er Mitregent seines Vaters Echnaton wurde. Das Grab von Meryre II. in Amarna gewährt uns einen Blick auf das neue Königspaar. An den Süd- und Ostwänden der Hauptkammer sehen wir Echnaton, Nofretete und ihre Töchter; die Arbeiten entstanden eindeutig, bevor der Tod die Familie entzweiriss. Das unfertige Bild an der Nordwand zeigt einen König und eine Königin, stehend, in den Strahlen Atons. Sie sehen aus wie Echnaton und Nofretete, ihre Kartuschen gehören jedoch dem „König von Ober- und Unterägypten, Anchkepru-Re Sohn des Re, Semenchkare" und der „Großen Königsgemahlin Meritaton". Leider wurde die Kartusche des Königs nach der Entdeckung von der Wand gestemmt und ist verloren.

Zwei nicht näher erklärte Prinzessinnen, Meritaton die Jüngere und Anchesenpaaton die Jüngere, könnten sehr wohl Töchter von Meritaton und Semenchkare (aber genauso gut auch von Kija und Echnaton) sein. Doch als Semenchkare nach der kürzesten aller Regierungszeiten, die er obendrein zum Großteil an der Seite seines Vaters verbracht

MERITATON	
Ehemann Semenchkare	*Titel* Des Königs leibliche Tochter, Große Königsgemahlin
Vater Echnaton (Amenophis IV.)	*Begräbnisstätte* Unbekannt
Mutter Nofretete	
Kinder Keine bekannt	

hatte, starb, hinterließ er definitiv keinen männlichen Erben. Nach der möglichen, schlecht dokumentierten und kurzen Regentschaft der sonst unbekannten Pharaonin Neferneferuaton (Meritaton?), folgten Semenchkare sein jüngerer Bruder Tutanchaton (der sich in Tutanchamun umbenannte) und seine Schwestergemahlin Anchesenpaaton (Anchesenamun) auf den Thron. Meritaton, von ihrer Schwester ersetzt, verschwand; ihr Leichnam wurde nie gefunden.

ANCHESENPAATON (ANCHESENAMUN)

Der neuerdings umbenannte Tutanchamun und seine Gattin Anchesenamun gaben Amarna auf und kehrten an den Königshof von Theben zurück. Die alten Götter wurden wieder eingesetzt und die Tempel wieder geöffnet – Tutanchamun wollte *Maat* zurückholen.

Anchesenpaaton ist in Amarna mehrfach als nacktes Mädchen mit langem, eiförmigem Kopf, der als Symbol der Schöpfung galt, zu sehen. Nunmehr (mit einem normal geformten Kopf) wurde sie zu einer mächtigen Königin in der Tradition ihrer Mutter und Großmutter. Sie erscheint auf vielen öffentlichen Monumenten Tutanchamuns, etwa im Tempel in Luxor, und auf noch mehr privaten Stücken aus seinem Grab, wo sie zur

Die Rückenlehne des „Goldthrons", einer der sechs im Grab von Tutanchamun (KV 62) gefundenen Thronsessel. Anchesenpaaton steht in einem Blumenpavillon und salbt ihren Gatten mit duftendem Öl, über beiden scheint Aton. Der Thron, der in der Antike geändert wurde, nennt beide Namen des Königs – Tutanchaton und Tutanchamun.

Eines der beiden mumifizierten Mädchen – eines ein Fötus im fünften Schwangerschaftsmonat, eines ein Baby, das bei der Geburt oder kurz danach starb –, gefunden unter den Schätzen in Tutanchamuns Grab. Man nimmt allgemein an, dass es sich um Töchter von Tutanchamun und seiner einzigen Gattin Anchesenamun handelt. Abteilung für Anatomie, Universität Kairo.

ANCHESENAMUN	
Früherer Name Anchesenpaaton *Ehemann* Tutanchamun *Vater* Echnaton (Amenophis IV.) *Mutter* Nofretete *Kinder* Zwei totgeborene	Mädchen, gefunden in Tutanchamuns Grab *Titel* Des Königs leibliche Tochter, Große Königsgemahlin, Herrin beider Länder *Begräbnisstätte* Theben

Unterstützung ihres Gatten die Rolle der Göttin Maat übernimmt. Eine Statue der Göttin Mut aus dem Tempel von Luxor hat ihr Gesicht.

Es wird allgemein angenommen, dass Anchesenamun die Mutter der beiden totgeborenen Mädchen war, deren mumifizierte Körper, jeder in einem menschenförmigen doppelten Sarg, in Tutanchamuns Grab gefunden wurden. Der Ehe entsprangen keine weiteren Kinder, also auch kein Thronerbe, und so adoptierte Tutanchamun vorsichtshalber Eje, möglicherweise sein Stiefgroßvater, als Erben. Daher ging der Thron nach dem tragischen, unerwarteten Ende Tutanchamuns an jenen alten Man über, der wahrscheinlich Nofretetes Vater war. Vermutungen, dass Eje seinen Thronanspruch durch eine Heirat mit Anchesenamun festigte, basieren auf einem einzigen, zweifelhaften Beweisstück: ein Siegelring mit den Kartuschen von Anchesenamun und Eje. Doch es gibt kein Anzeichen dafür, dass Anchesenamun unter Ejes Regierung eine Rolle spielte.

Annahmen, dass entweder Anchesenamun oder jemand anderer dem Tod ihres Gatten „nachgeholfen" hat, sind ebenso unbewiesen. Anchesenamun, kinderlos und die Letzte ihrer Familie, hatte durch seinen Tod mehr zu verlieren als jeder andere bei Hof. Die offensichtlichen Beschädigungen des königlichen Körpers – an Beinen, Brust und Kopf – lassen keine Diagnose zu, er könnte auch bei einem Unfall beim Wagenrennen oder Bootfahren gestorben sein. Neuere CT-Scans, durchgeführt von Zahi Hawass, dem Leiter von Ägyptens Supreme Council of Antiquities, fanden keinen Beweis für einen Mord an Tutanchamun und kommen zu dem Schluss, dass die gebrochenen Knochen, die zu vielerlei Gerüchten Anlass gaben, die Folge der Ausgrabungen von Howard Carter im Jahr 1922 seien, als der Leichnam aus dem Sarg gehoben wurde.

Ein sonderbarer Briefwechsel

Nach dem Tod ihres Gatten sollte sich Anchesenamun in den Harem zurückziehen. Doch es gibt keinen Beweis, dass sie ihre Position kampflos aufgegeben hat. Die Kopie eines Briefs in Keilschrift aus dieser Zeit, gefunden in Bogazkale (früher Hattusa, Hauptstadt der Hethiter) in Anatolien, erzählt eine merkwürdige Geschichte. Eine verwitwete Königin von Ägypten wendet sich an den Hethiterkönig Suppiluliumas mit der Bitte um einen Gemahl:

Mein Gatte starb. Ich habe keinen Sohn. Doch Ihr, sagt man, habt viele Söhne. Wenn Ihr mir einen Eurer Söhne gäbt, würde er mein Gemahl. Ich würde niemals einen meiner Diener zu meinem Gatten erwählen … Er wäre mein Gemahl und König von Ägypten.[24]

Suppiluliumas war – zu Recht – auf der Hut. Jeder wusste, dass ägyptische Prinzessinnen nicht außerhalb ihrer Familie heirateten. Von einer Heirat mit einem Ausländer hatte man noch nie gehört; kein Pharao würde das Risiko eingehen, dass Ägypten in fremde Hände fiel. Außerdem heirateten verwitwete Königinnen kein zweites Mal. Doch die Versuchung war groß. Das Angebot des Throns von Ägypten – trotz des Niedergangs während der Amarnazeit der mächtigste und erstrebenswerteste Thron der Welt – konnte man nicht ausschlagen. Ein Botschafter wurde nach Ägypten gesandt, um die Sache zu überprüfen, und Prinz Zannanza zum möglichen Bräutigam bestimmt. Letzterer wurde hinterrücks ermordet, als er Ägyptens Grenze überschritt, und die Beziehungen zwischen Ägypten und den Hethitern erreichten einen neuen Tiefpunkt.

Als Absenderin des Briefs ist „Dahamenzu" angegeben, die phonetische Entsprechung des Titels *ta set neferu* (Königsgemahlin). Es gibt nur vier königliche Witwen ohne Söhne, die zur fraglichen Zeit diesen Brief geschrieben haben könnten: Nofretete, Kija, Meritaton und Anchesenamun. Nofretete und Kija starben jedoch fast sicher vor Echnaton, Meritaton hat Semenchkare möglicherweise überlebt, doch der jüngere Bruder ihres Gatten stand als Thronfolger bereit. So passt nur Anchesenamun zum Profil der einsamen Briefschreiberin.

Natürlich müssen wir in Betracht ziehen, dass der Brief nicht von der Königin geschrieben wurde. Das Angebot des Throns von Ägypten könnte der Köder gewesen sein, der den hethitischen Prinzen in die Falle locken sollte. Der Brief muss nicht einmal aus Ägypten stammen, denn dort gibt es keinerlei Hinweis auf das Ereignis. Doch wenn der Brief echt ist, muss Anchesenamun sehr unter einem der Nachfolger – entweder Eje (Regierungszeit nur 3–4 Jahre) oder Haremhab – gelitten haben. Wir sehen sie jedenfalls nie wieder und ihr Leichnam bleibt verschollen.

TEJE

Ehemann Eje *Eltern* Unbekannt *Sohn* Nachtmin? *Töchter* Stieftöchter Nofretete und Mutnodjmet?	*Titel* Amme der großen Königsgemahlin, Große Königsgemahlin, Herrin beider Länder, Herrin von Ober- und Unterägypten *Begräbnisstätte* Theben

TEJE, GEMAHLIN DES EJE

Eje, bereits über 60 Jahre alt, bestieg den Thron als „Gottesvater Eje, königlicher Herrscher Thebens, geliebt von Amun" mit Nofretetes alter Stiefmutter/Amme Teje (nicht zu verwechseln mit Amenophis' III. Hauptfrau gleichen Namens) an seiner Seite. Dies musste eine kurze Regentschaft sein, eine schnelle Antwort auf eine dynastische Krise, um Zeit für die Suche nach einem neuen Herrscher zu gewinnen. Wir haben einige Bilder von Teje in ihrer Residenz in Amarna, wissen aber wenig über sie als Königin. Eje wurde letztendlich nicht in dem prächtigen Grab

Der „Gottesvater" Eje und seine Gemahlin Teje erhalten goldene Halsbänder aus der Hand von Echnaton und Nofretete. Szene aus dem Grab von Eje in Amarna (Nr. 25). Eje und Teje sollten letztendlich in einem Grab im westlichen Seitental des Tals der Könige (WV 23) beigesetzt werden.

in Amarna, das uns so viele Informationen über den Alltag am Königshof geliefert hat, sondern in einem recht einfachen, unfertigen Grab (WV 23) im westlichen Seitental des Tals der Könige beigesetzt. An den Wänden dieses Grabes sehen wir Teje an der Seite ihres Gatten. Das Grab wurde in der Antike geplündert, doch verstreute weibliche Knochenfragmente, die man im und um das Grab fand, könnten ihre letzten Überreste sein.

MUTNODJMET

Ehemann
Haremhab
Vater
Eje?
Mutter
Unbekannt
Kinder
Keine bekannt
Titel
Schwester der Großen Königsgemahlin, Große Königsgemahlin, Herrin von Ober- und Unterägypten, Herrin beider Länder
Begräbnisstätte
Grab des Haremhab in Sakkara

Mutnodjmet

General Haremhab, ein General unbekannter Herkunft, folgte Eje auf den Thron. Er setzte den Wiederaufbau Ägyptens, den Tutanchamun begonnen hatte, fort. Während seiner 28-jährigen Regierungszeit wurde das *Benben*-Haus (der von Echnaton für den Sonnengott gebaute Tempel) abgebaut und als Füllung für einen neuen Zugang – den zweiten Pylon – zum Tempel von Karnak verwendet. Welch Ironie des Schicksals, dass gerade die Zerstörung durch Haremhab den Tempel für die Nachwelt bewahrte. Die Blöcke wurden sorgfältig abgebaut und neu angeordnet, sodass Teile von Szenen wiedererstanden, doch mindestens zwei Szenen wurden auf den Kopf gestellt. Nofretetes Bild verlor das Gesicht, viele der Strahlen aussendenden Hände Atons wurden zerstört. Es ist unklar, ob dies Teil der offiziellen Politik war, um alle Spuren der Häresie zu tilgen, ein privater Rachefeldzug gegen Nofretete oder späterer Vandalismus an Haremhabs Bauwerken. Jedenfalls konnte anhand geborgener Blöcke des Pylons der verschwundene Tempel im Computer rekonstruiert werden.

Haremhabs erste Frau Amenia war vor seiner Thronbesteigung gestorben. Seine zweite Frau Mutnodjmet ist wahrscheinlich (aber nicht sicher) Nofretetes jüngere Schwester. Wir haben Mutnodjmet, die dort „Schwester der großen Königsgemahlin" genannt wird, an den Wänden der Gräber der Oberschicht in Amarna gesehen. Die junge Mutnodjmet spielte keine aktive Rolle bei der Verehrung Atons, war jedoch eine wichtige Person des Hofs. Seltsamer- und unerklärlicherweise sieht man sie oft in Begleitung zweier Zwerge.

Mutnodjmet verschwand aus den Szenen von Amarna vor der Geburt von Neferneferuaton und tauchte als Königsgemahlin und Gottesgemahlin des Amun wieder auf. Wie alle Frauen ihrer Familie erwies sie sich als mächtige Königin. Sie sitzt auf seiner Krönungsstatue neben ihrem Gatten, und eine Darstellung an der Seite seines Throns zeigt sie als geflügelte Sphinx mit menschlichem Kopf und der hohen, abgeflachten Pflanzenkrone von Tefnut und Königin Teje. Sie wird auch in Inschriften des Tempels von Luxor genannt, Inschriften, die sie sich von ihrer Nichte Anchesenamun angeeignet hat. Mutnodjmet starb im 14. oder 15. Regierungsjahr ihres Gatten und wurde wahrscheinlich, so wie vermutlich Amenia vor ihr, in seinem Grab in Sakkara bestattet. Funde von weiblichen Überresten in diesem Grab werden Mutnodjmet zugeschrieben; diese waren mit dem Leichnam eines Neugeborenen oder Fötus zusammen beigesetzt, was darauf schließen lässt, dass die nicht mehr junge Königin bei dem Versuch starb, dem König einen Erben zu schenken.

Mit Mutnodjmet und ihrem Baby starb die 18. Dynastie. Die Linie der bemerkenswerten Frauen von Achmim ging zu Ende.

(*Seite 141, oben*) Mutnodjmet, die Schwester von Nofretete, steht hinter der eigentlichen Königsfamilie, noch etwas kleiner als ihre Nichten, doch wie sie in fließende, plissierte Gewänder gehüllt. Sie alle tragen Sandalen, und die Seitenlocke zum Zeichen dafür, dass sie noch Kinder sind.

(*Seite 141*) Mutnodjmet sitzt neben Haremhab auf seiner Krönungsstatue, die in Karnak gefunden wurde. Unter Umständen hat der Bürgerliche Haremhab das letzte verbleibende Mitglied der königlichen Familie aus Amarna geheiratet, um seinen Anspruch auf den Thron zu festigen. An der Seite der Skulptur sieht man Mutnodjmet als geflügelte Sphinx. Die Hinterseite der Statue erzählt die Geschichte von Haremhabs Machtergreifung. Ägyptisches Museum,Turin.

19. DYNASTIE
1292–1190

Sitre
Tuja
Henutmire
Nofretiri
Isisnofret I.
Bint-Anat I.
Meritamun
Nebettawi
Maathornefrure

Nofretiri, Gemahlin von Ramses II., abgebildet an der Wand ihres in lebhaften Farben bemalten Grabs im Tal der Königinnen.

SITRE

Ehemann
Ramses I. (Ramessu)
Eltern
Unbekannt
Kinder
Sethos I.
Titel
Gottesgemahlin, Große Königsgemahlin, Herrin von Ober- und Unterägypten, Herrin beider Länder, Königsmutter
Grabstätte
Tal der Königinnen (QV 38)

SITRE

Ramses I., der erste Pharao der 19. Dynastie, war zuvor Wesir gewesen, ein fähiger Beamter mit einer erfolgreichen militärischen Laufbahn. Aus seiner langen Ehe mit der Dame Sitre hatte er bereits einen Sohn, Sethos, und einen Enkel, Ramses, die seine Linie fortsetzen konnten. Die intakte Familie kann einer der Gründe gewesen sein, warum der kinderlose Haremhab den bereits alten Ramses als Nachfolger wählte. Er konnte realistischerweise keineswegs eine lange Regierungszeit seines Nachfolgers erhofft haben – tatsächlich regierte Ramses I. nur zwei Jahre –, doch er wusste die Thronfolge gesichert. Und das war für das noch immer an den Nachwirkungen der Amarnazeit leidende Ägypten sehr wichtig.

Das Zeitalter der mächtigen Königsgemahlinnen war zu Ende. Die Königinnen der 19. Dynastie stehen allesamt im Schatten ihrer Gatten, und Sitres einziges bekanntes Monument ist ihr unvollendetes Grab im Tal der Königinnen (QV 38). Man hatte *Ta set neferu*, „den Platz der Schönheiten", zwar schon sporadisch während der 18. Dynastie benutzt, nun aber wurde er zur bedeutenden Nekropole, wo die wichtigeren königlichen Frauen der Ramessiden und deren Kinder bestattet wurden. In der Tat wurde es zum Annex des nahen Tals der Könige. Es ist daher seltsam, dass zwar das Tal der Könige einige Mumienverstecke enthielt, das Tal der Königinnen jedoch bisher kaum menschliche Überreste preisgegeben hat. Dies kann selbstverständlich auch daran liegen, dass die Grabstätten in der Antike geplündert und die Mumien zerstört wurden, es lässt uns aber nach wie vor darauf hoffen, dass sich irgendwo im Tal eine bisher unentdeckte Mumiencachette befinden könnte.

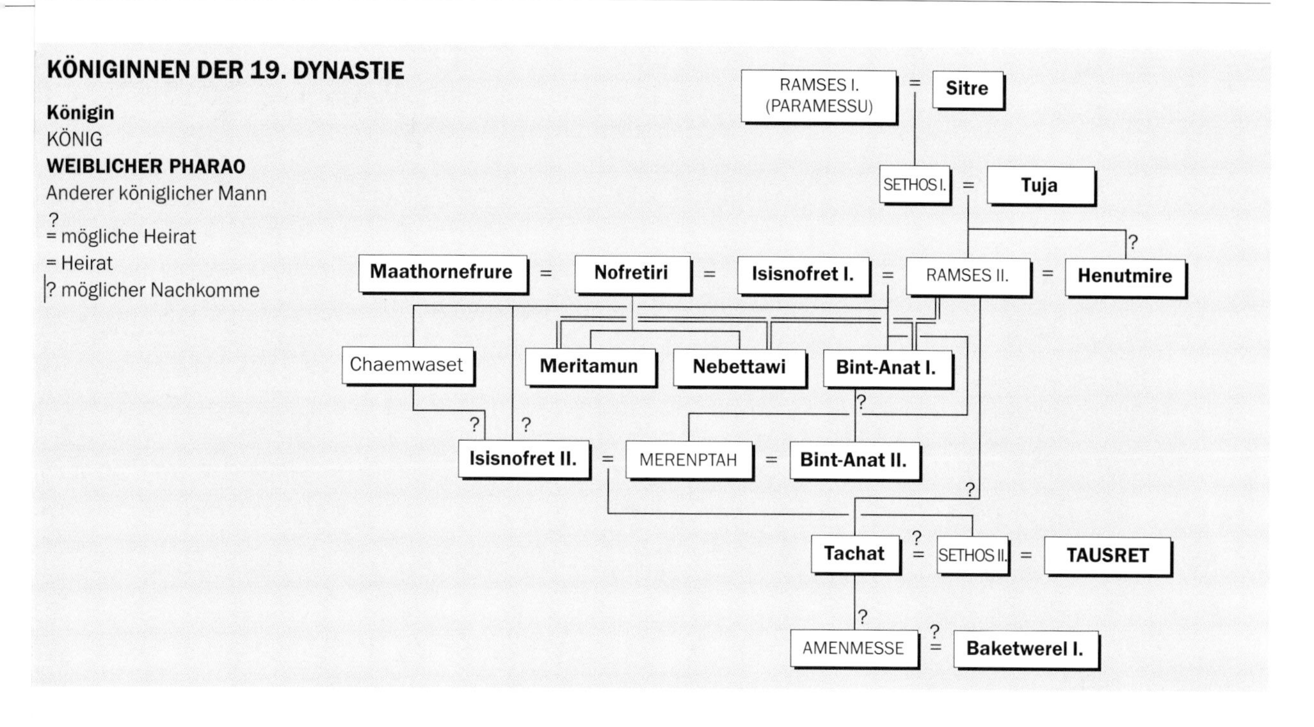

TUJA

Auch bekannt als Mut-Tuja	*Töchter* Tia, Henutmire?
Ehemann Sethos I.	*Titel* Königsgemahlin, Königsmutter, Gottesgemahlin
Vater Raia	*Begräbnisstätte* Tal der Königinnen (QV 80)
Mutter Ruia	
Sohn Ramses II.	

Tuja und Henutmire

Sethos hatte Tuja (auch bekannt als Mut-Tuja) geheiratet, bevor sein Vater König wurde. Tuja war, wie Sethos selbst, ein Spross der militärischen Oberschicht Ägyptens, die Tochter von Raia, einem Offizier der Streitwagenlenker, und seiner Frau Ruia. Sethos und Tuja hatten mindestens zwei Kinder: die Tochter Tia und den nach seinem Großvater benannten Sohn Ramses. Es gab wahrscheinlich noch ein drittes Kind, geboren nach der Thronbesteigung Sethos'. Die Elternschaft der mysteriösen Prinzessin Henutmire wird nirgendwo bestätigt, doch ihr Auftauchen auf einer Statue Tujas (heute im Vatikanmuseum, Rom) lässt auf ein enges Verhältnis zur Königin schließen. Tia, als Bürgerliche geboren, heiratete Tjia, den Sohn von Amenwahsu. Sie spielte während der Regentschaft ihres Bruders keine formelle Rolle und wurde wahrscheinlich im Grab ihres Gatten in Sakkara beigesetzt. Ihre „Schwester"

Ruia (links) und Raia, die Eltern von Tuja, abgebildet auf einem Block in Medinet Habu. Die Eltern der Königin kamen aus Familien mit ähnlichem Hintergrund wie jene des Pharao: der militärischen Oberschicht.

NOFRETIRI

Ehemann
Ramses II.
Eltern
Unbekannt
Söhne
Amenhirwenemef, Prehirwenemef, Sethos, Merire der Ältere, Meriatum
Töchter
Baketmut, Meritamun, Nebettawi, Nofretiri?
Titles
Gottesgemahlin, Königsgemahlin, Herrin von Ober- und Unterägypten, Herrin beider Länder
Begräbnisstätte
Tal der Königinnen (QV 66)

Seine erste und bekannteste Gemahlin ist Nofretiri, die er bereits hei ratete, bevor er Pharao wurde. Nofretiris Eltern sind unbekannt, doch d sie nie den Titel Königstochter benutzt, war sie sicher keine Prinzessin Vielleicht gehörte sie zu Ejes weiterer Verwandtschaft; die Entdeckun eines glasierten Knopfes (vielleicht der Kopf eines Gehstocks oder de Griff einer Schatulle) mit Ejes Kartusche in ihrem Grab unterstützt dies Theorie. Aber sie ist wahrscheinlich zu jung, um Ejes Tochter und dami eine Schwester der Königinnen Nofretete und Mutnodjmet zu sein, d Ramses erst 20 Jahre nach Ejes Tod den Thron bestieg.

Nofretiri gebar noch vor Sethos' I. Tod Ramses' Erstgeborenen un Erben Amunherchepeschef. Weitere Kinder folgten: Ramses' dritter Soh Paraherwenemef, sein neunter Sohn Seti, sein elfter Sohn Merire de Ältere und sein 16. Sohn Meriatum. Einige davon waren Kronprinzen doch keiner überlebte den Vater. Zu Nofretiris Töchtern zählten di unauffällige Baketmut sowie Meritamun und Nebettawi, die den Plat der Mutter als Königinnen einnehmen sollten. Prinzessin Nofretiri Name lässt in ihr ebenfalls eine Tochter von Königin Nofretiri vermuten

Nofretiri zeigt sich mindestens 20 Jahre lang als pflichtbewusste schöne, jedoch völlig passive Gattin an der Seite ihres Gemahls – frustrie rend für jeden Biografen. Sie begleitete ihn bei allen Zeremonien un wahrscheinlich auch bei seinen Feldzügen. Im Jahr 5, während de Schlacht von Kadesch, lief die Königsfamilie (Nofretiri und ihre Kinder? Gefahr, von den Hethitern gefangen genommen zu werden. Jahre später nach dem Friedensvertrag mit den Hethitern, korrespondierte Nofretir mit der mächtigen Puduchepa, der Königin der Hethiter. Dies scheint un typisch. Anscheinend hatte Puduchepa, die eine wichtigere Rolle in der Staatsgeschäften spielte als ihre ägyptische Kollegin, geschrieben, un Nofretiri musste aus Höflichkeit antworten. Die gezierten Briefe lasser jedoch wenig Interesse und nichts von Nofretiris Charakter erkennen.

So spricht Naptera [Nofretiri], die Große Königin von Ägypten, zu Pudu chepa, der Großen Königin von Hatti, meiner Schwester:

Mir geht es gut, meine Schwester, und meinem Land geht es gut Möge es auch dir, meine Schwester, und deinem Land gut gehen. Ich habe bemerkt, dass du, meine Schwester, dich nach meinem Wohlerge hen erkundigt hast. Und dass du mir über das neue Verhältnis steten Friedens und Brüderlichkeit zwischen dem Großen König von Ägypten und seinem Bruder, dem Großen König von Hatti, geschrieben hast.[27]

Die Tempel von Abu Simbel

Mit zunehmender Dauer seiner Regierungszeit, sichtlich unsterblich in einem Land, in dem 40-Jährige als Greise galten, stieg Ramses' Interesse an seiner eigenen Göttlichkeit. Wie Amenophis III. hörte er plötzlich damit auf, seine Göttlichkeit in Ägypten zu propagieren, bemühte sich aber, in den Provinzen als vollwertige Gottheit zu gelten. Wieder griffen die Steinmetze zu ihren Hämmern, und ein Zwillingstempel entstand in

(Seite 147) Nofretiri steht vor ihrem kolossalen Gatten im Priesterhof des Tempels von Luxor.

(*Rechts*) Die Fassade des kleineren Tempels in Abu Simbel ist mit vier kolossalen Standbildern von Ramses II., zwei von Nofretiri und kleineren Bildern ihrer Kinder dekoriert. Nofretiri trägt die beiden Kuhhörner und hält das Sistrum, das sie mit Hathor, der Göttin des Tempels, verbindet.

(*Unten*) Die wichtigeren Mitglieder der Königsfamilie erscheinen in Dreiergruppen zwischen den sitzenden Kolossen an der Fassade des Großen Tempels von Abu Simbel (siehe Seite 149). Von links nach rechts sind dies: Nebettawi, Isisnofret II., Bint-Anat I.; Tuja, Prinz Amunherchepeschef, Nofretiri; Nofretiri, Prinz Ramses, Baketmut; Meritamun, Nofretiri II., Tuja. Hier sehen wir Bint-Anat I. und Tuja.

Nubien. Der größere der beiden, der Große Tempel von Abu Simbel, war tatsächlich den Göttern Re-Harachte, Amun und Ptah geweiht, ehrte aber vor allem Ramses selbst. Der kleinere Tempel, in jeder Hinsicht ein Gebäude, das den Großen Tempel unterstützen sollte, erhöhte Nofretiris halbgöttliche Rolle als Gemahlin zu einer vollwertigen Göttin.

Die Fassade des Großen Tempels wird von vier kolossalen Sitzbildern von Ramses dominiert. Doch zur Unterstützung jedes Kolosses stehen davor in Dreiergruppen – eine an jeder Seite und eine davor – die selbstverständlich viel kleiner dargestellten, wichtigeren Frauen seiner innersten Familie. Nur zwei Männer, die ältesten Söhne der beiden Hauptfrauen von Ramses, gehören der Gruppe an, die aus der Königsmutter Tija, Königin Nofretiri und den Töchtern der Königinnen Nofretiri und Isisnofret I. besteht.

Der kleinere Tempel im Norden des Großen Tempels – offiziell Hathor von Ibschek (einer lokalen Form von Hathor) geweiht – war mit vier kolossalen Standbildern von Ramses und zwei von Nofretiri dekoriert. Nofretiri trägt die Hathorkrone mit Kuhhörnern, Sonnenscheibe und hohen Federn und das Sistrum (siehe Bild Seite 7). An der Seite von

(*Links*) Der Große Tempel von Abu Simbel mit vier kolossalen Sitzstatuen von Ramses II. Über dem Eingang steht die kleinere Figur des Re-Harachte, die Göttin Maat steht neben seinem linken Fuß und die Hieroglyphe für *User* neben dem rechten. Zusammen ergibt dieser Rebus „*User-maat-Re*", den Thronnamen von Ramses II.

(Seite 151) Nofretiri steht zwischen den Göttinnen Hathor (vor ihr) und Isis (hinter ihr). Alle drei tragen Uräusschlange, Modius, Sonnenscheibe und Kuhhörner, die sie mit dem Sonnenkult verbinden. Nofretete trägt außerdem die doppelten Federn.

Ramses und Nofretiri, wiederum viel kleiner, stehen ihre Kinder. Falls noch jemand Zweifel haben sollte, erzählt eine Inschrift auf der Fassade „Ramses II. schuf einen Tempel, in den Fels geschlagen, von ewig währender Arbeit ... für die Erste Königin Nofretiri, Geliebte der Mut, Nofretiri ... für die die Sonne scheint." Im Inneren findet man Bilder von Tempelritualen und, neben den üblichen Schlachtszenen, feminin orientierte Bilder der Göttinnen Hathor und Isis. Die Säulen der ersten Halle tragen Hathors Kopf, die Nische am Ende des Heiligtums zeigt Hathor, die göttliche Kuh, Beschützerin des Königs. An den Wänden des Heiligtums sehen wir Ramses, der den Gottheiten Ramses und Nofretiri opfert.

Die Tempel in Abu Simbel wurden im 24. Jahr feierlich eröffnet, aber erst etwa im 35. Jahr ganz fertiggestellt. Eine Stele, ein Geschenk des Vizekönigs Hekanacht, zeigt die Königsfamilie beim Besuch der Einweihungszeremonie. Wir sehen eine sitzende Nofretiri, mit allen königlichen Insignien und, auf einem zweiten Abschitt, ihre älteste Tochter Meritamun, die Ramses als seine Königin begleitet. Wir erhalten keine Erklärung, aber offensichtlich vertritt Meritamun ihre Mutter; vielleicht ist Nofretiri krank, oder Meritamun ist mittlerweile zur ständigen Helferin ihrer Mutter geworden (wie es Sitamun für Königin Teje war). Nofretiri fehlt bei Ramses' Jubiläumsfest im 30. Jahr, wahrscheinlich ist sie zu diesem Zeitpunkt bereits verstorben.

(Unten) Die Säulen in der ersten Halle des kleineren Tempels, geschmückt mit Hathorköpfen. Die Königinnen des Neuen Reichs fühlten sich oft zu Hathor hingezogen. Hier wird sie in der Form der lokalen Göttin Hathor von Ibschek verehrt.

NOFRETIRIS BEMALTES GRAB

Nofretiris langes Leben erlaubte es Ramses, für ihre Bestattung entsprechend vorzusorgen. Sie wurde in einem der größten Gräber im Tal der Königinnen (QV 66) beigesetzt. Ihr Grab wurde in der Antike geplündert, war dann lange Zeit verschollen und wurde 1904 von dem italienischen Ägyptologen Ernesto Schiaparelli wiederentdeckt. Alles, was von diesem einst so imposanten Begräbnis blieb, sind der glasierte Knopf mit dem Namen von König Eje, einige hölzerne *Uschebtis*, viele Tonscherben, Splitter eines goldenen Sarges, ein Teil des Sarkophags, ein Fragment eines Goldhalsbands und mumifizierte Knie – wahrscheinlich von Nofretiri –, heute in Turin.

Nofretiris Grab ist heute zu Recht berühmt wegen seiner gemalten Gipsdekorationen, die, einst traurig heruntergekommen, vor Kurzem von einem Team internationaler Restauratoren unter der Leitung des Museums J. Paul Getty (Los Angeles) in altem Glanz restauriert wurden. Unter einer eindrucksvollen Decke – dem blauen Nachthimmel, dekoriert mit Hunderten goldener Sterne – erzählen die Wände und Säulen des Grabes die körperliche und spirituelle Reise Nofretiris vom Zeitpunkt ihres Todes an in ein immerwährendes Leben nach dem Tod in Begleitung ihrer Götterkollegen. Im Vorzimmer beginnt die Geschichte. In mehreren farbenprächtigen Szenen sehen wir Nofretiri als bandagierte und maskierte Mumie auf einer Bahre, Nofretiri als wunderschöne Frau, die mit einem unsichtbaren Partner *Senet* (ein Brettspiel mit religiösem Hintergrund) spielt, und Nofretiri, die von Hathor und Isis, die mit ihren Sonnenscheiben, Kuhhörnern und gemusterten Kleidern einander und Nofretiri selbst verwirrend gleichen, begrüßt wird.

Die Göttin Maat spreizt weit ihre Flügel, um die tote Königin zu beschützen, wenn diese die Stufen zur Grabkammer hinabschreitet. Hier, im dunkelsten und privatesten Bereich des Grabes, sehen wir Darstellungen von fünf der zwölf Tore zu Osiris' Königreich. Nofretiri wird jedes Tor und jeden der drei göttlichen Torwächter mit Namen nennen müssen, bevor sie zu ihrer Auferstehung gelangt. Glücklicherweise helfen Sprüche aus dem Buch der Toten – einschließlich der Antworten auf die unzähligen Rätsel – der Königin auf ihrer Reise. Der Sarkophag der Königin aus Rosengranit (heute finden wir nur noch Fragmente davon, im Ägyptischen Museum in Turin) steht im Zentrum des Begräbnisrituals, er ist der „Bauch", aus dem die Königin letztendlich wiedergeboren wird. Über den Ausgang von Nofretiris gefährlicher Reise besteht kein Zweifel. Eine ganz in Rot gehüllte Nofretiri steht triumphierend in einem kleinen Raum, der sich zum Ausgang der Grabkammer hin öffnet.

(Seite 152) Nofretiris Grabkammer ist nach Südosten ausgerichtet. Die gegenüberliegende Wand zeigt drei der göttlichen Torwächter in ihren Höhlen sitzend. Die Säulen sind mit Darstellungen der Djed-Säule *– dem Rückgrat von Osiris, das die Auferstehung repräsentiert – bemalt.*

(Links) Nofretiri spielt Senet *gegen einen unsichtbaren Gegner. Ihre Züge auf dem Brett symbolisieren ihre eigene Reise in die Unsterblichkeit.*

(Unten) Die Nofretiri an der Ostwand der Treppe trägt ein weißes Leinenkleid, ein Perlencollier, Armbänder, Ohrringe, die Geierhaube und die Modiuskrone und opfert den Göttinnen Hathor (zu sehen), Selket und Maat. Auf der gegenüberliegenden Wand opfert die Königin Isis, Nephthys und Maat.

ISISNOFRET I	
Ehemann Ramses II. *Eltern* Unbekannt *Söhne* Ramses, Chaemwaset, Merenptah *Töchter* Bint-Anat I., Isisnofret II.?	*Titel* Große Königsgemahlin, Herrin beider Länder *Begräbnisstätte* Tal der Königinnen?

Isisnofret I.

Nachdem Nofretiri tot und begraben war, brauchte Ramses eine neue Gefährtin, die den femininen Aspekt seiner Regentschaft erfüllte. Viele Jahre lang glaubten Ägyptologen, dass er sich seiner bekanntesten zweiten Königin und Mutter einiger seiner Lieblingskinder, Isisnofret, zuwandte, doch wir haben kaum schlüssige Beweise dafür, dass diese Nofretiri überlebte. Ausgehend von den Geburtsdaten ihrer Kinder, die sich mit jenen von Nofretiris Kindern überschneiden, muss Ramses II. beide Frauen etwa zur selben Zeit geheiratet haben. Als zweite Gemahlin blieb Isisnofret im Hintergrund; wie erwartet fehlt sie an der Fassade der Tempel in Abu Simbel, obwohl ihre Töchter präsent sind. Nach Nofretiris Tod erscheint Isisnofret auf wenigen Monumenten neben dem König. Als Königsgemahlin sieht man sie mit Ramses und ihren Kindern auf Stelen, die in Assuan (24.–30. Jahr) und im Felsentempel von Gebel Silsila (33.–34. Jahr) aufgestellt wurden.

Ein Bild aus Gebel Silsila zeigt die Familie von Isisnofret I. Ramses II. ehrt den Gott Ptah, dahinter stehen Isisnofret I. und Bint-Anat I., darunter sieht man die Prinzen Ramses und Merenptah. Davor steht Prinz Chaemwaset. Nur Bint-Anat und Merenptah sollten ihren Vater überleben.

Doch diese Bilder wurden nicht von Ramses, sondern von Isisnofrets Sohn Chaemwaset errichtet, möglicherweise erst nach Isisnofrets Tod. Damit wäre er nicht der erste Ägypter, der seine persönliche Geschichte durch ein Loblied auf seine Mutter korrigierte (und verbesserte). Die Stele in Assun zeigt Isisnofret mit einem Blumenzepter und einer Lostosblüte oder einem Papyrus, auf der Stele in Gebel Silsila hält sie das Lebenssymbol *Anch*. Dies lässt vermuten, dass sie im Jahr 34 bereits tot war; vielleicht ist sie sogar vor Nofretiri gestorben. Mit Sicherheit wissen wir nur, dass sie bei der Geburt ihres Sohnes Merenptah eindeutig noch lebte.

Wir wissen nicht, wo Isisnofret bestattet wurde. Es scheint höchst wahrscheinlich, dass auch sie ein großartiges, bemaltes Grab im Tal der Königinnen erhielt, obwohl ein von Howard Carter entdecktes Ostrakon andeutet, dass sie im nahen Tal der Könige begraben liegt, da es folgende Maße angibt: „von dem für Isisnofret vorbereiteten Grab zum Grab von Meritamun 200 Ellen, vom Ende des Wassers des Himmels bis zu Isisnofrets Grab 400 Ellen."[28] Leider wurde dieses Grab noch nicht entdeckt, und man weiß nicht, ob es sich um jene Isisnofret handelt, die Ramses' II. Frau war.

Isisnofret hatte mindestens vier Kinder: die Prinzen Ramses, Chaemwaset und Merenptah sowie Bint-Anat, Ramses' II. erste und meistgeliebte Tochter. Prinzessin Isinofrets Name lässt vermuten, dass sie ebenfalls eine Tochter von Königin Isisnofret war. Seltsamerweise werden

EIGENNAMEN

Babys erhielten unmittelbar nach der Geburt einen Namen von ihren Müttern, damit man sich, egal, wie kurz sie lebten, an sie erinnern könne.

Alle außer den allerkürzesten ägyptischen Namen hatten eine Bedeutung. Wir kennen bereits Nofretete, „Eine Schöne ist gekommen"; dieser Name ist vergleichbar mit Nofrewati, „Die Schöne ist einzigartig", und Nofreteni, „Die Schöne ist für mich", Aneksi, „Sie gehört mir", und Senetenpu, „Sie ist unsere Schwester". Andere Kinder wurden nach ihren Eltern, Großeltern, Lieblingsgöttern oder Mitgliedern des Königshauses benannt.

Bint-Anats ungewöhnlicher kanaanitischer Name bedeutet „Tochter der [kanaanitischen] Göttin Anat". Könnte Isisnofrets Wahl eines exotischen Namens für ihre Tochter darauf hinweisen, dass sie eine ausländische Braut war? Wir haben keinerlei Informationen über Isisnofrets Geburtsfamilie, doch der Name ihrer Tochter könnte auch eine Finte sein. Keines ihrer anderen Kinder hatte einen fremdländischen Namen, wohl aber zwei andere Kinder Ramses' II.: Meher-Anat, „Kind von Anat", und Astarte-herwenemef, „Astarte hat recht". Die Kulte der ausländischen Göttinnen Anat und Astarte erfreuten sich während der Herrschaft von Ramses II. plötzlich auffallender Beliebtheit.

die Kinder der beiden Königinnen als gleichgestellt erachtet, obwohl Nofretiri in allen Belangen bedeutender als Isisnofret war. Wenn Ramses seine Kinder in seinem Tempel reiht, sind Geschlecht und Alter ausschlaggebend, weniger der Status ihrer Mütter. Alle Söhne beider Frauen wurden als potenzielle Thronfolger gesehen, und der Titel Kronprinz ging in der Reihenfolge ihrer Geburt von einem (Halb-)Bruder auf den nächsten über. Letztendlich erbte Isisnofrets Sohn Merenptah, der 13. Sohn von Ramses II., den Thron seines Vaters.

BINT-ANAT I.

Da sowohl Nofretiri als auch Isisnofret in seinem 34. Jahr bereits tot waren, musste Ramses II. noch eine Gemahlin wählen und heiratete nach dem Beispiel Amenophis' III. mindestens drei seiner Töchter, Bint-Anat, Meritamun und Nebettawi sowie seine „Schwester" Henutmire.

Bint-Anat, die älteste Tochter von Isisnofret und Ramses, wurde als Erste zur Königsgemahlin. Wir sehen sie in der Rolle der Königin auf einem spät fertiggestellten Relief auf einer der Säulen in der großen Halle von Ramses' Tempel in Abu Simbel. In Assun steht sie neben ihrer Mutter und ihren Brüdern Ramses, Chaemwaset und Merenptah.

Hier finden wir das erste und einzige Beispiel einer tatsächlich vollzogenen Ehe zwischen der Tochter einer Königin und ihrem Vater. Eine erwachsene Frau, als „Leibliche Tochter des Königs" betitelt, erscheint neben Bint-Anat an den Wänden ihres Grabs im Tal der Königinnen (QV 71). Bint-Anat trägt Geierhaube und Modiuskrone, ihr Name ist in eine Kartusche geschrieben. Ihre Tochter hat eine einfache Lotosblüte als Kopfschmuck und keinen Namen. Der Titel der Tochter ist vage und verwirrend, ihre Eltern bleiben ungenannt. Sie könnte tatsächlich die Tochter von Ramses II. sein, genauso gut aber auch seine Enkelin, deren

Bint-Anat I. und ihre Tochter, die „Leibliche Tochter des Königs", eine anonyme Frau, die statt einer Krone eine Lotosblüte trägt. Die möglichen Eltern dieser Tochter haben zu endlosen Diskussionen in der Wissenschaft geführt.

(*Seite 156*) Bint-Anat steht vor ihrem kolossalen Vater-Gatten Ramses II. im ersten Hof des Tempels in Karnak. Kolossalstatuen waren mehr als eine Dekoration. Jede Figur wurde als Mittler zwischen den Sterblichen und den Göttern verstanden. Die Statuen entwickelten ihre eigenen Kulte und hatten eigene Priester, und Menschen aller Bevölkerungsschichten errichteten Ehrenstelen für die Kolosse.

(*Unten*) Meritamun, die „Weiße Königin", wurde in der Nähe des Ramesseums entdeckt. Die Königin trägt eine reich geschmückte Perücke, doppelte Uräusschlangen und eine mit mehreren Uräusschlangen dekorierte Modiuskrone (siehe Seite 2).

Mutter Bint-Anat und deren Vater ein ungenannter Ehemann war und die geboren wurde, bevor Bint-Anat Königin wurde. In letzterem Fall wären auch Bint-Anat und ihre Schwestern nur dem Titel nach Königsgemahlinnen gewesen. Bint-Anat überlebte ihren Vater und starb während der Regierungszeit ihres Bruders Merenptah.

MERITAMUN

Wir haben Meritamun, die vierte Tochter von Ramses II., an der Seite ihrer Mutter Nofretiri bei der feierlichen Einweihung des Tempels in Abu Simbel gesehen. Meritamun starb während der Regierungszeit ihres Vaters und wurde im Tal der Königinnen bestattet (QV 68).

Wir haben eine Reihe eindrucksvoller Statuen von Meritamun. Eine davon, aus wunderschön bemaltem Kalkstein, zeigt eine anonyme, aber stereotyp ewig junge Königin des Neuen Reichs mit einer dreiteiligen Perücke und der Modiuskrone mit einer Vielzahl an Uräusschlangen. (Es wird allgemein angenommen, dass die Doppelfedern, die vom Modius in die Höhe ragen sollten, abgebrochen sind.) Sie wurde 1896 von Flinders Petrie in der Umgebung des Ramesseums gefunden. Die Statue wurde allgemein als „Weiße Königin" bekannt und erst 1981, fast ein Jahrhundert später, als Meritamun identifiziert, als eine verblüffend ähnliche, jedoch viel größere, benannte Statue in den Ruinen des Achmim-Tempels im Ramesseum gefunden wurde. Der 13 m hohe Koloss aus bemaltem Kalkstein trägt eine Modiuskrone mit vielen Uräusschlangen und Doppelfedern.

Eine zweite Kolossalstatue von Meritamun wurde in einem Tempel der Bastet, in Bubastis im Nildelta, gefunden. Die Statue aus Granit zeigt die Königin mit schwerer Perücke und Geierhaube.

NEBETTAWI

Nebettawi, Ramses' II. fünfte Tochter und ebenfalls eine Tochter von Nofretiri, folgte Meritamun als Königsgemahlin nach. Auch sie wurde im Tal der Königinnen bestattet (QV 60).

MAATHORNEFRURE	
Ehemann Ramses II.	*Kinder* Eine Tochter
Vater Hattusilis III., König der Hethiter	*Titel* Königsgemahlin
Mutter Puduchepa	*Begräbnisstätte* Medinet Gurob?

MAATHORNEFRURE

Seine ersten Regierungsjahre hatte Ramses II. der Konsolidierung seines Reichs und der Erweiterung des ägyptischen Einflussbereichs gewidmet. Im 5. Jahr fand die gefeierte Schlacht von Kadesch statt: Die ägyptischen Truppen, angeführt von dem tapferen Ramses selbst, stellten sich den gesammelten Heeren des Nahen Ostens unter der Führung des Hethiterkönigs Muwatallis entgegen. Ramses sprach von einem großen Sieg bei Kadesch – genauso wie Muwatallis. Tatsächlich gab es weder Sieg noch Sieger und die Lage im Nahen Osten blieb mehr oder weniger unverändert.

In Ramses' II. 21. Regierungsjahr unterzeichneten Ägypter und Hethiter einen Friedensvertrag, und Ramses wollte die neue Freundschaft durch die Heirat mit einer weiteren schönen jungen Braut, der ältesten Tochter des neuen Hethiterkönigs Hattusilis, festigen. Die Verhandlungen waren zäh, doch letztendlich einigte man sich auf die extravagante Mitgift und den ebenso extravaganten Brautpreis, und die Prinzessin wurde mit Öl gesalbt, um den Bund zu besiegeln. Die Braut reiste in

DIE FRAUEN VON DEIR EL-MEDINA

Die Arbeiter, die die Gräber im Tal der Könige und der Königinnen aushöhlten, lebten mit ihren Familien in dem eigenen Arbeiterdorf Deir el-Medina. Es bestand aus kleinen, aus Stein gebauten Terrassenhäusern und war von einem dicken Lehmwall umgeben, von dem aus die Aufseher beobachten konnten, wer das Dorf betrat oder verließ. Es wurde fast fünf Jahrhunderte lang durchgehend von etwa 120 Familien bzw. 1200 Personen bewohnt.

Der Anteil gut ausgebildeter und gebildeter Dorfbewohner war ungewöhnlich hoch. Dies schloss auch Frauen nicht aus, von denen zumindest einige lesen und schreiben konnten. Papyrus war extrem teuer, doch die örtlichen Geschäfte boten einen idealen Ersatz, den man überall finden, beschreiben und wegwerfen konnte. So hielten die Bewohner selbst die banalsten Ereignisse ihres Familienlebens fest und versorgten die Archäologen mit privaten Briefen, Einkaufs- und Wäschelisten, die wir sonst nirgendwo in Ägypten in den Häusern der „normalen Leute" finden.

Deir el-Medina war eine isolierte, verschworene Gemeinschaft, in der jeder jeden kannte. Daher gab es natürlich eine stets brodelnde Gerüchteküche. Paneb war einer der größten Unruhestifter. Er wurde nicht nur dabei ertappt, wie er königliche Grabstätten entweihte, er entehrte auch die Frauen des Dorfs:

... Paneb schlief mit Frau Tui, als sie mit dem Arbeiter Kenna verheiratet war, mit Frau Hunro, als sie mit Pendua lebte, und nochmals mit Hunro, als sie mit Hesisenebef zusammen war. Sein eigener Sohn sagte dies. Und nachdem er mit Hunro geschlafen hatte, schlief er mit ihrer Tochter Webchet. Dem nicht genug schlief auch sein Sohn Apahte mit Webchet ...[29]

Es gibt keinen Hinweis, dass sich Paneb einer dieser Frauen aufdrängte, doch in einem Dorf, in dem die Arbeiter regelmäßig ihre Familien allein und schutzlos zurückließen, da sie die Arbeitswoche in Hütten in der Nähe der Gräber verbrachten, galt Ehebruch als schweres Vergehen gegen die Gemeinschaft. Kein Wunder, dass jemand diesen Beschwerdebrief an den Wesir von Theben schrieb.

Ostrakon (Tonscherbe) aus der Ramessidenzeit, gefunden in Deir el-Medina, heute im Ägyptischen Museum, Turin. Eine spärlich bekeidete Tänzerin führt einen Überschlag vor.

(*Oben*) Hethiterbraut Maathornefrure und ihr Vater Hattusilis, dargestellt in Abu Simbel.

(*Unten*) Das stark zerstörte Bild der neuen Königin von Ägypten sowie ihre Kartusche auf einer Kolossalstatue von Ramses II.

Begleitung ihrer Mutter Puduchepa nach Syrien und wurde dort den Abgesandten Ägyptens übergeben. Ungeduldig wartete Ramses in seiner neuen Hauptstadt Per-Ramesse und fürchtete, dass das ungewöhnlich schlechte Wetter ihre Ankunft verzögern könnte. Doch seine inbrünstigen Gebete zu Seth, dem Gott des Sturms, wurden erhört, das Wetter schlug um, und die neue Braut erreichte ihren Bräutigam.

Eine Stele, die die Einzelheiten dieser hethitischen Heirat berichtet, wurde am Südende der Terrasse vor der Fassade des Großen Tempels in Abu Simbel aufgestellt. Sie ist das Gegenstück zu jener, die Ramses' göttliche Geburt wiedergibt. In einem höchst fantasievollen Bericht, der in krassem Gegensatz zur diplomatischen Korrespondenz steht, rühmt sich Ramses seiner neuen Braut als Kriegsbeute:

... Der große Prinz von Hatti sagte zu seinen Soldaten und Höflingen: „Seht. Unser Land wurde [von den Ägyptern] verwüstet ... Lasst uns alle Besitztümer ablegen und, mit meiner ältesten Tochter zuallererst, dem Guten Gott [Ramses] zum Frieden anbieten ...

Es ist unwahrscheinlich, dass der stolze Hattusilis diese Version der Ereignisse wiedererkannt hätte! Wir sehen die ganz und gar ägyptisch aussehende Braut mit locker fallendem Gewand, Geierhaube und Modiuskrone neben ihrem Vater stehen, der einen unägyptisch aussehenden Kopfschmuck trägt. Wie uns die Stele mitteilt, fand sie Ramses „schön im Herzen Ihrer Majestät" und „liebte sie mehr als alles". Sie erhielt einen passenden ägyptischen Namen, Maathornefrure (die Horus sieht, den sichtbaren Glanz von Re) und ungewöhnlicherweise (vielleicht aufgrund des Beharrens ihres Vaters) den Titel der Königsgemahlin, obwohl nach wie vor Bint-Anat und ihre Halbschwestern Meritamun und später Nebettawi in dieser wichtigsten und tief ägyptischen Rolle auftraten. Maathornefrure lebte einige Zeit in Per-Ramesse und zog sich dann in den Haremspalast von Medinet Gurob zurück. Dort fand Flinders Petrie ihre Ausstattungsliste aus Papyrus, die „Stoffballen, 28 Ellen und 4 Handbreit lang und 4 Ellen breit" enthielt. Die neue Königin gebar eine Tochter – zur Enttäuschung ihres Vaters, der gehofft hatte, sein Enkel würde einst Ägypten regieren – und verschwand dann. Wir müssen annehmen, dass Maathornefrure jung starb.

Eine zweite Hethiterbraut

Zehn Jahre später handelte Ramses erfolgreich die Heirat einer zweiten Tochter Hattusilis' aus. Der Name der Braut wird nicht erwähnt, und wir wissen nichts über ihr Eheleben in Ägypten. Doch dies könnte noch nicht das Ende der Heiratsabenteuer des Pharao gewesen sein. Eine einzelne Stele aus Kesweh, 25 km südlich von Damaskus, datiert mit dem 56. Jahr seiner Regierung, spricht von unüblich starker ägyptischer Aktivität in diesem Gebiet. Wir wissen nicht, warum diese Stele errichtet wurde, doch es ist gut möglich, dass eine dritte hethitische Prinzessin, dieses Mal die Tochter von Tudchalia IV., südwärts zu ihrem Bräutigam reiste.

19. DYNASTIE
1292–1190

Isisnofret II.
Bint-Anat II.
Baketwerel I.
Tachat
Tausret

ISISNOFRET II.	
Ehemann Merenptah *Vater* entweder Ramses II. (mit Isisnofret I.) oder Chaemwaset *Sohn* Seti-Merenptah (Sethos II.)	*Tochter* Isisnofret *Titel* Große Königsgemahlin *Begräbnisstätte* Theben

Isisnofret II.

Schlussendlich folgte Merenptah, etwa 60 Jahre alt, seinem Vater auf den Thron. Er war mit Isisnofret II. verheiratet. Lange Zeit hielt man diese Dame für seine etwas ältere Schwester, die sechste Tochter Ramses' II. und Tochter von Nofretiri. Doch in der Ramessidenfamilie gibt es unzählige Frauen namens Isisnofret, daher könnte sie auch Merenptahs Nichte, die Tochter seines Bruders Chaemwaset sein. Dies würde erklären, warum die Königin nie den Titel Königstochter benutzte. Sie gebar ihrem Gatten mindestens zwei Kinder: eine Tochter, Isisnofret, und einen Sohn, Seti-Merenptah.

Bint-Anat II.

Die „Königstochter, Königsschwester, Große Königsgemahlin Bint-Anat" erscheint auf einer Statue Merenptahs, die vor dem Tor zum Tempel in Luxor errichtet wurde. Manche Ägyptologen schlossen daraus, dass Bint-Anat, die Tochter Ramses II., ihren Bruder nach dem Tod des Vaters heiratete. Doch angesichts ihres Alters – sie war bei Merenptahs Thronbesteigung schon mindestens 60 – und der Tatsache, dass sie auch seine Stiefmutter war, scheint dies unwahrscheinlich. Bei Bürgerlichen war es durchaus üblich, ein zweites Mal zu heiraten, doch mit Ausnahme von Hetepheres II. im Alten Reich gibt es keinen gesicherten Beweis für die Wiederverehelichung einer verwitweten Königin. Der Vorschlag, dass es sich dabei um Bint-Anat II., die anonyme Tochter aus dem Grab von Bint-Anat I., handelt, erscheint weit vernünftiger. Es kann aber auch sein, dass sich Merenptah eine Statue aneignete, die eigentlich seinem Vater Ramses II. gehörte.

Baketwerel I.

Seti-Merenptah, der Sohn von Isisnofret II., „Erbe beider Länder, Generalissimus und Ältester Prinz", sollte eindeutig die Krone seines Vaters erben. Doch irgendetwas ging gewaltig schief, und nach 10 Regierungsjahren wurde zur allgemeinen Überraschung der unbekannte und nirgendwo erklärte Amenmesse Merenptahs Nachfolger.

Baketwerel I. – war sie die Königin von Amenmesse oder von Ramses IX.? – auf einem schlecht erhaltenen Bild an der Wand von Amenmesses Grab (KV 10).

Nun folgt eine sehr verwirrende Periode, was noch durch die Unart, die Namen der Könige und Königinnen von deren Monumenten zu entfernen, weiter verstärkt wurde. Da wir keinen Hinweis auf Amenmesses Eltern haben, können wir nur annehmen, dass er ein Mitglied der königlichen Familie, vielleicht ein Sohn Merenptahs mit einer Zweitfrau, ein Sohn Seti-Merenptahs oder ein junger Sohn oder Enkel Ramses II. war. Er könnte auch mit dem Vizekönig von Nubien, Messui, der unter Merenptah diente, identisch sein.

Amenmesse teilte sein Grab im Tal der Könige (KV 10) mit zwei Damen: Tachat (vermutlich die Königsmutter Tachat, Seite 162) und der Großen Königsgemahlin Baketwerel I. Man nimmt allgemein an, dass Baketwerel Amenmesses Gattin war, doch ihr genaues Verhältnis wird nirgendwo erklärt. Es besteht daher eine hohe Wahrscheinlichkeit, dass sich dieses Grab jemand, vielleicht die Gemahlin Ramses IX. aus der 20. Dynastie, die denselben Namen trug, angeeignet hat.[30]

Das unfertige Grab KV 10, ursprünglich mit Szenen aus der Litanei des Re und dem Buch der Toten dekoriert, wurde mit neuen Gipsreliefs geschmückt, auf denen Tachat (im Quellraum) und Baketwerel (erste Säulenhalle) vielen Göttern Opfer darbringen. Leider ist der meiste Gips zerbröckelt, nur ein Relief ist erhalten, das Baketwerel im engen Kleid mit Perlencollier, kurzer Perücke und Uräusschlange in Gesellschaft der Götter Anubis und Horus zeigt. Das Grab war über Jahrhunderte bekannt und öffentlich zugänglich, sodass nur wenige Grabbeigaben erhalten sind und seine Geschichte schwer zu rekonstruieren ist. Nicht jeder, der ein Grab baute, wurde darin auch begraben. Doch wenigstens lassen Teile von Tachats zerbrochener Kano-

penvase und der Deckel des Granitsarkophags (di-
sie sich selbst von einer früheren Königstochte
und Königsgemahlin, Anuketemhab, angeeigne
hatte) darauf schließen, dass zumindest sie in die
sem Grab beigesetzt wurde.

Tachat

Amenmesses Mutter Tachat hat ihr eigenes Ge
heimnis. Eine Statue, die noch immer in Karnak
steht, zeigte ursprünglich Pharao Amenmesse
doch da sie in der Antike usurpiert wurde, trägt si
jetzt den Namen von Sethos II. Auf dem Rücken
pfeiler der Statue befindet sich das etwas kleiner
Relief der „Königstochter und Königsgemahlin"
Tachat. Tachat trägt ein dünnes Kleid, eine kurz
Perücke und die Uräusschlange. Die Inschrift wur
de ebenfalls in der Antike geändert. Ihr ursprüngli
cher Titel „Königsmutter" ist noch immer unte
der Gravur „Königsgemahlin" zu sehen. Ein
zweite Statue, heute im Ägyptischen Museum
Kairo, beschreibt Tachat auch als Gemahlin von
Sethos II. Diese Inschrift wurde nicht verändert.[31]

Möglicherweise handelt es sich um zwei Köni
ginnen namens Tachat. Wenn nicht, sprechen die
se Beweise für den etwas perversen Umstand, dass
Tachat sowohl die Gemahlin von Sethos II. als
auch die Mutter seines Vorgängers Amenmesse
war. Sie könnte daher jene Prinzessin Tachat sein
die man unter den Nachkommen Ramses' II. fin
det. Wie war es Amenmesse gelungen, seinem
mutmaßlichen Vater Seti-Merenptah die Krone
wegzuschnappen? Vielleicht war der alte Seti-Me
renptah nicht bei Hofe, als sein Vater starb, und
schaffte es nicht, während der 70-tägigen Einbal
samierungszeit heimzukehren. Amenmesse
könnte daraufhin den Thron beansprucht haben
da dies per Tradition jenem Erben garantiert wird
der den früheren Pharao zu Grabe trägt. Eine ande
re Vermutung – getragen durch den Umstand, dass
alle Zeugnisse von Amenmesses Regentschaft aus
Südägypten stammen – nimmt an, dass Seti-
Merenptah unmittelbar als Sethos II. den Thron
bestieg, im Süden jedoch vom Thronräuber
Amenmesse (sein Sohn?) ersetzt wurde. Vier Jahre
später, als Amenmesse starb, beanspruchte
Sethos II. dann wieder das ganze Reich.

FAMILIE UND TITEL

TACHAT	TAUSRET
Ehemann Sethos II.? *Vater* Ramses II.? *Sohn* Amenmesse *Titel* Königstochter, Große Königsgemahlin, Königsmutter *Begräbnisstätte* Tal der Könige (KV 10)	*Thronname* Satra-merit-Amun *Ehemann* Sethos II. *Kinder* Eine Tochter möglich; Stiefmutter von Siptah *Titel* Große Königsgemahlin, Herrin von Ober- und Unterägypten, Herrin beider Länder, Gottesgemahlin, Pharao *Begräbnisstätte* Tal der Könige (KV 14)

(*Seite 162*) Königin Tachat steht auf der linken Seite des Rückenpfeilers der Statue ihres Sohnes Amenmesse in Karnak. Ihr Gatte Sethos II. hat sich diese Statue später angeeignet.

TAUSRET

Sethos II. regierte mit Tausret als seiner Gemahlin sechs unauffällige Jahre lang als unangefochtener Herrscher über ganz Ägypten. Da der Thronerbe bereits tot war, ging der Thron anschließend an einen bisher unbekannten jungen Mann. Siptahs Eltern werden nirgendwo genannt, doch er war wahrscheinlich entweder ein Sohn Sethos' II. mit einer Zweitfrau (vielleicht der Ausländerin Sutirajah) oder des in Ungnade gefallenen Amenmesse. Im 3. Regierungsjahr änderte der König seinen Namen zu Merenptah-Siptah, ist heute jedoch allgemein als Siptah bekannt.

Siptah, noch minderjährig und möglicherweise krank – seine Mumie hatte ein verkrümmtes Bein, ein Zeichen zerebraler Kinderlähmung –, brauchte eine Regentin. Da seine Mutter dafür nicht in Frage kam (War sie bereits tot? Eine Bürgerliche? Ausländerin?) übernahm Sethos' Gemahlin Tausret die Macht im Namen ihres Stiefsohns. Hier haben wir wiederum eine herausragende Dame unbekannter Herkunft, die nicht den Titel Königstochter trug, jedoch ein Mitglied der weiteren königlichen Familie gewesen sein könnte. In einem kleinen Versteck im „Goldenen Grab" – heute nur mehr ein Schacht im Tal der Könige (KV 56) – gefundener Schmuck aus der 19. Dynastie verbindet den Namen Tausrets mit dem ihres Gatten Sethos II. Verzierte Silberarmreifen aus demselben Grab zeigen die Königin, die ihrem sitzenden Gatten ein Getränk eingießt – ein Symbol für Fruchtbarkeit und Wiedergeburt. Ursprünglich glaubte man, die traurigen Überreste von Tausrets eigenem Begräbnis gefunden zu haben, es könnte sich aber auch um die stark verfallene Begräbnisstätte einer jungen Tochter von Tausret und Sethos II. handeln.

Schatzmeister Bay

Zu Beginn ihrer Regentschaft wurde Tausret vom „Schatzmeister des ganzen Landes", Bay, einem Mann, dessen ungewöhnlicher Name auf syrische Abstammung schließen lässt, unterstützt. Bays genaue Rolle bleibt unklar, sein Anspruch, „den König auf des Vaters Thron gesetzt" zu haben, deutet an, dass er entscheidend daran beteiligt war, dass der junge Siptah – und Tausret – den Thron bestieg und behielt. Bay wurde sowohl mit Siptah (hinter dessen Thron stehend, eine ungewöhnliche Ehre für einen Bürgerlichen) als auch mit Tausret (auf dem Torpfosten des Tempels in Amada steht er der Königin gegenüber) abgebildet. Vier Jahre lang war Bay die graue Eminenz in Ägyptens Politik; dann verschwand er, wie Senenmut vor ihm. Ein Ostrakon berichtet von Bays Hinrichtung im 5. Regierungsjahr Siptahs. Mit seinem Tod wurde Tausret Alleinregentin.

Die Pharaonin Tausret

Eine Königsgemahlin Siptahs ist nicht bekannt, was aber nicht bedeutet, dass es keine gab. Da Tausret sehr effektiv an seiner statt regierte, sah er – oder vielleicht sie – möglicherweise keinen Bedarf für eine weitere mächtige weibliche Figur. Tausret selbst konnte weiterhin die Aufgaben der Königsgemahlin erfüllen. Siptahs Tod mit nur 20 Jahren ließ Ägypten ohne offensichtlichen Thronerben. Da trat Tausret vor, sichtlich ohne großen Widerstand, und wurde zum vollwertigen weiblichen Pharao: „Tochter des Re, Dame von Ta-merit, Tausret, von Mut auserwählt."

Oberflächlich betrachtet erinnern die Umstände ihrer Thronbesteigung – das Fehlen eines Sohnes, der junge Stiefsohn, ein mächtiger männlicher Unterstützer – an Hatschepsuts Machtergreifung 250 Jahre zuvor. Doch während Hatschepsut ein florierendes Königreich mit stabilen politischen Verhältnissen übernahm, stand Tausret einer schnell eskalierenden Krise gegenüber. Ihre Machtergreifung selbst kann als Zeichen des Niedergangs der einst so mächtigen 19. Dynastie gesehen werden. Das Königshaus war schwach und, wie wir sahen, zerstritten – der fruchtbare Ramses hatte zu viele Nachfolger hinterlassen, deren Ansprüche allesamt wenig fundiert waren. Das einst blühende, wohlhabende Reich verkam. Es gab Inflation, Lebensmittelknappheit und immer wieder Unruhen im Westen Thebens, wo die Arbeiter in den Nekropolen beim leisesten Anzeichen politischer Schwäche nur zu bereitwillig ihre Werkzeuge niederlegten. Zu allem Überfluss bedrohten an der Westgrenze libysche Stämme die Sicherheit des Nildeltas.

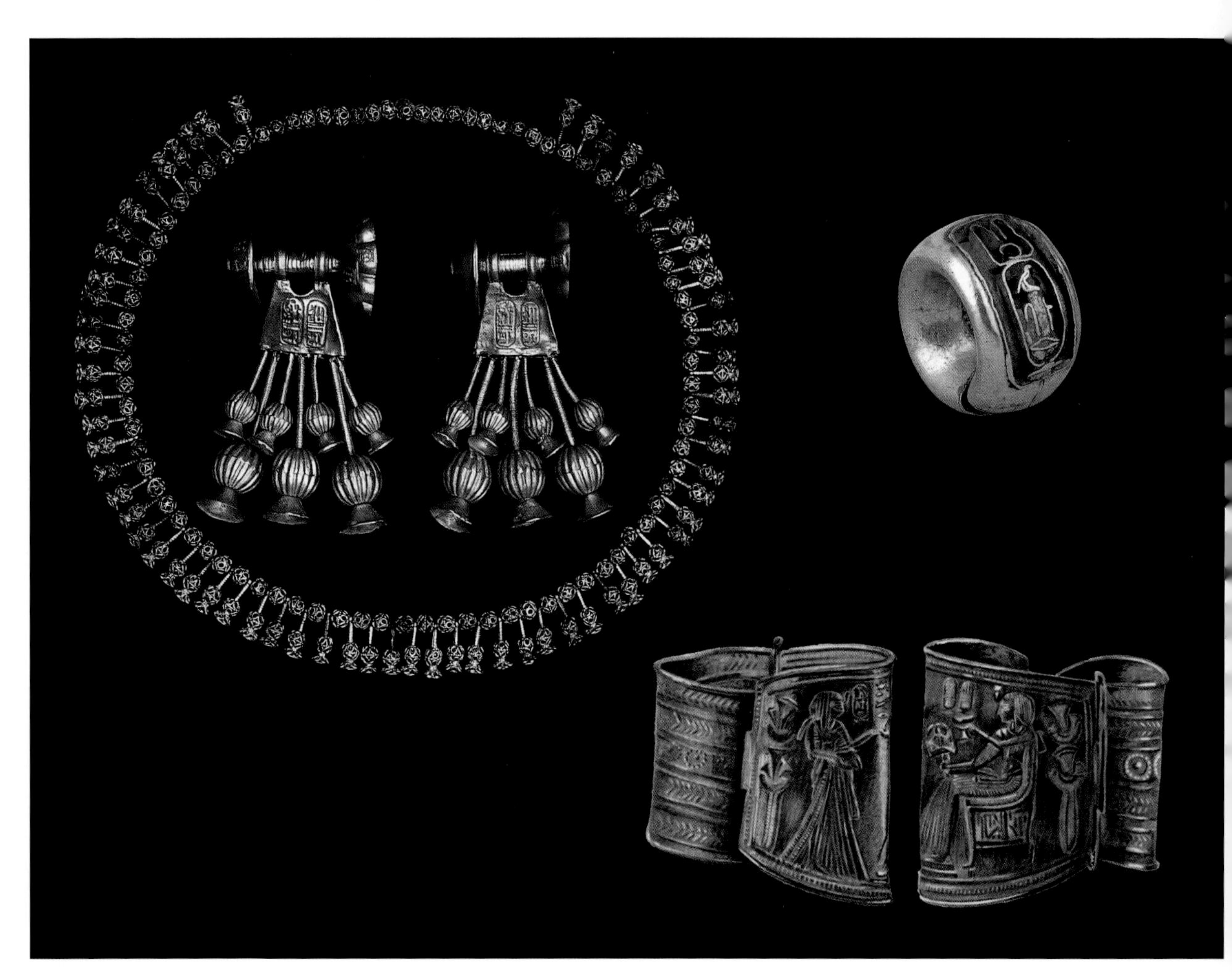

Schmuck aus Grab KV 56, dem „Goldenen Grab", das Edward Ayrton 1908 entdeckt hatte. Die Goldperlen und Ohrringe sind mit dem Namen Sethos' II. beschriftet. Die Silberarmreifen, veranschaulicht von Harold Jones, sind mit den Namen von Sethos II. und Tausret beschriftet und zeigen die Königin, die ihrem Gatten ein Getränk eingießt – ein Symbol für Verjüngung. Der einzelne Goldohring trägt Tausrets Kartusche, darüber Straußenfedern. Die Kartusche ist sonderbar angebracht, beim Tragen der Ohrringe stehen die Hieroglyphen auf dem Kopf.

In Tausrets Grabkammer (KV 14) finden sich Szenen aus dem Buch der Tore und dem Buch der Höhlen sowie eine mit astronomischen Details verzierte Decke. Hier, in der Schlussszene des Buchs der Höhlen, sehen wir den Lauf des Sonnengottes als Käfer, Sonnenscheibe und widderköpfigen Vogel.

Die kurze Regierungszeit

Tausret regierte knapp zwei Jahre lang und schlägt sich in den archäologischen Funden kaum nieder. Sie setzte Siptahs Politik fort (wodurch sie spätere Historiker leicht übersahen), ihre vollständige Königstitulatur ist nicht überliefert und ihre einzigen bedeutenden Monumente sind ihr unfertiger Totentempel, der im Süden des Ramesseums stand, und ihr Grab im Tal der Könige. Ihr Tempel, erstmals entdeckt von Petrie, wird zurzeit von einem Team der University of Arizona unter der Leitung von Richard H. Wilkinson neu untersucht. Petries Ausgrabungen waren allem Anschein nach unvollständig, und der Tempel war vollständiger als bisher angenommen. KV 14 hat eine komplizierte Geschichte. Bei Baubeginn unter Sethos II. könnte es für den König und seine Königin geplant gewesen sein. Das Grab wurde unter Tausrets Regentschaft ausgebaut und nochmals während ihrer Alleinregierung, blieb aber bis zu ihrem Tod unvollendet. Sethnacht, der erste Pharao der 20. Dynastie, eignete sich das Grab an und baute es zu einem der größten im Tal aus. Er entfernte Tausrets sterbliche Überreste (Verbleib unbekannt) und verlegte Sethos II. in

Siptah, „umetikettiert" als Sethos II., opfert dem Gott der Erde Geb, dahinter Tausret mit dem konventionellen Kopfschmuck einer Königin des Neuen Reichs: Federn, Modiuskrone und Sonnenscheibe.

Grab KV 15. Tausrets Steinsarkophag wurde in der 20. Dynastie für eine Bestattung verwendet, Sethnachts Begräbnisstätte wurde geplündert und das Grab in der Dritten Zwischenzeit nochmals belegt.

Die Wandgemälde in Tausrets Grab erzählen verkürzt die Geschichte ihrer Karriere. Im ersten Korridor sehen wir sie als Königsgemahlin und Regentin. Dort steht sie hinter Siptah, der dem Gott Geb opfert. Dass der Name des jungen Pharao durch den Namen Sethos II. ersetzt wurde, legt nahe, dass Tausret eher mit ihrem Gatten als mit ihrem schwachen Stiefsohn assoziiert werden wollte. Diese Änderung hat zu der Annahme geführt, dass Tausret ihren Stiefsohn geheiratet haben könnte, um ihren Thronanspruch zu festigen; es gibt jedoch keine weiteren Beweise für die These. Weiter hinten im Grab erscheint Tausret eindeutig als Pharao von Ägypten.

Tausrets Mumie wurde nie gefunden, obwohl manche Experten vermuten, dass eine anonyme weibliche Mumie, die „Unbekannte Frau D", aus dem Grabversteck von Amenophis II. die verschwundene Königin sein könnte. Die Mumie befindet sich heute in Kairo (im Ägyptischen Museum) und wurde 1905 ebendort von dem Anatomen Grafton Elliot Smith, assistiert von Howard Carter, obduziert. Nachdem Smith die Bandagen und den Turban, der das üppige Haar der Mumie sorgfältig verdeckte, vorsichtig entfernt hatte, stellte er fest:

... eine extrem ausgemergelte Frau mit offensichtlich totaler (Alters-?) Atrophie der Brüste. Ihr Haar ist gut erhalten und wurde zu einer Reihe kleiner Locken gedreht, in der Art, wie sie moderne Frauen als „Empirelocken" bezeichnen würden. Sie hat eine markante, schmale, scharfkantige Nase, doch der Druck der Bandagen hat die Knorpel zerstört und ihre Schönheit verdorben. Sie hatte gerade Brauen und ein langes, hängendes Kinn. Das Einwickeln hat dem Mund einen schmollenden Ausdruck verliehen und das natürliche Gesichtsprofil weiter gestört.[32]

Die „Unbekannte Frau D" wurde in einem zerbrochenen Sarg im Grab Amenophis' II. gefunden, dessen Deckel den Namen Sethnachts trug. Bis man 1905 das wahre Geschlecht der Mumie entdeckte, hielt man sie für Sethnacht.

Tausret verschwindet mit einer Abruptheit, die uns misstrauisch macht. Ist sie, noch im Amt, eines natürlichen Todes gestorben? Oder wurde sie von ihrem Nachfolger, dem geheimnisvollen Sethnacht, abgesetzt? Seine Stele in Elephantine weist stark darauf hin, dass er seinen Vorgänger entmachtet hat. Ihr Verschwinden markiert das Ende der 19. Dynastie. Der Historiker Manetho bewahrt die Erinnerung an sie als „König Thuoris, den Homer Polybus nennt, Gatte der Alcandara, zu dessen Zeit Troja erobert wurde".

20. DYNASTIE
1190–1069

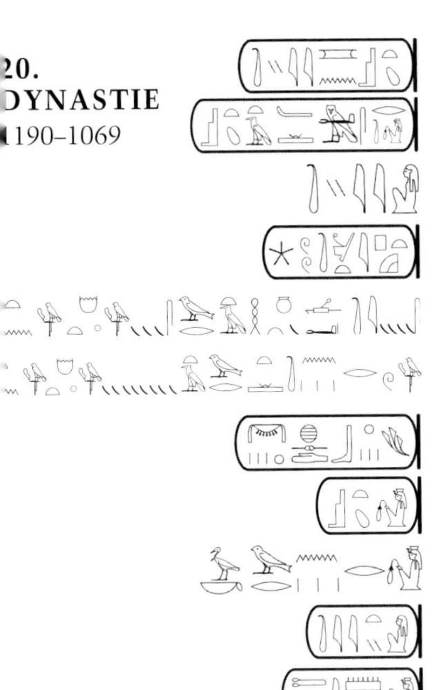

Teje-Mereniset
Isis Ta-Hemdjert
Teje
Tentopet
Henuttawi
Taurettenru
Nubchesbed
Isis
Baketwerel II.
Titi
Tentamun

(Rechts) Isis Ta-Hemdjert, wie sie auf einer Statue erscheint, die ursprünglich von Ramses IV. in Auftrag gegeben wurde, die sich aber Ramses VI. aneignete (Museum Luxor). Die beiden Pharaonen könnten Brüder gewesen sein, ihre Regierungszeiten wurden jedoch durch Ramses V., den Sohn Ramses' IV., unterbrochen.

TEJE-MERENISET

Die 20. Dynastie wurde vom geheimnisumwitterten Sethnacht, möglicherweise ein Sohn oder Enkel Ramses' II. und Usurpator von Tausrets Grab, gegründet. Er regierte kaum zwei Jahre und hinterließ keine bemerkenswerten Monumente. Noch weniger weiß man über seine Gemahlin Teje-Mereniset, die Mutter Ramses' III.

ISIS TA-HEMDJERT

Ramses III. richtete seine Politik ganz an dem bereits legendären Ramses II. aus und gab seinen Söhnen sogar dieselben Namen und Titel. Doch er lebte in anderen Zeiten. Ägyptens Grenzen wurden wieder einmal bedroht, nicht nur von den Libyern, sondern auch von Piraten, die das östliche Mittelmeer tyrannisierten und die Schließung der Handelsrouten erzwangen, die die internationale Gemeinschaft viele Jahrhunderte geeint hatten. Ramses musste das erste Drittel seiner Regentschaft der Verteidigung Ägyptens widmen, eine teure und kräfteraubende Aufgabe.

Die nächsten 22 Jahre waren friedlicher, sodass Ramses ein ehrgeiziges Bauprogramm in Angriff nehmen konnte, dem nur Geldmangel Grenzen setzte. Ägypten steuerte, wie viele Länder des Mittelmeers, langsam aber sicher auf den wirtschaftlichen Ruin zu. Missernten bedingten Lebensmittelknappheit und hohe Inflation, was wiederum zu Unruhen in Theben führte. Die Bürokratie, jahrhundertelang das Rückgrat der Mittelmeerstaaten, war ausufernd, demotiviert und korrupt geworden, während die immer mächtiger werdende, halbautonome Priesterschaft des Amun zunehmend die göttliche Legitimation des Königs in Frage stellte.

ISIS TA-HEMDJERT	
Ehemann Ramses III. *Mutter* Hemdjert oder Hebnerdjent *Söhne* Ramses IV.?, Ramses VI.	*Titel* Große Königsgemahlin, Königsmutter, Gottesgemahlin *Begräbnisstätte* Tal der Königinnen (QV 51)

Nach dem Beispiel Ramses' II. legte sich auch Ramses III. einen großen Harem zu, der ihn mit mindestens zehn Söhnen versorgte. Wir sehen einige seiner Frauen, namenlos, an den Wänden des Migdol-Tors, dem Ostportal seines Tempelbezirks in Medinet Habu in Theben, wo auch einer seiner Haremspaläste stand. Die Große Königsgemahlin, die in Medinet Habu erwähnt wird, bleibt namenlos, ihre Kartusche ist sonderbarerweise leer, doch vermutlich handelt es sich um Isis Ta-Hemdjert, die Mutter Ramses' VI. und die Tochter einer Dame mit dem fremd klingenden Namen Hemdjert oder Hebnerdjent. Isis erscheint auf einer Statue Ramses' III. im Mut-Tempel in Karnak und auf einer während der Regierung ihres Sohnes entstandenen Szene aus Deir el-Bakhit (Dra Abu el-Naga) zur Feier der Einsetzung ihrer Enkelin, ebenfalls eine Isis, als Gottesgemahlin des Amun. Sie wurde vielleicht im Tal der Königinnen beigesetzt (QV 51).

Königin Teje und die Haremsverschwörung

Das Leben im Harem war bequem, aber langweilig. Es gab nur einen Ausweg für eine ehrgeizige Frau: Sie wurde zur nächsten Königsmutter. Ihr Sohn musste zum Pharao werden, bevor einer seiner Halbbrüder den Thron erbte und er von der Thronfolge ausschied. In der Regel war der Thronfolger der Sohn der Königsgemahlin, doch nicht immer. Nicht alle Gemahlinnen hatten Söhne, und es gab immer die Chance, dass ein Lieblingssohn einer jüngeren Frau seinem Vater nachfolgte. Wir haben keine Berichte über das Haremsleben und können das Maß an Intrigen und Manipulation, das notwendig war, um die Aufmerksamkeit des Pharao auf einen weniger wichtigen Sohn zu lenken, nur erraten.

Wir wissen allerdings, dass zumindest eine von Ramses' Haremsfrauen die Sache nicht dem Zufall überlassen wollte. Eine Sammlung von Gerichtsunterlagen aus dieser Zeit erzählt Details einer Verschwörung ausgehend vom „Harem der Begleiterinnen" und der Nebenfrau Teje, die von einigen hohen Beamten unterstützt wurde. Ramses sollte getötet werden, das Volk sich erheben und der Thron an Tejes ansonsten unbedeutenden Sohn gehen, einen jungen Mann namens Pentaweret. Pentaweret bedeutet „der Eine [männlich] der Großen [weiblich]" – die weibliche Große sollte wahrscheinlich seine Mutter Teje sein – und war sicher nicht der richtige Name des Prinzen. In Prozessberichten wurden gerne „gute" ägyptische Namen – zum Beispiel mit dem Namen eines Gottes – durch passender erscheinende „schlechte" Namen ersetzt, und dieser war wohl das Äquivalent zum Titel „Große des Zepters", der uns im Alten Reich bei der Haremsverschwörung gegen Pepi I. begegnet ist.

Das unvorstellbare Verbrechen

Königsmord sollte ein undenkbares Verbrechen sein. Ramses III. war unantastbar, ein Halbgott, der einzige Sterbliche, der *Maat*, das so entscheidend für das Wohlergehen Ägyptens war, bewahren konnte. Der Mord an dem Pharao war nicht nur Hochverrat, sondern ein Akt der Häresie, der die ganze Welt bedrohte. Seine Frau sah das allerdings anders.

(*Oben*) Der Tempelbezirk von Ramses III. in Medinet Habu wurde fast sicher dem weniger gut erhaltenen Ramesseum, das das große Vorbild des Königs, Ramses II., hatte errichten lassen, nachempfunden. Der riesige Komplex umfasste den Totentempel des Pharao selbst (der wiederum eine Reihe Zimmerfluchten und den Göttern Ägyptens geweihte Kapellen enthielt) sowie einen Palast, einen Harem, Verwaltungsgebäude und Lagerhäuser.

(*Seite 168, oben*) Die beiden Fenster der Erscheinung im Migdol, dem Osttor des Tempelbezirks in Medinet Habu, gleichen dem Zugang zu einer syrischen Festung, einem *Migdol* (Zwinger). Hier stand Ramses II. und sprach zu seinem Volk, und hier starb er vielleicht auch.

(*Seite 168, unten*) Der Migdol zeigt Ramses III. in einigen intimen Szenen mit ungenannten Frauen. Hier liebkost er im Sitzen eine anonyme Dame.

Der erste Mordversuch verließ sich allein auf Zauberei, ein völlig logischer Ansatz für ein Volk, das an das Übernatürliche glaubte. Töten aus der Ferne war ein akzeptierter Teil ägyptischer Rituale, und jeder wusste, dass durch das symbolische Zerschmettern eines gefangenen Feindes durch den König an der Wand eines thebanischen Tempels viele Meilen weit weg große Teile des feindlichen Heeres geschwächt, wenn nicht gar tot umfallen würden. So versuchten die Verschwörer den König durch Wachsfiguren und mächtige Zaubersprüche zu ermorden. Zum Glück für Ramses konnten sie gefangen genommen werden, bevor sie Schaden anrichteten. Zwei fast identische Dokumente aus dieser Zeit – Papyrus Rollin und Papyrus Lee – sind, wie so viele ägyptische Texte, ärgerlicherweise äußerst vage, doch wir erhalten eine gute Vorstellung von der Abfolge der Ereignisse, hier etwa im Papyrus Rollin:

Es geschah, weil man Sprüche erfand, um zu bezaubern, zu bannen und zu verwirren. Weil manche Götter und manche Männer aus Wachs gemacht wurden … Er wurde befragt, und jeder Vorwurf und jedes Verbrechen erwies sich als wahr … Diese Taten verdienten den Tod … Und als er begriff, dass seine Taten todeswürdig waren, brachte er sich selbst den Tod.[33]

Selbstverständlich verdiente dieses ruchlose Verbrechen die härteste aller Strafen. Im alten Ägypten bedeutete dies einen qualvollen Tod, entweder durch Pfählen auf einem spitzen Holzpfahl, der sich durch den Körper bohrte, oder durch Verbrennen. Es überrascht nicht, dass der Täter stattdessen Selbstmord beging, und ebensowenig, dass die Palastbeamten angesichts eines solchen Haremsskandals dies erlaubten.

Der nächste Plan war aus unserer Sicht weit praktischer. Der König sollte bei einem religiösen Fest in seinem Totentempel in Medinet Habu in Theben getötet werden. Man ist versucht anzunehmen, dass der König

(*Rechts*) Die Hieroglyphe für „auf einen Holzpfahl stecken". Tod durch Pfählen bedeutete qualvolles, sich oft lange hinziehendes Sterben.

Der verblüffend lebensechte, unbandagierte Kopf von Ramses III. inspirierte Boris Karloff zu seiner Darstellung in dem Film „Die Mumie". Der Körper des Königs, geschützt durch verhärtete Bandagen, die mit Harz imprägniert waren, wurde niemals ausgewickelt, daher war es nicht möglich festzustellen, woran der König starb. Ägyptisches Museum, Kairo.

im intimsten und unbewachtesten Bereich des Haremspalasts in Medinet Habu ermordet werden sollte. Wir wissen, dass der Plan ausgeführt wurde und dass er letztendlich misslang, da man die Verschwörer gefangen nahm und Ramses III. vom vorgesehenen Erben, Ramses IV., abgelöst wurde. Unklar ist, ob Ramses III. den Anschlag überlebte. Seine Mumie aus dem Versteck von Deir el-Bahari bleibt teilweise eingepackt und kann daher nicht obduziert werden. Sie zeigt keine offensichtlichen Verletzungen, doch wir wissen auch nicht, welche Waffen man verwendete und wonach wir suchen müssen. Sollte er vergiftet oder erstickt worden sein, könnte es auch keinerlei Wunden geben. Zeitgenössische Berichte über den Prozess sind weniger aufschlussreich als erhofft. Der Papyrus Turin deutet an, dass Ramses selbst dem Gericht vorsaß, doch dies könnte ein literarischer Kunstgriff sein, vergleichbar dem angeblichen Brief des definitiv toten Königs der 12. Dynastie, Amenemhat, an seinen Sohn.

Der Prozess

Zunächst agierte das Gericht wie erwartet. In drei Einzelprozessen wurden insgesamt 38 Personen zum Tod verurteilt, entweder durch Hinrichtung oder durch Selbstmord:

Der große Feind Pabakkamun [„Blinder Diener"; wahrscheinlich eine Verballhornung von Pabeken-Amun, „Diener Amuns"], ehemaliger Leiter des Kabinetts. Er wurde wegen seiner Beteiligung an der Verschwörung von Königin Teje und den Frauen des Harems vor Gericht gestellt. Er konspirierte mit ihnen. Er trug ihre Anweisungen nach draußen, zu ihren Müttern und Brüdern draußen, sie lauteten: „Wiegelt das Volk auf und schürt Feindseligkeit, sodass sie sich gegen ihren Herrn erheben." Und sie führten ihn vor die hohen Richter des Untersuchungsgerichts. Diese untersuchten seine Verbrechen und befanden ihn für schuldig. Und seine Verbrechen griffen nach ihm, und die Richter, die ihn befragt hatten, veranlassten seine Bestrafung …

Frauen der Haremswächter, die mit jenen Männern konspiriert hatten, die alles geplant hatten, wurden den Beamten des Untersuchungsgerichts vorgeführt. Sie befanden sie für schuldig und veranlassten ihre Bestrafung. Es waren sechs Frauen …

Pentaweret wurde der Konspiration mit seiner Mutter für schuldig befunden und durfte sich selbst richten. Teje erlitt wahrscheinlich dasselbe Schicksal, obwohl Berichte über ihren Prozess und ihre Strafe fehlen. Dann nahmen die Dinge eine unerwartete Wendung, da einige der Gerichtsbeamten und Richter selbst arrestiert und des Ehebruchs mit den Haremsdamen beschuldigt wurden. Dies war ebenfalls ein schweres Verbrechen. Nur ein Richter war unschuldig, alle anderen wurden passend bestraft, blieben aber als entsetzliche Abschreckung am Leben:

Manche wurden durch Amputation ihrer Nasen und Ohren bestraft, da sie die Anweisungen, die sie erhalten hatten, missachteten. Die Frauen waren verschwunden. Sie waren ihnen dorthin gefolgt, wo sie waren, und hatten mit ihnen gefeiert ... Ihr Verbrechen hatte sie eingeholt ...

Von Tentopet bis Tentamun: Die Gemahlinnen der späteren Ramessiden

Ramses III. folgten acht weitere Pharaonen namens Ramses, eine Mischung aus Vätern, Söhnen, Brüdern und Neffen, deren kurze Regime sich manchmal überschnitten. Unter ihrer Herrschaft setzte sich der wirtschaftliche Abstieg Ägyptens ungehindert fort, und ihr Einfluss wurde langsam, aber sicher in den Norden des Landes zurückgedrängt. Wir wissen wenig über diese Könige und noch weniger über ihre Königinnen.

Ramses IV. wurde fast sofort mit seiner Schwester **Tentopet**, begraben im Tal der Königinnen (QV 74), verheiratet. Ramses V. hatte zwei bekannte Königinnen, **Henuttawi** und **Taurettenru**, aber keine Kinder; sein Nachfolger Ramses VI. war mit **Nubchesbed**, der Mutter von Ramses VII. und der Gottesgemahlin des Amun, **Isis**, verheiratet. Ramses VII. hatte mindestens einen Sohn, seine Gemahlin bleibt anonym. Auch über die Gemahlin von Ramses VIII. gibt es keine Aufzeichnungen. Ramses IX. hatte keine bestätigte Gattin, könnte aber mit der mysteriösen **Baketwerel II.** (die jedoch auch, wie wir sahen, die Gemahlin von Amenmesse gewesen sein könnte) verheiratet gewesen sein. Ramses' X. Gemahlin war vielleicht **Titi**, die im Tal der Königinnen (QV 52) bestattet wurde. Ramses XI., der Letzte der Ramessiden, heiratete **Tentamun**. Nach dem Tod Ramses' XI. war Ägypten wieder ein geteiltes Land, doch dieses Mal in Frieden. Im Norden regierte Smendes, der Begründer der 21. Dynastie, von der Deltastadt Tanis aus, im Süden, in Theben, regierten der mächtige Hohepriester des Amun, Herihor, und seine Nachfolger.

Sexuelle Etikette

Gib deiner Frau keine Macht, halte sie zurück ... Auf diese Weise erreichst du, dass sie zu Hause bleibt.

Hüte dich vor einer Fremden, vor einer Frau, die man in der Stadt nicht kennt. Starre sie nicht an, wenn sie vorbeigeht, und habe keinen Verkehr mit ihr.

Jeder, der mit einer Frau schläft, die einen Gatten hat, wird auf ihrer Türschwelle getötet werden.[34]

Die Ägypter kannten weder eine zivile noch eine kirchliche Trauungszeremonie: Wollten ein Mann und eine Frau als Paar gelten, zogen sie einfach zusammen. Dieser scheinbar lässige Zugang zur Ehe in Verbindung mit der Akzeptanz von Inzest als auch Polygamie hat viele Beobachter zu der Annahme verleitet, das Ägypten der Pharaonen wäre ein sexuell freizügiges Land mit lockerer Moral gewesen. Nichts jedoch geht mehr an der Wahrheit vorbei.

Sowohl Inzest als auch Polygamie waren bis zur griechisch-römischen Zeit auf das Königshaus beschränkt. Während freiwillige Liebschaften für die Gemeinschaft von untergeordneter Bedeutung waren, erwartete man von einem Ehepaar, dass es gewisse Regeln einhielt. Die Frau musste ihrem Mann treu sein, der sich dann sicher sein konnte, dass er der Vater der Kinder war. Der Ehemann wiederum sollte sich von den Frauen anderer Männer fernhalten, da jedoch Prostitution eine ständige Versuchung blieb, erwartete man nicht notwendigerweise 100-prozentige Treue.

Ehebruch war ein moralisches Vergehen, das von den betroffenen Familien selbst geregelt wurde. Ein Brief aus der 20. Dynastie, der in der eng verbundenen Arbeitersiedlung Deir el-Medina, einer Stadt, in der jeder jeden kannte, gefunden wurde, erklärt, wie das funktionierte. Der Brief erzählt das traurige Schicksal von Nesamenemope, der viele Monate mit einer Frau geschlafen hatte, die nicht seine Frau war. Natürlich war die Familie von Nesamenemopes Ehefrau nicht damit einverstanden. Eines Nachts trommelten sie das ganze Dorf vor dem Haus der Ehebrecherin zusammen. „Wir werden sie schlagen und ihre Familie ebenfalls!" Ein Wächter konnte die Menge zurückhalten und sandte eine Nachricht an das Paar. Wenn sie ihre Affäre nicht beendeten, müsste Nesamenemope seine Frau freigeben, damit diese einen anderen zum Mann nehmen könnte.

DRITTE ZWISCHENZEIT 1069–657 v. Chr.

Hohepriester des Amun (Theben)

Pianch = = **Nodjmet**

Herihor = = **Nodjmet** (nochmals)

Pinodjem I. = = **Henttawi**

Pinodjem II. = = **Neschons, Isisemcheb III.**

Psusennes „III." = ?

21. DYNASTIE (Tanis)
1069–945

Smendes = = **Tentamun**

Amenemnisu = ?

Psusennes I. = = **Mutnodjmet, Wiai**

Amenemope = ?

Osochor (Osorkon der Ältere) = ?

Siamun = ?

Psusennes II. = ?

22. DYNASTIE
945–715

Scheschonk I. = = **Karama I., Penreschnes**

Osorkon I. = = **Maatkare, Taschedchons**

Scheschonk II. = = **Nesitanebetasch**

Takeloth I. = = **Kapes**

Osorkon II. = = **Isisemcheb IV., Djedmutesanch, Karama II.**

Scheschonk III. = = **Tadibastet, Tentamenipet, Djedbastetiuesanch**

Scheschonk IV. = ?

Pami = ?

Scheschonk V. = ?

Pedubast II. = ?

Osorkon IV. = ?

23. DYNASTIE
830–715

Eine Reihe libyscher Könige regiert parallel zur 22. Dynastie

24. DYNASTIE
730–715

Tefnachte = ?

Bakenrenef (Bokchoris) = ?

25. DYNASTIE (Nubien)
800–657

Pije (Pianchi) = = **Tabiri, Abale, Kemsa, Peksater**

Schabaka = = **Qalheta**

Schebitko = = **Arti**

Taharka = = **Atachebasken, Tabekenamun, Naparaie, Takahatamun**

Tanotamun = = **Piancharti**

Königinnen **fett** gedruckt
= = bekannte Heirat
= ? = mögliche Heirat
= ? Königin unbekannt

SPÄTZEIT 664–332

26. DYNASTIE (Sais)
664–525

Psammetich I. = = **Mehitenusechet**

Necho II. = = **Chedebnetiretbinet I.**

Psammetich II. = = **Tachuit**

Apries = ?

Amasis = = **Nachtubasteterau, Tentcheta**

Psammetich III. = ?

27. DYNASTIE (Perser)
525–404

Ägypten, von persischen Königen regiert, ist tatsächlich ohne Königin

28. DYNASTIE
404–399

Amyrtaios = ?

29. DYNASTIE
399–380

Nepherites I. = ?

Psammuthis = ?

Hakoris = ?

Nepherites II. = ?

30. DYNASTIE
38 –343

Nektanebos I. = ?

Teos = ?

Nektanebos II. = = **Chedebnetiretbinet II.**

31. DYNASTIE (Perser)
343–332

Persische Könige regieren Ägypten

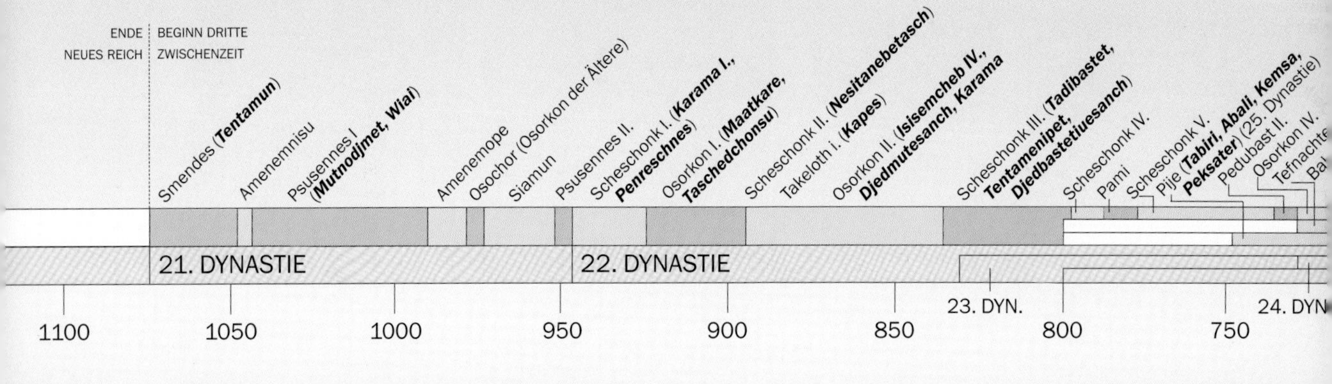

Nodjmet

Karama II.

Chedebnetiretbinet I.

Geschwächte Herrschermacht

Dritte Zwischenzeit 1069–657 v. Chr.
Spätzeit 664–332 v. Chr.

Während Smendes vorgab, über ganz Ägypten zu herrschen, regierten im Süden tatsächlich von Theben aus die Hohepriester des Amun. Nach der 21. Dynastie ging der Thron im Norden an einen König libyscher Abstammung. Eine Minderung der Stellung der Hohepriester des Amun erlaubte nochmals die Einheit Ägyptens, doch das Land zerfiel nach und nach. Die Provinzfürsten der 23. und 24. Dynastie regierten parallel zur späten 22. und frühen 25. Dynastie.

Die nubischen Könige ergriffen die Chance. Pije marschierte nach Norden und wurde zum Pharao gekrönt. Während der folgenden 25. Dynastie errang Theben viel von seiner einstigen Bedeutung zurück, doch der Hohepriester des Amun unterstand nun der Gottesgemahlin. Die Invasion der Assyrer setzte der Herrschaft der Nubier ein Ende. Der nächste König, Psammetich I., machte seine Tochter zur Gottesgemahlin und konnte Ägypten so wieder einen. Seine Nachkommen (Saiten) ließen das kulturelle Erbe Ägyptens ein Jahrhundert lang wieder aufleben.

525 v. Chr. kam Kambyses, und Ägypten stand über ein Jahrhundert lang unter persischer Herrschaft, unterbrochen von kurzen Zeiten der Unabhängigkeit: ein König der 28. und vier der 29. Dynastie. Die 30. Dynastie währte länger, da General Nektanebos eine persisch-griechische Invasion abwehrte. Die 31. Dynastie dauerte 10 Jahre, und als 332 v. Chr. Alexander der Große Ägypten beanspruchte, wurde er erleichtert begrüßt.

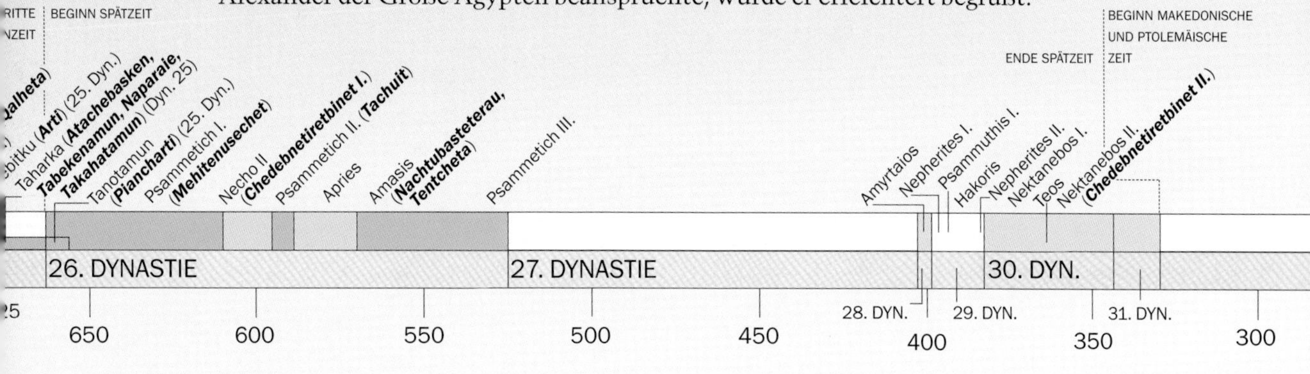

Hohepriester von Amun (Theben)
106–945

Nodjmet
Henttawi
Isisemcheb I.
Tentnabechnen
Neschons
Isisemcheb III.

21. DYNASTIE (Tanis)
1069–945

Tentamun
Mutnodjmet
Wiai

22. DYNASTIE
945–715

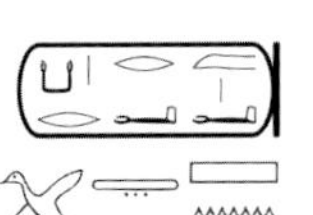
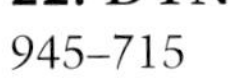

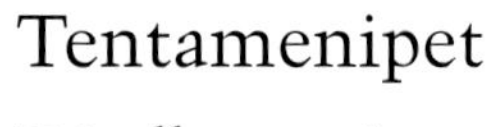

Karama I.
Penreschnes
Maatkare
Taschedchons
Nesitanebetasch
Kapes
Isisemcheb IV.
Djedmutesanch
Karama II.
Tadibastet
Tentamenipet
Djedbastetiuesanch

23. & 24. DYNASTIE
830–715

Keine bekannten Königinnen

25. DYNASTIE (Nubien)
800–657

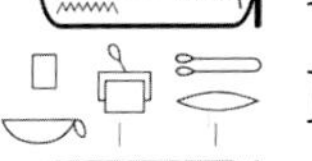
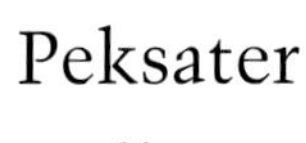
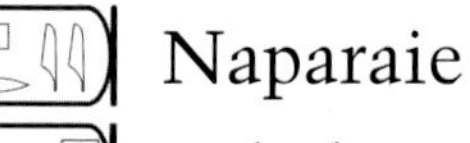

Tabiri
Abale
Kemsa
Peksater
Qalheta
Arti
Atachebasken
Tabekenamun
Naparaie
Takahatamun
Piancharti

26. DYNASTIE (Sais)
664–525

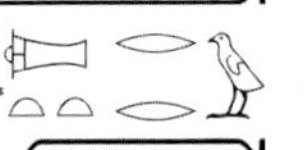

Mehitenusechet
Chedebnetiretbinet I.
Tachuit
Nachtubasteterau
Tentcheta

27.–29. DYNASTIE
525–380

Keine bekannten Königinnen

30. DYNASTIE
380–343

Chedebnetiretbinet II.

FAMILIEN UND TITEL

NODJMET	HENTTAWI
Ehemänner Pianch, Herihor	*Ehemann* Pinodjem I.
Vater Amenhotep Hohepriester des Amun?	*Vater* Ramses XI.?
Mutter Herere	*Söhne* Psusennes I., Masaharta, Mencheperre
Söhne Mindestens vier, darunter Pinodjem I.	*Töchter* Maatkare, Mutnodjmet?
Töchter Bis zu fünf	*Titel* Königstochter, Tochter der Großen Königsgemahlin, Königsgemahlin, Herrin beider Länder, Königsgemahlin, Oberste des Harems von Amun
Titel Oberste des Harems von Amun, Große Königsgemahlin, Herrin beider Länder, Königsmutter	*Begräbnisstätte* Theben
Begräbnisstätte Theben	

Nodjmet wurde von Gaston Maspero 1886 teilweise ausgewickelt und in der Folge 1906 von Grafton Elliot Smith untersucht. Die Königin war mit Sägemehl ausgestopft worden, ihre Glieder und ihr faltiges Gesicht hatte man gepolstert, sodass, wie Smith notierte, „der untere Teil des Gesichts fast rund geworden war". Ägyptisches Museum, Kairo.

VON NODJMET BIS ISISEMCHEB III.: DIE FRAUEN AM HOFE THEBENS

Die Könige im Norden und die Hohepriester im Süden teilten sich einvernehmlich das Reich, ihr gutes Verhältnis wurde durch eine Reihe von Ehen untermauert und machte sie zu einer großen Familie. Die wechselseitigen Hochzeiten im Verein mit immer wieder verwendeten Frauennamen – wir haben zum Beispiel sechs, fast gleichzeitig lebende Henttawis – machen die Entwirrung der Beziehungen der beiden Königshäuser recht schwierig. Man kennt die Namen all dieser Frauen, doch das ist meist alles. Nur zwei, Nodjmet und Henttawi, die Gemahlin von Pinodjem I., haben genug Informationen für uns hinterlassen, um ihr Leben zumindest zum Teil zu rekonstruieren.

General Pianch hatte eine Dame namens **Nodjmet** geheiratet, Tochter der Dame Herere und, möglicherweise, des Hohepriesters des Amun, Amenhotep. Nodjmet gebar Pianch vier Söhne, darunter den zukünftigen Hohepriester des Amun, Pinodjem I. Ihr starker politischer Einfluss wird in einem Brief an ihren Gatten bestätigt, in dem sie gebeten wird, der Befragung (und wenn nötig Hinrichtung) zweier der Korruption verdächtiger Polizisten beizuwohnen.

Kurz darauf heiratete eine Dame namens Nodjmet den Hohepriester des Amun Herihor. Wenn es nicht zwei Nodjmets gibt – und die Beweislage in diesem Punkt ist keinesfalls klar –, scheint die Witwe Nodjmet den Nachfolger ihres Gatten geheiratet zu haben. Der Chonstempel in Karnak, in dem Herihor als König zu sehen ist, zeigt Herihors Kinder – eindrucksvolle 19 benannte Söhne und fünf Töchter –, gibt jedoch keine Auskunft darüber, ob sie alle von „Königin" Nodjmet geboren wurden. In der Tat, da die Darstellung der Kinder klar nach dem Vorbild Ramses' II. und III. erfolgt, scheint es vernünftig anzunehmen, dass Herihor nicht nur die Königstitulatur, sondern auch einen königlichen Harem annahm.

Rein technisch war Nodjmet niemals Königin von Ägypten, doch am Hof von Theben, sichere 643 Nilkilometer vom Königshof von Tanis entfernt, schuf man sich begeistert eine eigene königliche Familie. Im Vorhof des Chonstempels wird Nodjmet als Große Königsgemahlin tituliert. Aus der Mumiencachette in Deir el-Bahari wurde ein wunderschön illustriertes Totenbuch, bestimmt für die gemeinsame Bestattung von Nodjmet und Herihor, gefunden; hier erhält Nodjmets Name eine Kartusche und lautet vollständig: „Königsgemahlin, Königsmutter des Herren beider Länder, Gottesmutter von Chons, dem Kind, Oberste des Harems des Amun, Oberste der edlen Frauen, Herrin beider Länder, Nodjmet."

Nodjmet überlebte Herihor etwa fünf Jahre. Weder Herihors Leichnam noch sein Grab wurden gefunden, aber die Mumie von Nodjmet, zwei Särge und eine Kanopentruhe fanden sich im Versteck von Deir el-Bahari. Wie alle folgenden Mumien aus der 21. Dynastie wurde Nodjmet gepolstert und ausgestopft, um ihren Gliedern ein realistisches Aussehen zu geben. Ihr Gesicht hat künstliche Augen, gepolsterte Wangen, falsche Augenbrauen aus Menschenhaar, und eine braune Lockenperücke

verdeckt ihr eigenes, schütteres graues Haar. Das Ergebnis ist eine verblüffend lebensnahe und trotz der vielen Falten der Königin jugendliche Erscheinung.

Pinodjem I., der Sohn von Pianch, folgte Herihor als Hohepriester des Amun. Ab diesem Zeitpunkt galt das Amt des Hohepriesters als erblich und wurde vom Vater auf den Sohn weitergegeben – noch eine weitere Bestätigung dafür, dass sich die thebanischen Priester als eine Dynastie betrachteten, die der des Pharao ähnlich war. Ausgehend davon, dass einige Kinder und Enkel den Namensteil „Ramses" erhielten, wurde vorgeschlagen, dass die Königstochter, Königsgemahlin, Königsmutter **Henttawi**, die Gattin von Pinodjem I., eine Schwester oder gar Tochter von Ramses XI. gewesen sein könnte. Pinodjem hatte auch noch mindestens zwei Nebenfrauen, **Isisemcheb I.** und **Tentnabechenu**, deren Herkunft unbekannt ist.

Henttawis Kinder waren zu Großem bestimmt. Einer ihrer Söhne sollte als Psusennes I. Ägypten von Tanis aus regieren, zwei weitere, Masaharta und Mencheperre, „regierten" als nachfolgende Hohepriester des Amun in Theben. Gleichzeitig diente Henttawis Tochter Maatkare als

(*Oben*) Nodjmet und ihr Gatte Herihor in dem Totenbuch aus Papyrus, das man bei Nodjmets Mumie gefunden hat. Rechts von den Opfertischen sehen wir die Darstellung des Wiegens des Herzens, die Göttin Isis, die vier Söhne des Horus und der Totengott Osiris sitzen auf einem Thron.

Göttliche Geliebte und Gottesgemahlin des Amun, ein Titel, der offensichtlich ab der Mitte der 18. Dynastie nicht mehr verwendet worden war (unser Wissen in diesem Punkt ist nicht vollständig) und in der 19. Dynastie wieder auflebte. Ursprünglich waren die Gottesgemahlinnen

(*Rechts*) Geriffelter Goldkrug aus dem Grab Psusennes' I. in Tanis. Namen und Titel des Königs sind in zwei Kartuschen am Hals neben zwei anderen eingraviert. Ägyptisches Museum, Kairo.

DAS GRAB VON MAATKARE

Maatkare, die Tochter von Pinodjem I. und Henttawi, war eine unverheiratete Gottesgemahlin des Amun. Es galt daher eindeutig als antiker Skandal, als Maatkares Sarg, den man gemeinsam mit dem ihrer Mutter in Deir el-Bahari fand, einen kleinen mumifizierten Körper enthielt, der versuchsweise als Prinzessin Mutemhat (tatsächlich Maatkares ursprünglicher Name) identifiziert wurde. Die These, dass Maatkare bei der Geburt gestorben sei, hat die Anatomen, die ihren Körper untersuchten, klar beeinflusst:

Makeris [Maatkares] Brüste waren stark vergrößert, wahrscheinlich hatte sie Milch ... Die Bauchhaut war gedehnt und etwas faltig. In Verbindung mit den vergrößerten Brüsten unterstützen diese Fakten die Hypothese von M. Maspero, dass Makeri während oder kurz nach der Geburt der mit ihr begrabenen Babyprinzessin gestorben ist.[35]

Die moderne Technik der Röntgenanalyse hat das für eine „Babyprinzessin" gehaltene Bündel als die Mumie von Maatkares Hauspavian entlarvt. Die vergrößerten Brüste und die schlaffe Haut am Bauch scheinen eher das Ergebnis zu starker Polsterung durch die Einbalsamierer zu sein.

Die Bandagen des ausgestopften und geformten Körpers von Maatkare wurden von modernen Grabräubern zerrissen. Kairo.

Henttawi. Ihr Gesicht war von den Einbalsamierern zu sehr gepolstert worden und ist vor langer Zeit geplatzt, sodass man das Packmaterial darunter sieht. Dieser Schaden wurde vor kurzem repariert. Ägyptisches Museum, Kairo.

allesamt Königinnen von Ägypten gewesen, doch seit der Herrschaft von Ramses VI. wurde der Titel ausschließlich von unverheirateten Prinzessinnen getragen.

Henttawis Mumie wurde ebenfalls in der Cachette in Deir el-Bahari gefunden. Ihr Gesicht wurde ausgestopft, um ein jugendliches Aussehen zu erhalten; doch leider erreichte man das Gegenteil, da die prallen Wangen platzten. Seltsamerweise war Henttawis Perücke nicht aus Menschenhaar, sondern aus schwarzen Fasern hergestellt worden.

Die beiden Gemahlinnen von Pinodjem II., **Neschons** und **Isisemcheb III.**, starben beide vor ihrem Gatten und wurden im Familiengrab in einem Felsen hinter Deir el-Bahari beigesetzt. Bald darauf sollte man dieses Grab als Versteck für die Königsmumien verwenden. Neschons' Mumie ist ein hervorragendes Beispiel für die Einbalsamierungskünste der 21. Dynastie; gepolstert, doch nicht zu viel, sieht sie sehr lebensecht aus. Die Mumie von Isisemcheb enthüllt, dass sie an Arthritis und, wie so viele ihrer Zeitgenossen, an schlechten Zähnen litt.

FAMILIEN UND TITEL

TENTAMUN
Ehemann
Smendes (auch bekannt als Nesibanebdjed)
Vater
Ramses XI.?
Kinder
Unbekannt
Begräbnisstätte
Unbekannt

MUTNODJMET
Ehemann
Psusennes (auch bekannt als Pasebchanut) I.
Vater
Pinodjem I.?
Mutter
Henttawi?
Titel
Königstochter, Königsschwester, Große Königsgemahlin, Herrin beider Länder, Zweiter Prophet des Amun
Begräbnisstätte
Tanis

TENTAMUN, MUTNODJMET UND WIAI: KÖNIGINNEN DER 21. DYNASTIE IN TANIS

Herere, die Mutter von Nodjmet von Theben, trägt den Titel „Königsmutter", doch der König wird nicht genannt, sodass sie auch die Mutter von Smendes sein könnte, der demnach ein Sohn des thebanischen Hohepriesters Amenhotep wäre.

Smendes' 26-jährige Regentschaft hat bemerkenswert wenige archäologische Spuren und schriftliche Zeugnisse hinterlassen, sodass Details seiner Herrschaft schwer rekonstruierbar sind. Allerdings treten er und seine Gemahlin **Tentamun** in dem literarischen Reisebericht des Wenamun auf. In dieser Abenteuergeschichte wird der Titelheld während der Regentschaft von Ramses XI. von Herihor von Theben ausgesandt, um Zedernholz für die heilige Barke des Amun zu kaufen. Im ersten Teil der Geschichte segelt Wenamun nordwärts nach Tanis (heute San el-Hagar):

Ich erreichte Tanis, die Heimatstadt von Smendes und seiner Gemahlin Tentamun. Ich übergab den Brief von Amun, dem König der Götter, und er wurde ihnen vorgelesen. Das Königspaar war gnädigerweise einverstanden, der Bitte des Gottes nachzukommen. Ich blieb in Tanis bis zum vierten Monat des Sommers. Dann verabschiedeten mich Smendes und Tentamun in die Obhut des syrischen Kapitäns Mengebet. Am ersten Tag des ersten Monats der Überschwemmung segelte ich hinunter zum großen syrischen Meer.[36]

Bei Wenamuns Besuch regierte Ramses XI. Ägypten von Per-Ramesse aus, und Smendes war nur ein einflussreicher Provinzgouverneur. Kurz darauf, nach dem Tod Ramses', folgte Smendes diesem auf den Thron – mit Tentamun als Gemahlin und Tanis als Hauptstadt. Dass Tentamun in Wenamuns Bericht ausdrücklich erwähnt wird, deutet darauf hin, dass sie bereits vor der Thronbesteigung ihres Gatten eine einflussreiche Frau gewesen sein muss. Wenn sie, wie viele vermuten, eine Tochter Ramses' XI. war, wäre dies die Erklärung des Aufstiegs ihres Gatten von der Bedeutungslosigkeit zum Pharao.

Smendes' Nachfolger war Amenemnisu, ein kurzlebiger und schlecht dokumentierter König unbekannter Herkunft (obwohl es Vermutungen gibt, dass er entweder der Sohn Smendes' oder ein weiterer Sohn des fruchtbaren Herihor gewesen sein könnte) und ohne nachgewiesene Gemahlin. Amenemnisu wiederum wurde von Psusennes I. abgelöst.

Das Grab Psusennes' I. in Tanis enthielt eine Grabkammer für Königin **Mutnodjmet**, doch da ihr Grab von Psusennes' Nachfolger Amenemope usurpiert wurde, ist unklar, ob sie jemals dort begraben wurde. Mutnodjmets Name wird allerdings in Psusennes' eigener, unbeschädigter Begräbnisstätte eng mit ihm in Zusammenhang gebracht. Wir wissen, dass ihr die Titel Königstochter, Große Königsgemahlin und Königsschwester zustanden, jedoch nicht Königsmutter. Dies lässt vermuten, dass sie die Tochter von Henttawi und Pinodjem I. von Theben und die

Der Grabkomplex von Psusennes I. (Grab III) in Tanis, entdeckt von Pierre Montet am 17. März 1939, doch von der Öffentlichkeit aufgrund des beginnenden Krieges größtenteils ignoriert. Während Psusennes' Grabstätte unberührt war, war die Grabkammer von Mutnodjmet, gleich nebenan, von Psusennes' Nachfolger König Amenemope für sein eigenes Begräbnis usurpiert worden.

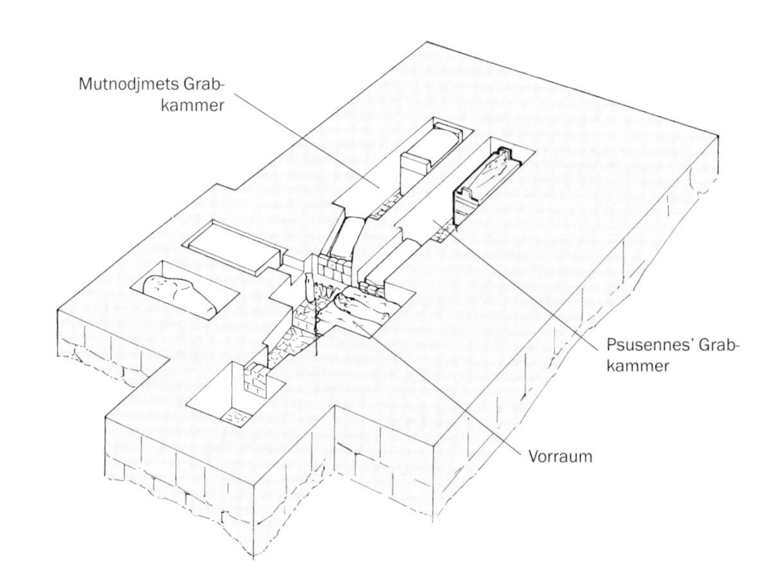

(*Unten*) Die Deltastadt Tanis (heute San el-Hagar), die Hauptstadt der 21. Dynastie. Tanis war mit Kunstwerken und Denkmälern aus älteren Städten, unter anderem Per-Ramesse, der von Ramses II. erbauten Stadt im Nildelta, geschmückt worden. Die Könige von Tanis wurden im Umfeld des Mut-Tempels begraben.

Eine wie eine Blüte geformte Trinkschale aus dem Grab eines hohen Beamten in Tanis. Die Blütenblätter sind abwechselnd aus Gold und Neusilber. Ein Blütenblatt trägt die Namen von Psusennes I. und seiner Gemahlin Mutnodjmet, darüber sind Zeichen angebracht, die als Wünsche für Leben, Reichtum und Gesundheit interpretiert wurden. Ägyptisches Museum, Kairo.

Schwestergemahlin Psusennes' I. war. Eine Zweitfrau Psusennes', die sonst unbekannte **Wiai**, gebar die Königstochter Isisemcheb, Gattin des thebanischen Hohepriesters des Amun Mencheperre und Mutter des zukünftigen Hohepriesters Pinodjem II.

Die Königinnen der späten 21. Dynastie

Wir haben keine Bestätigung der Herkunft von Psusennes' I. Nachfolger Amenemope, und auch seine Gemahlin wird nicht erwähnt.

Ägyptens nächster König, Osochor, war von libyscher Abstammung, ein Sohn der Dame Mehitenweschet. Wir wissen wenig über die Familie dieses Königs und noch weniger über seinen Nachfolger Siamun, außer, dass das jahrhundertealte Verbot, dass Ägypterinnen keine Ausländer heiraten durften, aufgehoben wurde, denn wir finden nun eine Königstochter, die Hadad, den Kronprinzen von Edom, heiratete. Etwa gleichzeitig wurde eine weitere Königstochter (eines unbekannten Pharao) eine der vielen Frauen des jüdischen Königs Salomon, der, wie uns die Bibel erzählt, „700 Frauen von königlicher Geburt und 300 Konkubinen" hatte, „und seine Frauen brachten ihn vom rechten Weg ab".[37]

Die Gattin des letzten Königs der Dynastie, Psusennes II., ist unbekannt.

Von Karama I. bis Djedbastetiuesanch: Die 22. (libysche) Dynastie

Löwenköpfiges Goldschild (Ägis) von Osorkon IV., dem letzten Pharao der 22. Dynastie. Osorkons Gemahlin wird nicht erwähnt. Ägyptisches Museum, Kairo.

Scheschonk I. war libyscher Abstammung, jedoch nicht, wie die Populärwissenschaft gerne behauptet, ein reinblütiger libyscher Nomade frisch aus der Wüste. Er entstammte einer der reichen Familien des Deltas mit libysch-ägyptischen Ahnen und war tatsächlich der Neffe von Osochor, dem König der 21. Dynastie. Scheschonk verlegte die Hauptstadt Ägyptens in seine Heimatstadt Bubastis und einte das Land, indem er seinen Sohn zum Hohepriester des Amun machte.

Wieder treffen wir auf eine schlecht dokumentierte Zeit verwirrender Stammbäume und schattenhafter Gemahlinnen. Wir wissen, dass Scheschonks Gattin **Kaama I.** seinen Nachfolger Osorkon I. gebar. Eine Zweitfrau, **Penreschnes**, gebar auch einen Sohn, Nimlot, die Mütter zweier weiterer Kinder sind unbekannt. Osorkon I. nahm **Maatkare**, die Tochter Psusennes' II. (nicht zu verwechseln mit der Gottesgemahlin des Amun gleichen Namens), zur Frau. Ihr Sohn Schoschenk II. heiratete **Nesitanebetasch**, die Mutter Harsieses, Hohepriester des Amun und König von eigenen Gnaden. Dann ging der Thron zurück an Takeloth I., Sohn Osorkons I. und seiner Zweitfrau **Taschedchons**. Takeloths Gemahlin war **Kapes**, ihr Sohn bestieg als Osorkon II. den Thron. Er war mit drei Hauptfrauen (**Isisemcheb IV.**, **Djedmutesanch** und seiner Schwester **Karama II.**) und vielen Kindern gesegnet, dennoch ist sein Nachfolger Scheschonk III. wahrscheinlich nicht sein Sohn.

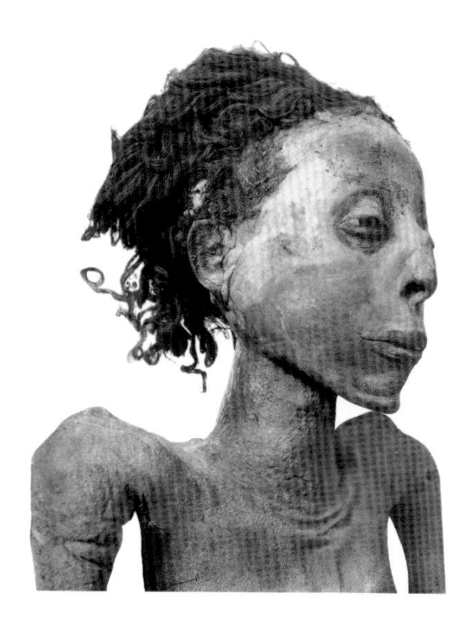

Unter Osorkon II. zerfiel die kurzfristige Einheit, die Scheschonk I. erreicht hatte. Wieder drohte Theben mit Unabhängigkeit und die Hohepriester des Amun beanspruchten königliche Rechte. Die Pharaonen Scheschonk III. (zu dessen Frauen **Tadibastet**, **Tentamenopet** und **Djedbastetiuesanch** zählten), Scheschonk IV., Pimay, Scheschonk V. und Pedubast II. erlebten einen rapiden Machtverfall, bis sich endlich der letzte König der 22. Dynastie, Osorkon IV., dem Nubier Pije ergeben musste.

Die 23. und die 24. Dynastie

Während manche Wissenschaftler die Könige der 23. Dynastie als echte Thebaner erachten, klassifizieren sie andere als parallele Linie libyscher Herrscher aus der Deltastadt Leontopolis.

Gleichzeitig entstanden in anderen wichtigen Städten, wie Hermopolis Magna und Herakleopolis, weniger bedeutende lokale Dynastien.

(*Oben*) Nesitanebetaschs Mumie, die 1886 von Gaston Maspero ausgewickelt wurde. Das Gesicht der Königin ist äußerst gut erhalten, es ist leicht gelblich mit bräunlichen Flecken. Ihr braunes Haar trägt sie kurz und lockig. Ägyptisches Museum, Kairo.

(*Rechts*) Osorkon II. und seine Schwestergemahlin Karama II.; Szene vom Eingang zu Osorkons Jubiläumshalle im Tempel von Bubastis. Karama wird auch auf zwei Skarabäen erwähnt sowie auf einer Stele, die von Osorkons II. Statue in Tanis gehalten wird. Britisches Museum, London.

Die 24. Dynastie war eine kurzlebige Koalition der unabhängigen Herrscher im Norden mit der Hauptstadt Sais. Man kennt nur zwei Könige der 24. Dynastie, Tefnacht und Bokchoris, über deren Königinnen weiß man nichts.

Von Tabiri bis Piancharti: Die 25. (nubische) Dynastie

In dem nun geteilten und unorganisierten Ägypten marschierte Pije nach Norden, um die Koalition der Könige der 24. Dynastie herauszufordern. Seinen ersten Sieg feierte Pije in Theben, wo er darauf bestand, dass die amtierende Gottesgemahlin des Amun, Schepenwepet I. (die Tochter Osorkons III.), seine Schwester Amenirdis I. als ihre Nachfolgerin adoptierte. Dann eroberte Pije Ägypten vollständig, hielt es jedoch nicht für nötig, in seinem neuen Reich zu leben, und erlaubte es der Nordallianz seiner Vasallen, in seinem Namen zu regieren. Er selbst kehrte nach Napata (Gebel Barkal) zurück. Die folgenden nubischen Könige (Schabaka, Schebitku, Taharka und Tanotamun) regierten Ägypten von Memphis aus, bis sie die Ankunft der kriegerischen Assyrer nach Nubien zurückzwang.

Jeder der nubischen Könige herrschte als typischer Pharao und nahm die Kartuschen, Titularien und die Kleidung der ägyptischen Vorgänger an – eine eindrucksvolle Demonstration der Ehrfurcht gegenüber dem Amunkult. Es gab nur einen augenscheinlichen Unterschied: Anstatt in den traditionellen Gräbern in Memphis ließen sich die Nubier lieber in Napata in steilen, glattwandigen Pyramiden begraben. Wir können daher annehmen, dass auch bei diesen Königinnen die Rolle der Großen Königsgemahlin ernst genommen wurde; eine These, die durch eine von Atlanersa, dem Nachfolger Tanotamuns, errichtete Stele bestätigt wird, die die weiblichen Vorfahren näher ausführt als die männliche Linie. Leider

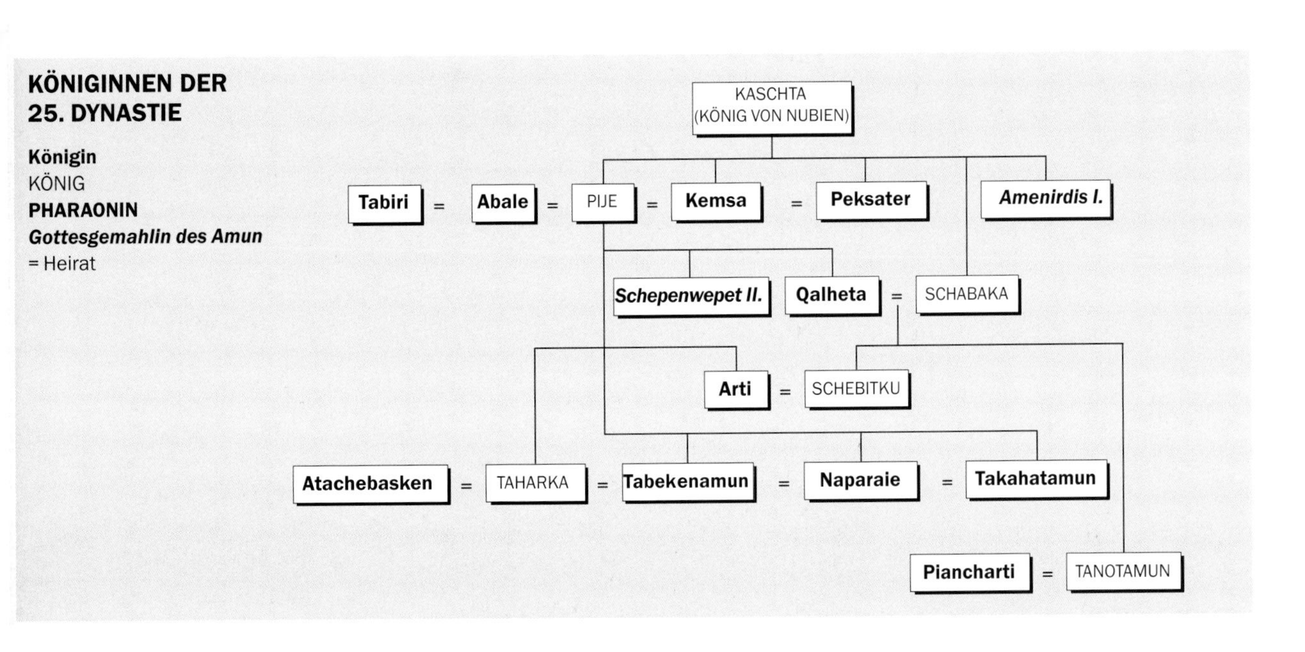

Amenirdis I., Gottesgemahlin des Amun, Tochter von Kaschta von Nubien und Schwester von Pharao Pije. Amenirdis hat die Doppelfeder übernommen, die früher nur von Königinnen und Göttinnen getragen wurde. Britisches Museum, London.

finden wir kaum Beweise für die Rolle der neuen Königinnen, und wir haben wieder nur eine Liste von Namen ohne Gesichtern. Pije hatte vier Hauptfrauen: **Tabiri**, die Tochter seines nubischen Vorgängers Alara, **Abale** und ihre Schwestern **Kemsa** und **Peksater**. Ihm folgte sein Bruder Schabaka, Gemahl der **Qalheta**, dem wiederum Schebitku folgte, der Gatte von **Arti**, Tochter von Pije. Dann bestieg Taharka, ein weiterer Sohn Pijes, den Thron, mit **Atachebasken**, **Tabekenamun**, **Naparaie** und **Takahatamun** als Königinnen. Zuletzt ging der Thron an Tanotamun, Sohn von Schabaka und Qalheta und Gatte der **Piancharti**.

Die Gottesgemahlinnen des Amun

Die nubischen Könige nutzten klug die immer wichtiger werdende Rolle der Gottesgemahlin des Amun. Das Ansehen der Gottesgemahlinnen war enorm gestiegen, und sie konnten nun Tempelrituale durchführen – Opfergaben und Tränke darbringen sowie Gründungszeremonien leiten –, die einst dem Pharao vorbehalten gewesen waren. Als Zeichen ihres neuen Status trugen sie Königinnenkronen und schrieben ihre Namen in Kartuschen. Ihre Rolle, angeblich eine religiöse, um den Schöpfergott zu stimulieren (siehe Kasten Seite 93), wurde zu einer fast gänzlich politischen. Da sie loyal zu ihren Geburtsfamilien blieben, erwartete man, dass sie die Macht der thebanischen Hohepriester beschnitten. So regierten sie Theben im Namen ihrer Väter.

Amuns Gottesgemahlinnen erwiesen sich als dauerhafter als seine Hohepriester, von denen viele heute vergessen sind. Amenirdis I. diente als Gottesgemahlin während der Regentschaft von Pije, Schabaka und Schebitku und wurde wahrscheinlich mit Schepenwepet I. in einer gemeinsamen Grabkapelle in Medinet Habu beigesetzt. Eine Inschrift über dem Tor erzählt vom Bau des Grabes der Amenirdis:

(*Rechts*) Statue der katzenköpfigen Göttin Bastet, heute im Louvre, Paris. Der Name von Pijes Frau Kemsa ist auf den Rückenpfeiler graviert. Kemsa wurde in der nubischen Nekropole El-Kurru (Grab KU 4) bestattet.

(*Oben*) Schepenwepet II., eine Tochter Pijes, steht vor Gott Amun – Darstellung an der Wand ihrer Grabkapelle in Medinet Habu.

(*Unten*) Schepenwepet II. opfert in der Gestalt einer Sphinx Gott Amun einen widderköpfigen Krug. Gefunden im Heiligen See im Karnak-Tempel und heute im Ägyptischen Museum in Berlin.

Oh ihr Lebenden, die ihr auf Erden wandelt und an diesem Ka-Haus vorbeikommt, das Schepenwepet baute … für Amenirdis, die Verstorbene: Wie ihr eure Kinder liebt und ihnen euren Besitz hinterlassen wollt, wie eure Frauen Hathor dienen, der Dame des Westens … bitte [betet für Amenirdis].

Ihre Nachfolgerin und Nichte Schepenwepet II., eine Tochter Pijes, diente unter den restlichen nubischen Königinnen als Gottesgemahlin, überlebte die Plünderung Thebens während der Invasion der Assyrer und starb während der Regentschaft des saitischen Königs Psammetich I.

Die 26. (saitische) Dynastie

Obwohl wir ihre Namen wissen, bleibt das Leben der saitischen Königinnen ein Geheimnis, wir wissen weit mehr über ihre langlebigen Töchter, die Gottesgemahlinnen des Amun.

Auf Schepenwepet II. folgte ihre Nichte und adoptierte Nachfolgerin Amenirdis II., die Tochter von Taharka; es scheint jedoch, dass Amenirdis überredet (oder dafür bezahlt?) wurde, das Amt an ihre adoptierte Nachfolgerin Nitokris I. Schepenwepet III., die Tochter des saitischen Königs Psammetich I., weiterzugeben. Eine Stele aus rotem Granit, die die Adoption Nitokris' feiert und, selbstverständlich, im Amuntempel in Karnak errichtet wurde (heute im Ägyptischen Museum in Kairo), erlaubt uns einen Blick auf die junge Prinzessin, als sie Sais verlässt:

Ich [Psammetich] habe Ihm [Amun] meine Tochter zur Gottesgemahlin gegeben und habe sie besser ausgestattet, als jene vor ihr waren. Sicherlich wird Er durch ihre Verehrung erfreut sein und das Land dessen schützen, der sie Ihm gab … Jahr 9, 1. Monat des Winters, Tag 28: Abreise der ältesten Tochter, in feines Leinen gekleidet und mit neuen Türkisen geschmückt, aus den Privatgemächern des Königs. Die Zahl ihrer Diener war groß, Marschälle machten ihr den Weg frei. Sie machten sich freudig zum Hafen auf, um südwärts in die Provinz Theben zu ziehen. Die Schiffe um sie waren zahlreich, ihre Besatzungen bestanden aus vielen Männern und alle waren bis oben mit guten Dingen des Palasts beladen …[38]

Der Deckel des Sarkophags von Anchnesneferibre aus schwarzer Grauwacke, gefunden in Deir el-Medina, wo man ihn wiederverwendet hatte. Die Gottesgemahlin trägt die Königinnenkrone mit Doppelfedern, den königlichen Stab und den Dreschflegel. Sie ist von Texten aus dem Buch der Toten umgeben. Die Unterseite des Sarkophagdeckels zeigt die nackte Göttin Nut, die sich über die Verstorbene streckt. Britisches Museum, London.

Die Stele erwähnt Einzelheiten von Nitokris' „Mitgift": ihr üppiges Vermögen, ihr Haushalt (mit männlichen Verwaltern und Priesterinnen aus besten Familien, die ebenfalls ledig bleiben mussten) und ihr Einkommen, das eine Tagesration von 600 *Deben* Brot, fast sechs Liter Milch, Kuchen und Kräuter ausmachte. Zusätzlich erhielt sie monatlich drei Ochsen, fünf Gänse, zehn Liter Bier und noch mehr Brot. Die wohlgenährte und extrem reiche Nitokris blieb fast 70 Jahre lang Gottesgemahlin. Sie wurde im Grab ihrer Adoptivgroßmutter Schepenwepet II. begraben, wobei Schreine und Begräbnisstätten für Nitokris und ihre Mutter, Königin Mehutenusechet (siehe unten), hinzugefügt wurden. Heute ist der Sarkophag von Nitokris, der von den Ptolemäern nochmals verwendet wurde, in Kairo ausgestellt.

Jahr 4 des Wahibre [Apries], 4. Monat des Sommers, Tag 4: Die Gottesgemahlin Nitokris, die Gerechte, wurde in den Himmel erhoben, wo sie mit der Sonnenscheibe vereint ist, das göttliche Fleisch wird eins mit Ihm, der es schuf.[39]

Da Nitokris' erwählte Nachfolgerin, ihre Nichte Schepenwepet, vor ihr gestorben war, fiel das Amt an ihre Großnichte Anchnesneferibre, die Tochter von Psammetich II. Eine Adoptionsstele, errichtet in Karnak, bestätigt die Details der Nachfolge und berichtet, dass Anchnesneferibre auch den Titel Hohepriester des Amun trug. Sie agierte als Gottesgemahlin fast 60 Jahre lang und wurde wahrscheinlich in Medinet Habu begraben. Auch ihr Sarkophag aus schwarzer Grauwacke wurde von den Ptolemäern wieder verwendet; heute ist er im Britischen Museum, London, ausgestellt, wo wir auf einem Sargdeckel Anchnesneferibre liegen sehen, die den friedlichen Schlaf des Todes schläft.

Anchnesneferibre hatte Nitokris II., die Tochter des saitischen Königs Amasis und ebenfalls Hohepriester des Amun, zur Nachfolgerin erwählt, doch die Invasion der Perser setzte dem Amt der Gottesgemahlin ein Ende.

In Bezug auf die Königinnen der Saiten selbst sind unsere Informationen dürftig. **Mehitenusechet**, die Tochter des Wesirs Harsiese und Gemahlin Psammetichs I., war die Mutter der Gottesgemahlin Nitokris und des nächsten Königs, Necho II. Die Königsgemahlin Königsmutter **Chedebnetiretbinet I.** war die Gattin von Necho II. und Mutter Psammetichs II. **Tachuit** war mit Psammetich II. verheiratet und die Mutter seines Nachfolgers Apries (Wahibre) und der Gottesgemahlin Anchnesneferibre. Tachuit wurde in Athribis bestattet, ihr Grab wurde 1950 entdeckt.

Apries' Gattin wird nicht erwähnt. **Nachtubasteterau** und **Tentcheta** hießen die beiden bekannten Frauen des Usurpators Amasis (Ahmose II.), während Herodot, der seine

Der Sarkophagdeckel von Chedebnetiretbinet I., der Gemahlin des Königs der 26. Dynastie, Necho II. Berichten zufolge gefunden in Sebennytos und heute im Kunsthistorischen Museum, Wien.

auf Fakten beruhenden Erzählungen gerne mit riskanten Geschichten spickte, um das erlahmende Interesse der Leser zu wecken, in einer amüsanten, aber zweifellos erfundenen Episode eine dritte Frau, Ladice, vorstellt:

Amasis, der mit Kyrene einen Bund der Freundschaft und der Allianz geschlossen hatte, war entschlossen, eine Frau aus diesem Land zu wählen, entweder als Zeichen seiner freundschaftlichen Gefühle oder weil er sich nach einer griechischen Frau sehnte. Er heiratete eine Frau aus der Cyrenaika namens Ladice … Doch als sich Amasis zu Ladice legte, war es ihm unmöglich Verkehr mit ihr zu haben. Erstaunt – da dies nicht geschah, wenn er bei anderen Frauen lag – sagte Amasis zu Ladice: „Oh Frau, du musst einen Zauber gegen mich eingesetzt haben. Nun kann dich nichts mehr vor dem grausamsten aller Tode bewahren, den eine Frau erleiden kann." Ladice musste einsehen, dass Amasis ihrem Beteuern keinen Glauben schenkte und gelobte der Göttin Venus, dass sie, wenn Amasis noch in dieser Nacht mit ihr Verkehr haben könnte (mehr Zeit blieb ihr nicht), eine Statue der Göttin nach Kyrene senden würde; von nun an funktionierte alles bestens, wann immer er zu ihr kam, und er gewann sie sehr lieb.[40]

Die Königin des letzten Königs Psammetich III. bleibt unerwähnt.

Die persischen Königinnen von Ägypten (27. und 31. Dynastie)

Ägyptens persische Herrscher präsentierten sich als traditionelle Pharaonen, regierten jedoch von ferne. Nur Kambyses und sein unmittelbarer Nachfolger Darius I. machten sich die Mühe, ihre neueste Eroberung zu besuchen. Obwohl alle persischen Könige verheiratet waren – Kambyses ehelichte nach ägyptischem Vorbild zwei seiner Schwestern –, spielten diese Frauen keine Rolle im Leben der Ägypter. So blieb Ägypten mit voller Absicht während der 27. und der 31. Dynastie, den beiden Perioden der persischen Herrschaft, ohne Königin.

Die letzten ägyptischen Könige (28.–30. Dynastie)

Amyrtaios, der einzige Pharao der 28. Dynastie, hatte keine bekannte Gemahlin, und die folgende 29. Dynastie ist eine verwirrende Zeit. Wir wissen die Namen von vier Königen – Nepherites I., Psammuthis, Hakoris and Nepherites II. –, aber nichts über deren Eheleben.

Die 30. Dynastie ist besser dokumentiert, bietet aber wenig Informationen über die fast unsichtbaren königlichen Frauen. Wir wissen, dass Nepherites II. von Nektanebos I., einem König ohne bekannte Gemahlin, abgesetzt wurde. Seinem Sohn und Nachfolger Teos fehlt ebenfalls eine benannte Königin. Der letzte in Ägypten geborene Pharao, Nektanebos II., war mit **Chedebnetiretbinet II.**, der Tochter seines Onkels Teos, verheiratet.

DIE GRIECHISCH-RÖMISCHE ZEIT (PTOLEMÄER)
332–30 v. Chr.

Alexander III. (der Große) = = **Roxane, Stateira, Parysatis, Barsine**

Philipp III. Arrhidaios = = **Eurydike**

Alexander IV. = ?

Ptolemaios I. = = **Thais, Artakama, Eurydike , Berenike I.**

Ptolemaios II. = = **Arsinoe I., Arsinoe II.**

Ptolemaios III. = = **Berenike II.**

Ptolemaios IV. = = **Arsinoe III.**

Ptolemaios V. = = **Kleopatra I.**

Ptolemaios VI. = = **Kleopatra II.**

Königinnen **fett** gedruckt = = bekannte Heirat = ? = mögliche Heirat = ? Königin unbekannt

Ptolemaios VIII. = = **Kleopatra II.** (nochmals), **Kleopatra III.**

Ptolemaios IX. = = **Kleopatra IV., Kleopatra Selene**

Ptolemaios X. = = **Berenike III.**

Ptolemaios IX. (wieder eingesetzt) = ?

Berenike III. (nochmals) = = Ptolemaios XI.

Ptolemaios XII. = = **Kleopatra V.**

Berenike IV. = = Seleukos, Archelaos

Ptolemaios XII. (wieder eingesetzt) = ?

Ptolemaios XIII. = = **Kleopatra VII.**

Arsinoe IV.

Ptolemaios XIV. = = **Kleopatra VII.** (nochmals)

Kleopatra VII. (nochmals) und Ptolemaios XV. (Kaisarion)

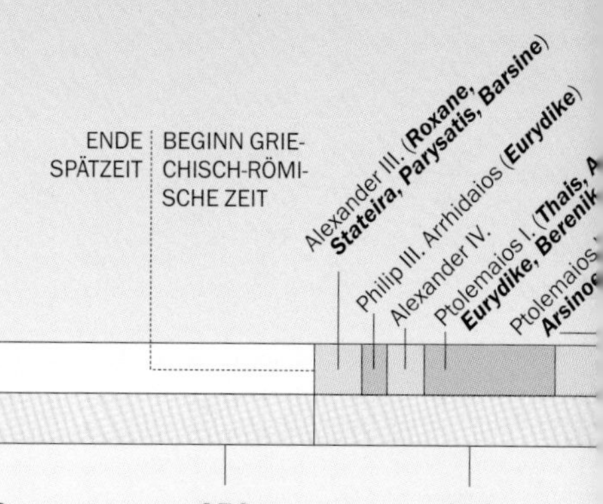

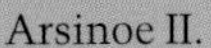

Arsinoe II.

Kleopatra I. oder II.

Kleopatra VII.

Die letzten Königinnen Ägyptens

Die griechisch-römische Zeit (Ptolemäer) 332–30 v. Chr.

Alexander III. starb 323 v. Chr. Der Thron ging an seinen Bruder Philipp III. Arrhidaios und dann an seinen Sohn Alexander IV. Der Mord an dem jüngeren Alexander war das Ende der makedonischen Könige Ägyptens. General Ptolemaios übernahm die Kontrolle und regierte als Ptolemaios I. Soter (der Retter). Zwölf Ptolemäer folgten ihm nach.

Die ptolemäischen Pharaonen schrieben ihre Namen in Hieroglyphen, trugen die bewährten Insignien und opferten den Göttern. Sie übernahmen sogar den ägyptischen Brauch und heirateten ihre Schwestern, obwohl Polygamie überholt war und die Könige ihre Betten mit vielen Mätressen, aber nur einer Ehefrau teilten. Die Königinnen der Ptolemäer, stark assoziiert mit Isis, waren mächtiger als alle Königinnen vor ihnen. Doch dieses Bild eines unveränderten Ägypten war Fiktion. Rom beherrschte die Welt, und die Ptolemäer lebten, kleideten sich und sprachen wie Griechen. Aus ihrer Sprache stammt das neue Wort *bassilisa*, das in etwa unserem modernen Begriff „Königin" entspricht.

Nach dem Tod Kleopatras VII. 30 n. Chr. fiel Ägypten an die Römer, und diese sahen, anders als andere Eroberer, keine Notwendigkeit, sich den lokalen Sitten anzupassen. Eintausend Jahre Pharaonentum fanden ein abruptes Ende und damit Ägyptens Bestehen als unabhängiger Staat.

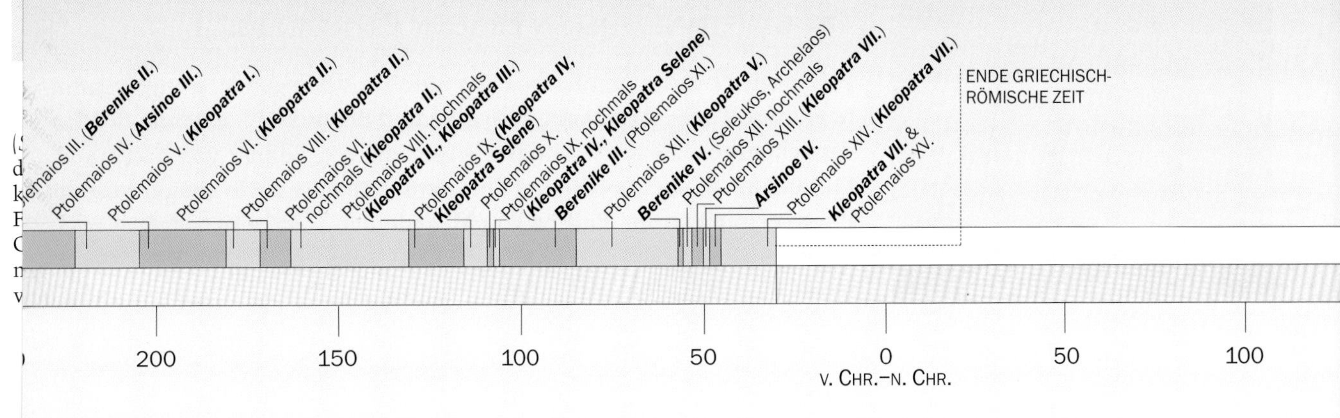

ARSINOE II.	
Ehemann Ptolemaios II. Philadelphus; vorher verheiratet mit Lysimachos und Ptolemaios Ceraunus *Vater* Ptolemaios I. Soter *Mutter* Berenike I.	*Kinder* Keine aus der Ehe mit Ptolemaios II. *Titel* Königsschwester, Große Königsgemahlin, Königsmutter

(*Rechts*) Restaurierte *Oinochoe* (Kanne) mit der Abbildung Arsinoes II. als Griechin, die ein Getränk einschenkt. Britisches Museum, London. (*Unten*) Arsinoe II. heiratete vor ihrem Bruder Ptolemaios II. Lysimachos von Thrakien und Ptolemaios Ceraunus. Diese Skulptur aus Abu Roasch zeigt sie als typisch ägyptische Königin mit dreiteiliger Zopfperücke und doppelter Uräusschlange. Die Krone fehlt. Metropolitan Museum of Art, New York.

Arsinoe I. und II.

Ptolemaios II. heiratete **Arsinoe I.**, Tochter von Lysimachus von Thrakien, einem der großen Generäle Alexanders des Großen. Sie gebar ihrem Gatten drei Kinder, Ptolemaios III., Lysimachus und Berenike Phernopherus, bevor sie des Verrats beschuldigt und vom Hof verbannt wurde.

Da er eine Königin brauchte, griff Ptolemaios II. auf die traditionelle Geschwisterehe zurück und ehelichte seine Schwester **Arsinoe II.**, die Witwe seines Ex-Schwiegervaters Lysimachus. Sie hatte aus dieser, ihrer dritten Ehe selbst keine Kinder und zog ihre drei Stiefkinder groß. Arsinoe II. war nur fünf bis sieben Jahre Königin, doch eine sehr einflussreiche Frau. So trägt sie auf ihren Bildern die doppelte Uräusschlange (wohl auch, um sich von der gleichnamigen Vorgängerin zu unterscheiden). Nach ihrem Tod wurde Arsinoe von ihrem trauernden Gatten vergöttlicht: Statuen der Königin als Tochter von Amun und von Geb wurden in den Tempeln aller großen Städte aufgestellt, sodass sie gemeinsam mit den traditionellen Gottheiten verehrt werden konnte. Es wäre zynisch zu vermuten, dass Ptolemaios II. sein eigenes Image mit der göttlichen Schwestergattin aufpolieren wollte, doch die allgemeine Verehrung der neuen Göttin hat ihm sicher nicht geschadet. Der Kult der Arsinoe wurde von Priesterinnen getragen und florierte während der griechisch-römischen Zeit in Alexandria.

Berenike II.

Ptolemaios II. hatte die Grenzen Ägyptens nach Osten ausgedehnt. Sein Nachfolger Ptolemaios III. setzte diese Politik fort, sodass er zuletzt ein Reich regierte, das sich von Syrien bis Libyen und nach Süden bis in den Norden Nubiens erstreckte. Die Ägypter selbst waren aber nicht allzu glücklich über die neuen Herren und Ptolemaios' III. Regierungszeit wurde durch eine Reihe von Unruhen überschattet.

Königin Berenike II., die einzige Frau Ptolemaios III., war die Tochter von Ptolemaios' Onkel Magas von Cyrenaika. Sie gebar ihrem Gatten sechs Kinder, darunter seinen Nachfolger Ptolemaios IV. Berenike II. war eine starke und umsichtige Gemahlin, die selbst Ländereien und Rennpferde besaß. Die klassischen Autoren halten bewundernd fest, dass sie als begeisterte Reiterin an der Seite ihres Gatten in die Schlachten ritt. Dies scheint jedoch extrem unwahrscheinlich und sollte gemeinsam mit dem Gerücht, dass die eigenwillige Berenike ihren ersten Verlobten, den mazedonischen Prinzen Demetrios, ermorden ließ, verworfen werden. Als Ptolemaios III. Ägypten verließ, um seiner Schwester Berenike Phernopherus, Gattin von Antiochos II. von Syrien, beizustehen, regierte seine Gattin nach alter Tradition fünf Jahre lang Ägypten an seiner statt. Nach ihrem Tod etablierte sich in Alexandria ein eigener Berenike-Kult.

Alexandria, die von Alexander dem Großen gegründete Hauptstadt und Heimat der Ptolemäer. Die neue Stadt erlaubte den neuen Pharaonen den engen Kontakt zum gesamten Mittelmeerraum. Unglücklicherweise ist der Großteil der Gebäude dieser Zeit, einschließlich der Königspaläste und Grabmäler, im Meer versunken.

(*Rechts*) Das Mosaik im klassischen Stil stellt Berenike als Personifikation der Stadt Alexandria dar. Die Königin trägt den Bugteil eines Kriegsschiffs auf dem Kopf. Griechisch-römisches Museum, Alexandria.

BERENIKE II.

Ehemann
Ptolemaios III. Euergetes
Vater
Magas von Cyrenaika
Söhne
Ptolemaios IV. Philopator, Alexander, Magas
Töchter
Berenike, Arsinoe III.
Titel
Königsmutter, Schwestergemahlin des Sohns von Re

FAMILIEN UND TITEL

ARSINOE III.
Ehemann
Ptolemaios IV. Philopator
Vater
Ptolemaios III. Euergetes
Mutter
Berenike II.
Sohn
Ptolemaios V. Epiphanes
Titel
Königstochter, Königsschwester, Große Königsgemahlin, Schwestergemahlin des Sohns von Re

KLEOPATRA I.
Ehemann
Ptolemaios V. Epiphanes
Vater
Antiochos III. von Syrien
Söhne
Ptolemaios VI. Philometor und Ptolemaios VIII. Euergetes
Tochter
Kleopatra II.
Titel
Schwestergemahlin des Sohns von Re, Herrin beider Länder, Gottesmutter

KLEOPATRA II.
Ehemann
Ptolemaios VI. Philometor, Ptolemaios VIII. Euergetes
Söhne
Ptolemaios Eupator, Ptolemaios VII. Neos Philopator, Ptolemaios Memphites
Töchter
Kleopatra Thea, Kleopatra III.
Titel
Schwestergemahlin des Sohns von Re, Herrin beider Länder

KLEOPATRA III.
Ehemann
Ptolemaios VIII. Euergetes
Vater
Ptolemaios VI. Philometor
Mutter
Kleopatra II.
Söhne
Ptolemaios IX. Soter, Ptolemaios X. Alexander
Töchter
Kleopatra IV., Kleopatra Selene, Kleopatra Tryphaena
Titel
Herrin beider Länder

BERENIKE III.
Voller Name
Berenike III. Kleopatra Philopator
Ehemänner
Ptolemaios X. Alexander, Ptolemaios XI. Alexander
Vater
Ptolemaios IX. Soter
Mutter
Unbekannt
Kinder
Keine bekannt
Titel
Königsschwester, Königsgemahlin, Herrin beider Länder

KLEOPATRA V.
Voller Name
Kleopatra V. Tryphaena
Ehemann
Ptolemaios XII. Neos Dionysos
Vater
Ptolemaios IX. Soter
Mutter
Unbekannt
Söhne
Ptolemaios XIII. und Ptolemaios XIV.
Töchter
Berenike IV., Kleopatra VI. Tryphaena?, Kleopatra VII. Thea Philopator, Arsinoe IV.
Titel
Herrin beider Länder? Mitregentin von Berenike IV.?

BERENIKE IV
Voller Name
Berenike IV. Kleopatra Epiphaneia
Ehemänner
Archelaos, Seleucos
Vater
Ptolemaios XII. Neos Dionysos
Mutter
Kleopatra V. Tryphaena
Kinder
Keine bekannt
Titel
Mitregentin von Ägypten

ARSINOE III.

Ptolemaios III. war ein erfolgreicher, engagierter Pharao mit einer loyalen Gattin; so hatte das Königspaar den Respekt, wenn nicht gar die Liebe des Volkes gewonnen. Sein Sohn und Erbe, Ptolemaios IV., war ein ganz anderer König. Schon im ersten Jahr seiner Regentschaft ordnete er die Ermordung seiner Mutter Berenike II. und seines Bruders Margas an. Nach Jahren in Angst gebar seine Schwestergemahlin Arsinoe III. seinen Sohn und Nachfolger Ptolemaios V. und wurde damit zur ersten Ptolemäerin, die ein Kind ihres Bruders zur Welt brachte. Nachdem er seine ehelichen Pflichten somit erledigt hatte, wandte Ptolemaios IV. seine Aufmerksamkeit sofort seiner Mätresse Agathoclea zu, die ihm mindestens ein Kind gebar und fast sicher König und Königin vergiftete.

KLEOPATRA I.

Nach dem Mord an seinen Eltern bestieg der sechsjährige Ptolemaios V. den Thron, bewacht von der dem Volk zutiefst verhassten Agathoclea und ihrem Bruder Agathocles – bis Bruder und Schwester vom Volk gelyncht wurden, als Rache für den Mord am Königspaar. Nachdem die drohende Rebellion niedergeschlagen worden war, wurde der zwölfjährige König in Memphis gekrönt. Der dreisprachige Stein von Rosette (Hieroglyphen, Demotisch und Griechisch) beschreibt die Krönung.

Im Jahr 194/193 v. CHR. schloss Ptolemaios V., mittlerweile ein Teenager, einen vernünftigen diplomatischen Bund, indem er die zehnjährige Kleopatra I., eine der drei Töchter Antiochos' III. „des Großen" von Syrien, zur Frau nahm. Damit schwächte er den Einfluss Roms sowohl auf Ägypten als auch auf Syrien. Die syrische Königin wurde in Ägypten als lebendige Göttin betrachtet und gebar ihrem Gatten zwei Söhne – Ptolemaios VI. und Ptolemaios VIII. – und die Tochter Kleopatra II. Der Name Kleopatras' I. war stets mit dem ihres Gemahls verbunden: Zusammen waren sie „König Ptolemaios, Sohn von Ptolemaios und Arsinoe, die den Vater liebenden Götter, mit seiner Schwester, seiner Gemahlin Kleopatra, die offenbare Göttin". Trotz ihrer fremden Abstammung scheint sie Einfluss und Respekt genossen zu haben. Als Ptolemaios 180 v. CHR. von seinen Generälen vergiftet wurde, stieg Kleopatras Bedeutung noch weiter, da sie sowohl als Mitregentin als auch als Beschützerin ihres fünfjährigen Sohnes Ptolemaios V. agierte. Dieser erhielt nach dem Tod seines Vaters den Beinamen „Philometor" – Mutterliebender. Nun lautete die offizielle Titulatur „die Könige Kleopatra, die Mutter, die offenbare Göttin, und Ptolemaios, Sohn des Ptolemaios, der offenbare König".

KLEOPATRA II.

Kleopatra I. war eine geschickte und erfahrene Diplomatin. Zu ihren Lebzeiten zeigte Ägypten vernünftigerweise wenig Interesse an Expansion. Doch nach ihrem Tod geriet der neunjährige Ptolemaios VI. unter den

Kalksteinkopf von Kleopatra I. oder, wahrscheinlicher, Kleopatra II. als *Thea Philometor Soteira*, gefunden in Alexandria. Die Königin trägt zwar eine ägyptische Krone, Gesicht und Frisur sind jedoch klassisch griechisch. Griechisch-römisches Museum, Alexandria.

Einfluss eines höchst unpassenden Paares von Höflingen: des Eunuchen Eulaeus und des Ex-Sklaven und Schatzmeisters Lenaeus. 176 V. CHR. bestimmten die beiden, dass Ptolemaios VI. seine ein wenig ältere Schwester Kleopatra II. heiraten solle. Das Paar hatte vier Kinder: Ptolemaios Eupator, Kleopatra Thea, Ptolemaios VII. und Kleopatra III. Gleichzeitig erklärten Eulaeus and Lenaeus das Königtum zum Triumvirat und ernannten die beiden jungen Ptolemäer (VI. und VIII.) und deren Schwester Kleopatra II. zu gemeinsamen Regenten.

Ihr nächster – höchst unkluger – Schachzug war, die Syrer zum Krieg zu provozieren. Das Unvermeidliche geschah. Im 6. Syrischen Krieg (170–168 V. CHR.) wurde Ptolemaios VI. von seinem Onkel Antiochos IV. gefangen genommen, die Ägypter erlebten eine erniedrigende Invasion und nur das Eingreifen Roms verhinderte die Eroberung Alexandrias durch die Syrer. Antiochos hätte gerne seinen älteren Neffen zum Herrscher gemacht, der als Marionettenkönig Ägypten von Memphis aus regieren sollte. Doch er hatte die Rechnung ohne das ägyptische Volk gemacht, das Ptolemaios VIII. und Kleopatra II. zu ihrem König und ihrer Königin erklärte. Eine Zeit lang gab es nun zwei rivalisierende Herrscher, doch die Situation war unerträglich und mit Kleopatra, die zwischen den Brüdern vermittelte, lebte das Triumvirat wieder auf.

Drei Könige waren jedoch zumindest einer zu viel. Beide Ptolemäer waren tatkräftige Männer, und keiner wollte sich dem anderen unterordnen. Da sich das Volk gegen den weniger beliebten Bruder erhob und Ptolemaios VI. nach Rom fliehen musste, setzte Ptolemaios VIII. den alleinigen Thronanspruch durch und regierte mit seiner Schwester an der Seite wieder von der Festung Alexandria aus. Diese Nähe ließ jedoch das Volk von Alexandria bald das wahre Gesicht ihres einstigen Lieblings erkennen. Ptolemaios VIII. (mit dem Beinamen „Euergetes", Wohltäter) wurde respektlos „Physon", Schmerbauch, genannt, da er bereits in jungen Jahren zur Fettleibigkeit neigte. Obwohl er intelligent und politisch klug handelte, empfanden ihn die Menschen als brutal, rachsüchtig und zügellos, und die Alexandriner waren nicht länger bereit, diese Eigenschaften bei einem König hinzunehmen. Das Volk erhob sich gegen Ptolemaios VIII., und Ptolemaios VI. wurde zurückgerufen, um gemeinsam mit Kleopatra II. zu regieren. Ptolemaios VIII. ging ins Exil und wurde König von Libyen.

145 V. CHR. starb der beliebte Ptolemaios VI. in einer Schlacht gegen die Syrer. Da ihr älterer Sohn Ptolemaios Eupator ebenfalls bereits gestorben war, blieb Kleopatra II. mit dem Kindkönig Ptolemaios VII. allein zurück. Der ehrgeizige Ptolemaios VIII. nützte diese Chance, kehrte aus Libyen zurück, heiratete seine verwitwete Schwester – Kleopatra II. soll einverstanden gewesen sein, um ihren Sohn zu schützen – und brachte seinen Neffen fast unmittelbar danach um. Ein Jahr später gebar Kleopatra II. Ägypten einen neuen Thronfolger, Ptolemaios Memphites, Sohn von Ptolemaios VIII.

Kleopatra III.

Ptolemaios VIII. hatte Kleopatra II. geheiratet, um seinen Anspruch auf den Thron zu festigen und um, wie wir vermuten können, seine eigenwillige Schwester unter Kontrolle zu haben. Spät, aber doch sah er ein, dass die Geburt von Memphites Kleopatra II. dazu ermutigen könnte, als Regentin für ihren Sohn wieder nach der Macht zu greifen. So wählte er eine zweite Frau, seine junge Stieftochter Kleopatra III., deren ptolemäische Abstammung sie als Ersatz für Kleopatra II. zu einer passenden Regentin und Mutter des zukünftigen Königs von Ägypten machte. Außerdem hatte Kleopatra III. bereits ihre Fruchtbarkeit bewiesen, indem sie ihrem Onkel einen Sohn, Ptolemaios IX., schenkte, der zufällig am selben Tag geboren wurde wie der heilige Stier Apis (18. Februar 142 v. Chr.). Doch Kleopatra II. hatte nach wie vor den Rückhalt der Alexandriner. Sie akzeptierte weder die Scheidung, noch gab sie ihre Position auf, und Mutter und Tochter teilten sich das Amt der Königin als Kleopatra, die Gattin, und Kleopatra, die Schwester, bis der höchst unpopuläre Ptolemaios VIII. nochmals aus Ägypten fliehen musste, Kleopatra III., ihre beiden Söhne und drei Töchter nach Zypern mitnahm und Memphites nachholte.

In Alexandria kam der Volksaufstand vorläufig zur Ruhe, und Kleopatra II. regierte allein als Kleopatra Thea Philometor Soteira (die mutterliebende Göttin, die Retterin). Durch diesen nicht ganz unerwarteten Lauf der Dinge erzürnt, ließ Ptolemaios VIII. den 12-jährigen Ptolemaios Memphites ermorden und, als grausame Parodie auf den Mythos von Isis und Osiris, in einem wertvollen Sarg an seine Mutter zurückschicken.

In der Zwischenzeit wurde die loyale Kleopatra III., bereits Priesterin des bis dahin rein männlichen Kults des vergöttlichten Alexander, mit ihrer eigenen Göttlichkeit belohnt. Eng verknüpft mit dem Isiskult, der

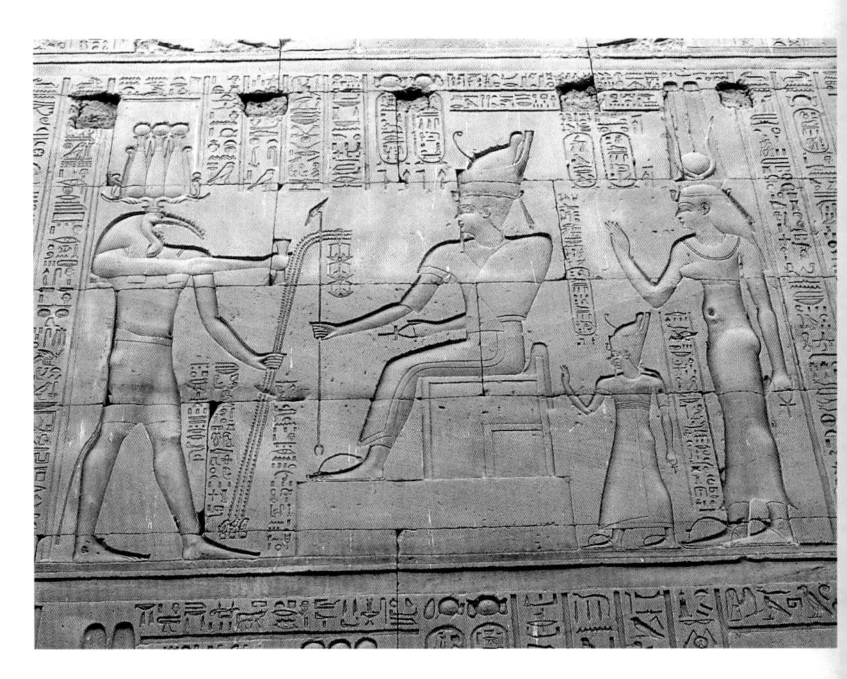

(*Rechts*) An der Wand des ptolemäischen Horustempels in Edfu empfangen Ptolemaios VIII., Kleopatra II. und ihr Sohn Ptolemaios Memphites Festsymbole vom ibisköpfigen Gott Thot. Ptolemaios VIII. sollte bald darauf seinen jungen Sohn ermorden.

(*Seite 197*) Typisch ägyptisch in seiner Erscheinung steht ein konventionell schlanker Ptolemaios VIII. Euergetes vor einer seiner beiden Frauen namens Kleopatra. Aus dem Osttempel in Karnak. Ägyptisches Museum, Berlin.

Ptolemaios VIII. steht vor seinen beiden Frauen: Kleopatra II., „die Schwester", und ihrer Tochter, Kleopatra III., „die Gemahlin". Tempel von Sobek und Harouris (Horus dem Älteren), Kom Ombo.

sich über das ganze Römische Reich ausgebreitet hatte, gab es im Kult der lebenden Kleopatra Priester, keine Priesterinnen. Ihr ganzes Leben lang betonte Kleopatra III. ihre Nähe zum Kult der Isis sowohl als Mutter von Horus als auch als Mutter des Apisstiers. Ihre Göttlichkeit und diese Verbindung untermauerten ihr Recht, zu regieren. Sie war nicht die erste Ptolemäerin, die die Verbindung zwischen Königin und Göttin betonte (Berenike I., Arsinoe II. und Kleopatra I. wurden mit Isis assoziiert), doch sie war die erste „lebende Isis" in all ihren Erscheinungsformen.

130 V. CHR. kehrte Ptolemaios VIII. nach Ägypten zurück und zwang Kleopatra II. zur Flucht ins sichere Syrien. Unerklärlicherweise kehrte sie im Jahr 124 zurück, und es kam zur Versöhnung zwischen Bruder und Schwester. Für kurze Zeit regierten Kleopatra II., ihre Tochter Kleopatra III. und ihr gemeinsamer Gatte Ptolemaios VIII. Ägypten nochmals in einer unbequemen *Ménage à trois*, wobei Kleopatra II. eindeutig über ihre zunehmend vergöttlichte Tochter dominierte.

Ptolemaios VIII. starb 116 V. CHR., Kleopatra II. wenige Monate später. So wurde Kleopatra III. zur Regentin für zwei Söhne, Ptolemaios IX. und Ptolemaios X. Nach dem seltsamen – und für uns heute unerklärlichen – Letzten Willen ihres Gatten sollte sie entscheiden, welcher Sohn den

Thron bestieg. Auch diese drei regierten in Uneinigkeit, wobei zuerst der eine, dann der andere Bruder nach Zypern fliehen musste. Als Ptolemaios IX. 107 v. CHR. unter dem Verdacht floh, eine Verschwörung gegen seine Mutter zu planen – da der jüngere Bruder der Liebling seiner Mutter war, wahrscheinlich ein erfundener Verdacht –, regierten Kleopatra III. und Ptolemaios X. gemeinsam. Kleopatra III. starb 60-jährig, fast sicher ermordet von ihrem Lieblingssohn.

KLEOPATRA IV. UND KLEOPATRA SELENE

Ptolemaios X. regierte zehn Jahre lang allein, bis sich die Alexandriner, seines verruchten Lebenswandels überdrüssig, gegen ihn erhoben. Er musste fliehen, und der Thron war für seinen Bruder, Ptolemaios IX., frei. Ptolemaios IX. hatte mindestens zwei Frauen, seine Schwester Kleopatra IV., gefolgt von einer weiteren Schwester, Kleopatra Selene. Beide überlebten ihren Gatten, und beide starben eines gewaltsamen Todes: Kleopatra IV. wurde brutal ermordet, als sie sich an die Statue des Apollo in Daphne klammerte, und Kleopatra Selene – insgesamt viermal verheiratet – wurde in Seleucia hingerichtet. Für die These, dass Ptolemaios IX. gegen Ende seines Lebens auch noch seine Tochter Berenike III. heiratete, gibt es kaum Beweise; Inzest zwischen Vater und Tochter ist bei den Ptolemäern unbekannt.

(*Unten*) Berenike III., dargestellt an der hinteren Wand des Tempels in Edfu. Anders als die weiblichen Pharaonen des traditionellen Ägypten brauchte Berenike einen Ehemann, um ihren Anspruch auf den Thron zu bestätigen.

BERENIKE III.

Berenike III. heiratete Ptolemaios X. 101 v. CHR. Ihr gemeinsamer Titel „König Ptolemaios, bekannt als Alexander, der mutterliebende Gott, und Königin Berenike, seine Schwester, seine Gemahlin ..." ist irreführend. Berenike war die Nichte Ptolemaios' X., nicht seine Schwester. Nach dem Tod Ptolemaios' IX. im Jahr 62 v. CHR. übernahm die verwitwete Berenike III. den Thron ihres Vaters.

Die alten ägyptischen Pharaoninnen hatten absichtlich nicht geheiratet – der Rollenkonflikt zwischen Ehefrau und Pharaonin war einfach zu groß. Stattdessen übernahmen sie in der Dualität des Pharaonentums das männliche Element und erwählten eine Tochter als weiblichen Gegenpol. Die Ptolemäer hatten einen anderen Ansatz. Auch für sie war das Königtum eine Dualität, doch die beiden Elemente hatten tatsächlich ein weibliches und ein männliches zu sein, idealerweise beide ptolemäischer Abstammung. Die Witwe Berenike brauchte daher einen Ehemann. Von Rom ermutigt, heiratete sie ihren jungen Stiefsohn Ptolemaios XI. und machte ihn zum Mitregenten. Dies erwies sich jedoch als kapitaler Fehler. Nach drei Wochen Ehe wurde Berenike von ihrem Gatten ermordet und dieser wiederum 19 Tage später vom Volk Alexandrias gelyncht. Da Ägypten nun offenbar ohne ptolemäischen Erben war, bestieg der ältere der beiden illegitimen Söhne Ptolemaios' IX. als Ptolemaios XII. den Thron und heiratete seine Schwester Kleopatra V. Währenddessen wurde der jüngere Sohn, auch ein Ptolemaios, König von Zypern.

Zerbrochene Granitstatue einer späten Königin der Ptolemäer. Sie ist im ägyptischen Stil gekleidet und trägt eine schwere, dreiteilige Perücke. Drei einzelne Uräusschlangen (mittlerweile abgebrochen) deuten an, dass dies nicht Kleopatra VII. ist, sondern vielleicht eine ihrer unmittelbaren Vorgängerinnen.

KLEOPATRA V.

Ptolemaios XII. war als „Auletes", der Flötenspieler, bekannt. Der neue König wusste, dass Ägypten keine Chance hatte, sich der Militärmacht Roms entgegenzustellen. Nur wenn er eng mit dem Feind zusammenarbeitete, konnte er hoffen, seine Krone zu behalten. Daher kämpften 8000 Mann der ägyptischen Reiterei Seite an Seite mit den römischen Truppen in Palästina, während sich im weit entfernten Rom die Truhen des Senats mit ägyptischem Gold füllten. Auletes, nun offiziell „ein Verbündeter und Freund des römischen Volks" und spezieller noch ein Freund von Julius Caesar, hatte Ägypten ein paar zusätzliche Jahre der Unabhängigkeit erkauft. Doch der Preis dafür war hoch. Die Ägypter, besonders die Alexandriner, waren unglücklich über ihren schwachen König.

Kleopatra V., die Schwestergemahlin von Auletes, gebar fünf oder sechs Kinder: drei oder vier Töchter – Berenike IV., die unbedeutende Kleopatra VI. Tryphaena, die viele Experten mit ihrer Mutter gleichen Namens gleichsetzen, Kleopatra VII. und Arsinoe – sowie zwei Söhne, Ptolemaios XIII. und Ptolemaios XIV.

BERENIKE IV.

58 v. CHR. annektierten die Römer die frühere ägyptische Provinz Zypern und zwangen deren König Ptolemaios, den Bruder von Auletes, zum Selbstmord. Eine Welle der Panik überschwemmte Ägypten, und als sich das Volk von Alexandria wieder einmal in den Straßen zusammenrottete, floh Auletes nach Rom und bat um militärischen Beistand. In all dem Trubel blieb die jüngere Kleopatra in Alexandria, unter dem Schutz ihrer älteren Schwester Berenike IV., die Ägypten in Abwesenheit ihres Vaters regierte. Berenike wurde als Regentin mit einer gewissen Kleopatra Tryphaena in Verbindung gebracht; ob es sich dabei um ihre unbedeutende Schwester oder ihre Mutter handelt, ist unklar. Wer immer sie auch war, Königin Kleopatra verschwand bald, wahrscheinlich starb sie.

Berenike war eine weibliche Alleinherrscherin ohne Ehemann. Im Idealfall hätte sie einen ihrer Brüder geheiratet, doch beide waren keine fünf Jahre alt. Stattdessen wählte sie einen unauffälligen Cousin, Seleucos, nur um ihn eine Woche nach der Hochzeit erwürgen zu lassen. Ihr zweiter Mann, Archelaos, lebte länger, und das Paar regierte zwei Jahre mit der vollen Unterstützung der Alexandriner. In der Zwischenzeit lieh sich Auletes, unfähig, die Römer dazu zu bringen, ihn gegen seine Tochter zu unterstützen, riesige Mengen Geld und machte sich auf nach Ephesos, wo er sich die Hilfe des Gouverneurs von Syrien erkaufte. Die römische Armee nahm Alexandria im Jahr 55 v. CHR. ein, Archelaos wurde getötet und Auletes, der im Triumph heimkehrte, ließ Berenike hinrichten. Er blieb knapp vier Jahre auf seinem wiedergewonnenen Thron und starb Anfang 51 v. CHR. eines natürlichen Todes. Der Thron ging an seinen ältesten Sohn und seine älteste überlebende Tochter – den 10-jährigen Ptolemaios XIII. und seine 17-jährige Schwestergemahlin Kleopatra VII.

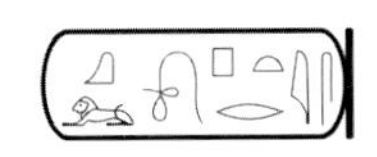

Arsinoe IV.
Kleopatra VII.

Teilweise restauriertes Marmorporträt, Kopf von Kleopatra VII. im griechischen Stil, Herkunft unbekannt, höchstwahrscheinlich aus Italien. Der Kopf sollte vielleicht an eine zusammengesetzte, lebensgroße Statue angefügt werden. Ägyptisches Museum, Berlin.

KLEOPATRA VII.

Voller Name
Kleopatra VII. Thea Philopator
Ehemänner
Ptolemaios XIII., Ptolemaios XIV.
Liebhaber
Julius Cäsar, Mark Anton
Vater
Ptolemaios XII. Neos Dionysos
Mutter
Kleopatra V. Tryphaena
Söhne
Ptolemaios Cäsar, Alexander Helios, Ptolemaios Philadelphus
Tochter
Kleopatra Selene
Titel
Große des Zepters, Erste Leiterin beider Länder, Herrin von Ober- und Unterägypten

KLEOPATRA VII.

Ptolemaios XIII. und Kleopatra VII. bestiegen 51 v. CHR. den Thron – mit dem Segen ihres Volks und der tatkräftigen Unterstützung der Römer, die, nach wie vor unsicher, ob man Ägypten annektieren sollte, überall im Land Truppen stationiert hatten. Die beiden Herrscher erbten ein tief verschuldetes Land, die enormen Darlehen ihres Vaters mussten zurückbezahlt werden. Eigentlich sollte Ptolemaios XIII. als König der dominierende Partner sein, doch der Altersunterschied von sieben Jahren machte Kleopatra zur tatsächlichen Herrscherin. Ihre Entscheidung, Rom mit Truppen zu unterstützen, ärgerte die Ägypter und mag teilweise erklären, warum Ptolemaios XIII. plante, seine Schwestergemahlin ermorden zu lassen. Rechtzeitig gewarnt floh Kleopatra nach Osten. Dort sammelte sie Truppen, um den Thron von ihrem Bruder zurückzugewinnen. Im Sommer des Jahres 48 v. CHR. standen einander im Delta die Ptolemaios bzw. Kleopatra loyal ergebenen Armeen kampfbereit gegenüber.

Julius Cäsar

Im selben Jahr ließ der nun 15-jährige Ptolemaios XIII. Pompeius, den Rivalen von Julius Cäsar, ermorden. So hoffte er die Unterstützung der Römer für seinen alleinigen Thronanspruch zu gewinnen. Als Cäsar nach Alexandria kam, erwartete ihn dort der aufgespießte Kopf seines Rivalen. Aber Ptolemaios hatte sich verrechnet. Cäsar rief Ptolemaios und Kleopatra nach Alexandria und erklärte seine Unterstützung für die Königin. Doch die Alexandriner hatten anderes im Sinn: Im November 48 v. CHR. schlossen sie Cäsar und Kleopatra im Königspalast ein und erklärten die jüngste königliche Schwester, **Arsinoe IV.**, zur Königin von Ägypten.

Kleopatra und Julius Cäsar verbrachten einen langen Winter belagert im Palast von Alexandria. Römische Verstärkung kam erst im März 47 v. Chr., als die beiden längst sowohl politische Verbündete als auch ein Liebespaar waren. Nach der Befreiung Cäsars floh Ptolemaios XIII. und ertrank im Nil, während Arsinoe IV., die kurzlebige Königin von Alexandria, gefangen genommen und nach Rom gebracht wurde. Die nun verwitwete Kleopatra erhielt den Thron und die volle Unterstützung Roms und nahm ihren 11 Jahre alten Bruder Ptolemaios XIV. zum Mann. Die Braut war bereits schwanger. Im Juni 47 v. Chr. gebar Kleopatra einen Sohn, den sie nach seinem Vater Ptolemaios Cäsar (bekannt als Kaisarion) nannte. Cäsar, bereits mit einer Römerin verheiratet, konnte seinen ägyptischen Sohn formal nicht anerkennen, doch knapp vor seiner Ermordung plante er in Rom eine Gesetzesänderung, die ihm eine zweite Frau und ein legitimes Kind in einem fremden Land erlaubt hätte.

Hinter dem Verhältnis von Cäsar und Kleopatra steckte sicher mehr als ungestüme Leidenschaft. Beide waren erfahrene Politiker und keinen kann man sich, auch mit noch so viel Fantasie, als naiv vorstellen. Ihre körperliche Vereinigung festigte das politische Bündnis und war daher äußerst sinnvoll. Ägypten würde unabhängig bleiben und doch unter den Schutz Roms fallen. Rom würde von der Freigebigkeit Ägyptens als dem fruchtbarsten Land der Erde profitieren. Ihre gemeinsamen Interessen – Ehrgeiz und, natürlich, das gemeinsame Kind – verbanden sie; beide erkannten den Nutzen eines unabhängigen Ägypten, das Kaisarion erben würde. Im Vertrauen auf Kleopatras Loyalität, wenn nicht ihm gegenüber, dann auf jeden Fall gegenüber ihrem Sohn, machte Cäsar Kleopatra zur Alleinherrscherin, als er selbst das Land verließ.

Münzen mit Kleopatra (*oben*) und Mark Anton (*unten*). Kleopatras Münze zeigt ein harsches Profil mit ausgeprägter Nase und vorstehendem Kinn.

Im Jahr 46 v. Chr. hielt Cäsar in Rom einen Triumphzug ab, bei dem die entthronte Arsinoe dem römischen Volk in Ketten vorgeführt wurde. Kleopatra und Ptolemaios XIV. folgten Cäsar nach Rom und blieben über ein Jahr lang auf seinem privaten Landsitz. Sie wohnten der Einweihung einer vergoldeten Statue der Kleopatra im Tempel der Venus Getrix durch Cäsar bei. Erst als Cäsar an den Iden des März 44 v. Chr. ermordet wurde, kehrten sie nach Ägypten zurück. Günstigerweise starb der junge Ptolemaios XIV. kurz nach ihrer Rückkehr – ob durch Unfall oder Absicht, ist unklar. Da kein anderer männlicher Thronerbe zur Verfügung stand, wurde Kaisarion zu Ptolemaios XV. Theos Philopator Philomator, „der vater- und mutterliebende Gott", und Kleopatra VII. blieb effektiv Alleinherrscherin Ägyptens.

In Rom ging ein Triumvirat, Mark Anton, Oktavian und Marcus Lepidus, daran, Cäsars Mörder Brutus und Cassius zu fassen. Das römische Volk wollte Rache, und Ägypten sollte dabei helfen. Die Sache war für Kleopatra von ungeheurer Wichtigkeit. Der Gouverneur von Zypern hatte sich auf die Seite der Mörder geschlagen und war entschlossen, ihre Schwester Arsinoe, die mittlerweile in Freiheit in Ephesos lebte, wieder als Königin Ägyptens einzusetzen. Zeit ihres Lebens würde Arsinoe eine ständige Bedrohung für Kleopatra darstellen, wen überrascht es daher, dass sie auf Weisung ihrer Schwester im Jahr 40 v. Chr. ermordet wurde.

WIE SAH KLEOPATRA AUS?

Kleopatra soll ein Schönheitsbuch geschrieben haben, um ihre Geheimnisse anderen Frauen weiterzugeben, doch wie sah sie selbst wirklich aus? Die klassischen Autoren sind uneinig. Plutarch bezeichnet sie als etwas hübscher als der Durchschnitt, im Gegensatz dazu reiht sie Cassius Dio unter die schönsten Frauen der Welt: „herrlich anzusehen, herrlich ihr zuzuhören ..."

Die frühen Historiker neigten dazu, jede Frau mit einer Schlange in der Hand als Kleopatra VII. zu identifizieren. Wenn wir diese zweifelhaften Zuordnungen außer Acht lassen, bleiben nur wenige Bilder der letzten Königin Ägyptens übrig. Diese Porträts können in zwei unterschiedliche Gruppen eingeteilt werden. Die Darstellungen in der Tradition Ägyptens, die auf Statuen und an den Tempelwänden in Dendera erhalten geblieben sind, zeigen, wie wir annehmen können, die konventionelle, rätselhafte Königin: hoch gewachsen, schlank, mit Perücke, in feinstes Leinen gehüllt und mit dem typischen Kopfschmuck mit Doppelfedern, Sonnenscheibe, Kuhhörnern und Uräusschlange. In diesen Bildern sehen wir wenig von der echten Kleopatra, außer ihrem Wunsch, mit Isis identifiziert zu werden.

Kleopatras nicht ägyptische Porträts sind deutlich anders und erscheinen uns weit realistischer, obwohl wir nicht annehmen dürfen, dass sie alle realitätsnah sind. Hier erscheint Kleopatra in der Kleidung und Haartracht – mit Diadem und umsponnenem Haarknoten – der klassischen Matrone. Ihre Münzen zeigen eine Frau mit vorstehender Nase und ebensolchem Kinn. Auf Marmorbüsten aus Rom sind diese Merkmale zwar abgeschwächt, aber erkennbar, die Königin ist keinesfalls eine außergewöhnliche Schönheit; sie blickt entschlossen, weniger verführerisch. Vielleicht lag ihr Charme in ihrer Stimme. Der Historiker Plutarch, wenig beeindruckt von ihrem Äußeren, war ganz hingerissen von ihren sprachlichen Fähigkeiten:

Es war eine Freude, nur dem Klang ihrer Stimme zu lauschen, mit der sie wie auf einem Instrument mit vielen Saiten von einer Sprache in die andere wechseln konnte, sodass es kaum Barbaren gab, mit denen sie über einen Dolmetscher sprechen musste ...

(Oben) Ein als Kleopatra identifizierter Marmorkopf wurde dieser Marmorstatue aufgesetzt: Aus der Königin von Ägypten wurde eine römische Matrone.

(Links) Kleopatra VII. und ihr Sohn Kaisarion (nicht im Bild) sind an der Hinterwand des Hathortempels in Dendera abgebildet.

Kleopatra verbündete sich mit dem Triumvirat. Sie stellte eine Flotte auf, doch die Schiffe gingen im Sturm verloren. Bevor sie eine neue Flotte aufstellen konnte, wurden die Aufwiegler geschlagen. Zwei Männer waren nun an der Macht – Oktavian (Cäsars legitimer Erbe) kontrollierte den Westen, Mark Anton den Osten. Kleopatra, in Ägypten extrem verwundbar, brauchte einen Beschützer. Zum ersten Mal versagte ihr politischer Instinkt, und sie entschied sich für den Falschen: für Mark Anton.

KLEOPATRA ALS ISIS

Kleopatra schrieb ihren eigenen Mythos. Nach dem Vorbild von Kleopatra III. machte sie sich den Kult der Muttergöttin Isis zunutze, um ihre Darstellung als lebende Göttin zu stärken.

Diese theologische Vermischung war in Ägypten, wo das Königshaus immer mit dem Göttlichen in Verbindung stand und das einfache Volk von der Verehrung der Staatsgötter ausgeschlossen blieb, durchaus akzeptiert. Wenn sich Kleopatra zur Göttin („die neue Isis", im Unterschied zu ihrer Vorgängerin Kleopatra III.) erklären wollte, würden nur wenige Ägypter davon wissen und selbst für diese wäre es nicht wichtig. Doch in Rom, wo der Isiskult hohes Ansehen genoss und die Tempel für jeden offen standen, wurde Kleopatras Rolle als Mittlerin zwischen der Göttin und ihrem Volk als unerträgliche Anmaßung empfunden. Die Königin befand sich in einer seltsamen Zwickmühle: Halbgöttin oder gar Göttin im eigenen Land, blieb sie für Rom eine einfache Sterbliche.

Goldring mit einem gravierten Porträt von Kleopatra VII. Die Königin trägt die dreiteilige Perücke, die Geierhaube, die Modiuskrone mit mehreren Uräusschlangen, Sonnenscheibe und Kuhhörnern und will mit Isis identifiziert werden. Ihr Profil erinnert an die Kleopatra auf ihren Münzen.

Mark Anton

Einen römischen Kaiser zu verführen – oder sich von ihm verführen zu lassen – hatte sich in der Vergangenheit bestens bewährt. Kleopatra war noch jung und sah keinen Grund, an der Wirkung dieser Taktik zu zweifeln. Die Geschichte war wiederholbar. Mark Anton, weniger intelligent und weniger erfahren als Julius Cäsar, erlag bald ihrem Charme. Im Jahr 40 v. CHR. gebar Kleopatra die gemeinsamen Zwillinge Kleopatra Selene und Alexander Helios. Mark Anton war zum Zeitpunkt dieser Geburt bereits wieder in Rom, wo er Oktavia, die Schwester seines Verbündeten und Erzrivalen Oktavian, zur Frau zu nehmen gedachte.

Doch Rom konnte nur einen Herrn haben. Die Beziehungen zwischen Mark Anton und Oktavian und im Anschluss daran auch zwischen Oktavia und ihrem neuen Gatten verschlechterten sich zusehends. 37 v. CHR. verließ Mark Anton Rom und ging nach Antiochien, von wo aus er nach Kleopatra schickte. Zusammen heckten sie einen großartigen Plan für eine östliche Allianz aus, der Ägypten einen Gutteil des vergangenen Glanzes zurückgeben sollte. Dank Mark Anton bekam Ägypten nun einige der verlorenen Gebiete im Osten zurück.

Leider war Mark Antons Feldzug gegen die Parther (36 v. Chr.) – der erste Schritt zur Konsolidierung der östlichen Allianz – ein totaler Fehlschlag. Anstatt neue Länder zu erobern, musste er Oktavian, mit seiner ihm fremd gewordenen Gattin als Vermittlerin, um Verstärkung bitten.

Die schwarze Basaltstatue zeigt eine ptolemäische Königin, die ein doppeltes Füllhorn trägt. Zuerst wurde die Statue als Arsinoe II. identifiziert, doch in ihren Statuen im ägyptischen Stil bevorzugte Arsinoe die doppelte Uräusschlange, die als Erste Ahmes-Nefertari zu Beginn der 18. Dynastie trug. Die dreifache Uräusschlange, die auch oft als doppelte Schlange mit zentralem Geierkopf interpretiert wird, erschien ebenfalls erstmals in der 18. Dynastie und wurde von Kleopatra VII. bevorzugt. Eremitage, St. Petersburg.

Lächerliche 2.000 Mann wurden ihm angeboten und von Mark Anton zurückgewiesen, worauf das Verhältnis der beiden Römer einen Tiefpunkt erreichte. Mark Antons darauffolgender Triumph in Armenien heilte ein wenig seinen verletzten Stolz. Bei den ausufernden Feierlichkeiten in Alexandria saß Mark Anton auf einem Thron und präsentierte seine von Kleopatra geborenen Söhne – es waren mittlerweile zwei – als Könige der von Rom/Ägypten besetzten Länder. Nichts hätte Oktavian und Oktavia mehr erzürnen können.

Im Jahr 32 v. Chr. wurde die Ehe mit Oktavia für nichtig erklärt und Mark Anton und Kleopatra waren nun offiziell ein Paar. Doch während sich die Verliebten auf einer langen Reise durch den östlichen Mittelmeerraum befanden, rüstete Oktavian zum Krieg. Die Schlacht bei Actium war ein Triumph für Oktavian. Mark Anton musste fliehen, während Kleopatra nach Alexandria eilte, um Truppen aufzustellen. Als Mark Anton einige Wochen später zu ihr stieß, saßen die beiden in der Falle.

Kleopatras Angebot, zu Gunsten ihrer Kinder abzudanken, wurde zurückgewiesen. Während Mark Anton in seine letzte Schlacht zog, schloss sich die Königin in ihrem Mausoleum ein, das auch als Schatzkammer diente. Als Mark Anton von Kleopatras Selbstmord erfuhr, stürzte er sich in sein Schwert. Doch diese Nachricht war falsch. Der sterbende Mark Anton wurde nach Alexandria zurückgebracht und schleppte sich bis zum Mausoleum, um in Kleopatras Armen zu sterben. Kleopatra VII., die letzte Königin von Ägypten, beging am 12. August 30 v. Chr. Selbstmord. Der griechische Historiker Cassius Dio berichtet über ihr Ableben:

Niemand wusste genau, wie sie gestorben war. Sie fanden nur kleine Einstiche an ihrem Arm. Manche sagten, sie benutzte eine Viper …[41]

Ihr Leichnam wurde nie gefunden.

Kleopatras Kinder

Alle vier Kinder Kleopatras überlebten ihre Mutter. Der älteste Sohn Kaisarion war nun theoretisch König von Ägypten, doch ein Sohn Cäsars stellte eine zu große Gefahr für Rom dar. Er wurde auf der Flucht aus Ägypten von Oktavian gefasst und hingerichtet. Die anderen Kinder wurden nach Rom gebracht, zuerst in einem erniedrigenden Triumphzug zur Schau gestellt und dann Oktavia, der vierten Frau Mark Antons, zur Erziehung übergeben. 20 v. Chr. wurde Kleopatra Selene mit dem nubischen Prinzen Juba II. verheiratet; sie gebar einen Sohn, selbstverständlich namens Ptolemaios, und starb in relativer Abgeschiedenheit eines natürlichen Todes. Ihre Brüder Alexander und Ptolemaios Philadelphus (geboren 36 v. Chr.) wurden wie ihre Schwester weit weggeschickt, wo sie keinen Schaden anrichten konnten. In Mauretanien lebten sie ein langweiliges Leben fernab der politischen Bühne. Der junge Prinz Ptolemaios, Kleopatras Enkel, war weniger glücklich. Nachdem er den Thron seines Vaters geerbt hatte, ließ ihn der römische Kaiser Caligula 40 n. Chr. hinrichten.

Basaltstatue eines jugendlichen Pharao der späten ptolemäischen Zeit, vermutlich Kaisarion. Der König trägt die traditionellen Insignien, doch das Haar, das man unter dem *Nemes* (Kopftuch) sieht, ist nach griechischem Stil frisiert. Fundort wahrscheinlich Karnak, heute im Ägyptischen Museum, Kairo.

Kleopatra im Wandel der Zeit

Ihre Schönheit, sagte man uns, war nicht so unvergleichlich, dass niemand sie ansehen konnte, ohne beeindruckt zu sein. Doch der Charme ihrer Gegenwart war unwiderstehlich ...[42]

Kleopatra VII. war eine intelligente Frau, eine kompetente hellenistische Herrscherin und ihren vier Kindern eine aufopfernde Mutter. Heute vergisst man dies gern, da sie dank der unzähligen Darstellungen auf Leinwand, Bühne und Bildschirm zum Sinnbild der Femme Fatale wurde, die mit ihrer unvergleichlichen Schönheit und exotischen Sinneslust die Herzen der beiden mächtigsten Männer Roms eroberte.

Kleopatras Eltern waren fast sicher Bruder und Schwester. Ihr Großvater Ptolemaios IX. war von griechischer Abstammung, ihre Großmutter wird als „Konkubine" beschrieben, ihre Herkunft jedoch nicht weiter ausgeführt, sodass wir nicht wissen, wie sie oder ihre Enkelin Kleopatra VII. genau aussahen.

(Oben) Diese mittelalterliche Kleopatra stirbt auf dramatische Weise am Biss zweier Schlangen, während sich Mark Anton das Schwert in die Brust stößt. Der Hintergrund ist rein französisch. Französische Handschrift, 15. Jahrhundert.

(Rechts) Giambattista Tiepolo zeigt im Jahr 1757 Kleopatra als hellhäutige, blonde Königin. Bemerkenswert ist die steile Pyramide im Hintergrund. Palazzo Labia, Venedig.

(Unten) Elizabeth Taylor als moderne Kleopatra.

(Links) Theda Bara, 1917, in dem Film Kleopatra *nach dem Roman von Rider Haggard. In der Werbung für diesen Film wurde behauptet, dass Miss Bara aus Ägypten stammte, tatsächlich wurde sie in Cincinnati geboren.*

(Unten) Lawrence Alma-Tadema (1883) zeigt Kleopatra, die entspannt in ihrer Barke lehnend auf ihren Liebhaber wartet. Die Hieroglyphen geben den korrekten Namen der Königin wieder. Privatbesitz.

Anhang

CHRONOLOGISCHE LISTE DER KÖNIGSPAARE

Diese Chronologie wurde jener angepasst, die Dr. Bill Manley als Herausgeber des Buchs *Die siebzig großen Geheimnisse des alten Ägypten* (2003) in diesem verwendet. Alle Datumsangaben V. CHR.

DIE FRÜHDYNASTISCHE ZEIT (um 3100–2650 V. CHR.)

Negade III/Dynastie 0 (*ca.* 3100)
Parallelregentschaft lokaler Könige; keine bekannten Königinnen

1. Dynastie (um 2950–2775)
Narmer = ? = **Hotep-Neith**
Menes = ? = **Bener-ib, Chenet-Hapi**
Djer = ? = **Her-Neith**
Wadji = ? = **Merit Neith**
Den = ? = **Seschemetka, Semat, Seret-Hor**
Anedjib = ? = **Batjiries**
Semerchet = ?
Qa-a = ?

2. Dynastie (um 2750–2650)
Hetepsechemui = ?
Nebre = ?
Ninetjer = ?
Weneg = ?
Sened = ?
Peribsen = ?
Chasechemui == **Nimaat-Hapi**

DAS ALTE REICH (um 2650–2125)

3. Dynastie (um 2650–2575)
Djoser = = **Hetephernebti**
Sechemchet = ?
Chaba = ?
Huni = ?

4. Dynastie (um 2575–2450)
Snofru = = **Hetep-Heres I.**
Cheops = = **Henutsen, Meritetes**
Radjedef = = **Kenteten-Ka, Hetep-Heres II.?**
Chephren = = **Meresanch III., Chamerernebti I.? Persenti? Hekenuhedjet?**
Mykerinos = = **Chamerernebti II.**
Schepseskaf = ? = **Bunefer**

5. Dynastie (um 2450–2325)
Userkaf = ? = **Chentkaus I.**
Sahure = = **Neferethanebti**
Neferirkare = = **Chentkaus II.**
Schepeskare = ?
Neferefre = ?
Niuserre = = **Reputnebu**
Menkauhor = = **Meresanch IV.**
Djedkare (Asosi) = ?
Unas = = **Nebet, Chenut**

6. Dynastie (um 2325–2175)
Teti II. = = **Iput I., Chuit**
Userkare = ?
Merenre I. = ?
Pepi I. = = **„Weret-Imtes“, Nubunet, Inenek-Inti, Merit-Ites, Anchnesmerire I., Anchnesmerire II., Nedjeftet**
Pepi II. = = **Neith, Udjebten, Iput II., Anchnesmerire III., Anchnesmerire IV.**
Merenre II. = ?
Nitokris

7. & 8. Dynastie (um 2175–2125)
Eine verwirrend große Zahl von Königen namens Neferkare

ERSTE ZWISCHENZEIT (um 2125–2010)

9. & 10. Dynastie (um 2125–1975)
Eine Reihe von Gaufürsten, Sitz Herakleopolis

11. Dynastie (Thebaner) (um 2080–2010)
Eine Reihe von Gaufürsten inklusive Mentuhotep I., Anjotef I., Anjotef II. und Anjotef III., Sitz Theben

DAS MITTLERE REICH (um 2010–1630)

11. Dynastie (landesweit) (um 2010–1938)
Mentuhotep II. = = **Nefru II., Tem, Henhenet, Sadeh, Aschait, Kawit? Kemsit?**
Mentuhotep III. = ? = **Imi**
Mentuhotep IV. = ?

12. Dynastie (um 1938–1755)
Amenemhet I. = = **Neferitatenen**
Sesostris I. = = **Nefru III.**
Amenemhet II. = ?
Sesostris II. = = **Chenmet-neferhedjet I., Nofret, Itaweret, Chenmet**
Sesostris III. = = **Sit-Hathor-Iunet, Meresger, Chenmet-neferhedjet II.**
Amenemhet III. = = **Aat, Hetepti?**
Amenemhet IV. = ? = **Nofrusobek**
Nofrusobek

13. & 14. Dynastie (um 1755–1630)
Eine Reihe von Gaufürsten

ZWEITE ZWISCHENZEIT (um 1630–1539)

15. Dynastie (um 1630–1520)
Große Hyksos-Dynastie aus dem Nildelta, darunter:
Apopi = ? = **Tani** (die einzige erwähnte Königin)

16. Dynastie
Zahlreiche unbedeutende Könige

17. Dynastie (um 1630–1539)
Eine Reihe thebanischer Herrscher, Höhepunkt:
Senachtenre (Taa I.) = = **Tetischeri**
Sekenenre (Taa II.) = = **Ahhotep I., Inhapi, Satdjehuti**
Kamose = ? = **Ahhotep II.**

DAS NEUE REICH (um 1539–1069)

18. Dynastie (um 1539–1292)
Ahmose = = **Ahmes-Nefertari, Ahmes-Nebta**
Amenophis I. = = **Ahmes-merit-Amun**
Thutmosis I. = = **Ahmose**
Thutmosis II. = = **Hatschepsut**
Hatschepsut
Thutmosis III. = = **Sat-jah, Meritre-Hatschepsut, Nebtu, Menui, Menhet, Merti**
Amenophis II. = = **Tia**
Thutmosis IV. = = **Nofretiri, „Jaret“, Mutemwia**
Amenophis III. = = **Teje, Sitamun, Isis? Henut-tau-nebu? Giluchepa, Taduchepa**

Amenophis IV./Echnaton = = **Nofretete, Kija**
Semenchkare = = **Meritaton**
Tutanchamun = = **Anchesenpaaton**
Eje = = **Teje**
Haremhab = = **Mutnedjmet**

19. Dynastie (um 1292–1190)
Ramses I. = = **Sitre**
Sethos I. = = **Tuja**
Ramses II. = = **Henutmire, Nofretiri, Isisnofret I., Bint-Anat I., Meritamun, Nebettawi, Maathornefrure**
Merenptah = = **Isisnofret II., Bint-Anat II.**
Amenmesse = ? = **Baketwerel I.**
Sethos II. = = **Tachat, Tausret**
Siptah = ?
Tausret

20. Dynastie (um 1190–1069)
Sethnacht = = **Teje-Mereniset**
Ramses III. = = **Iset Ta-hemdjert, Teje**
Ramses IV. = ? = **Tentopet**
Ramses V. = = **Henuttawi, Taurettenru**
Ramses VI. = = **Nubchesbed, Isis**
Ramses VII. = ?
Ramses VIII. = ?
Ramses IX. = ? = **Baketwerel II.**
Ramses X. = ? = **Titi**
Ramses XI. = = **Tentamun**

DRITTE ZWISCHENZEIT
(um 1069–657)

Hohepriester des Amun (Theben)
Pianch = = **Nodjmet**
Herihor = = **Nodjmet** (nochmals)
Pinodjem I. = = **Henttaui**
Pinodjem II. = = **Neschons, Isisemcheb III.**
Psusennes „III." = ?

21. Dynastie (Tanis) (um 1069–945)
Smendes = = **Tentamun**
Amenemnisu = ?
Psusennes I. = = **Mutnodjmet, Wiai**
Amenemope = ?
Osochor (Osorkon der Ältere) = ?
Siamun = ?
Psusennes II. = ?

22. Dynastie (um 945–715)
Scheschonk I. = = **Karama I., Penreschnes**
Osorkon I. = = **Maatkare, Taschedchons**
Scheschonk II. = = **Nesitanebetasch**
Takeloth I. = = **Kapes**
Osorkon II. = = **Isetemcheb IV., Djedmutesanch, Karama II.**
Scheschonk III. = = **Tadibastet, Tentamenipet, Djedbastetiuesanch**
Scheschonk IV. = ?
Pami = ?
Scheschonk V. = ?
Pedubast II. = ?
Osorkon IV. = ?

23. Dynastie (um 830–715)
Libysche Könige regieren parallel zur 22. Dynastie

24. Dynastie (730–715)
Tefnachte = ?
Bakenrenef (Bokchoris) = ?

25. Dynastie (Nubien) (um 800–657)
Pije (Pianchi) = = **Tabiri, Abale, Kemsa, Peksater**
Schabaka = = **Qalheta**
Schebitku = = **Arti**
Taharka = = **Atachebasken, Tabekenamun, Naparaie, Takahatamun**
Tanotamun = = **Piancharti**

SPÄTZEIT (664–332)

26. Dynastie (Sais) (664–525)
Psammetich I. = = **Mehitenusechet**
Necho II. = = **Chedebnetiretbinet I.**
Psammetich II = = **Tachuit**
Apries = ?
Amasis = = **Nachtubasteterau, Tentcheta**
Psammetich III = ?

27. Dynastie (Perser) (525–404)
Ägypten, von persischen Königen regiert, ist tatsächlich ohne Königin

28. Dynastie (404–399)
Amyrtaios = ?

29. Dynastie (399–380)
Nepherites I. = ?
Psammuthis = ?
Hakoris = ?
Nepherites II. = ?

30. Dynastie (380–343)
Nektanebos I. = ?
Teos = ?
Nektanebos II. = = **Chedebnetiretbinet II.**

31. Dynastie (Perser) (343–332)
Ägypten, von persischen Königen regiert, ist wieder ohne Königin

DIE GRIECHISCH-RÖMISCHE ZEIT
(332–30)

Alexander III. (der Große) = = **Roxane, Stateira, Parysatis, Barsine**
Philipp III. Arrhidaios = = **Eurydike**
Alexander IV. = ?
Ptolemaios I. = = **Thais, Artakama, Eurydike, Berenike I.**
Ptolemaios II. = = **Arsinoe I., Arsinoe II.**
Ptolemaios III. = = **Berenike II.**
Ptolemaios IV. = = **Arsinoe III.**
Ptolemaios V. = = **Kleopatra I.**
Ptolemaios VI. = = **Kleopatra II.**
Ptolemaios VIII. = = **Kleopatra II.** (wieder), **Kleopatra III.**
Ptolemaios IX. = = **Kleopatra IV., Kleopatra Selene**
Ptolemaios X. = = **Berenike III.**
Ptolemaios IX. (wieder eingesetzt) = ?
Berenike III. (wieder) = = Ptolemaios XI.
Ptolemaios XII. = = **Kleopatra V.**
Berenike IV. = = Seleukos, Archelaos
Ptolemaios XII. (wieder eingesetzt)
Ptolemaios XIII. = = **Kleopatra VII.**
Arsinoe IV.
Ptolemaios XIV. = = **Kleopatra VII.** (wieder)
Kleopatra VII. (wieder) und Ptolemaios XV. (Kaisarion)

(*Seite 210–211*) Heiliger See in Karnak, mit Hatschepsuts Obelisk in der Mitte.

Anmerkungen

1 Herodot, *Histories* Buch II: 35. Übersetzung ins Englische von A. de Selincourt, überarbeitet, mit Einleitung und Anmerkungen von A. R. Burn, London, 1983.
2 Petrie, W. M. F., 1931. *Seventy Years in Archaeology* 175.
3 Rezepte aus „Ebers Medical Papyrus" aus der 18. Dynastie.
4 Verner, M., 2002. *The Pyramids: Their Archaeology and History*. London: 370.
5 Herodot, *Histories* Buch II: 100. Übersetzung ins Englische von A. de Selincourt, überarbeitet, mit Einleitung und Anmerkungen von A. R. Burn, London, 1983.
6 „Satire of the Trades", Mittleres Reich. Der Schreiber will hier seine jungen Leser davon abhalten, Friseur zu werden.
7 Rezepte aus „Ebers Medical Papyrus" aus der 18. Dynastie.
8 Aus den Anleitungen von König Amenemhet I. für seinen Sohn Sesostris I.; Gesamtübersetzung (englisch) siehe Lichtheim, M., 1975. *Ancient Egyptian Literature* 135–39.
9 Petrie, W. M. F., 1931. *Seventy Years in Archaeology* 232–33.
10 Auszug aus Tyldesley, J., 2004. *Tales from Ancient Egypt* 99.
11 Anleitung für Schulkinder, verfasst von Ptahhotep (Altes Reich). Vollständige Übersetzung (englisch) Lichtheim, M., 1973. *Ancient Egyptian Literature*. Berkeley: 61–80.
12 After Peden, A. J., 1994. *Egyptian Historical Documents of the 20th Dynasty* 245–57. Jonsered: Astrom.
13 Davies, W. V., 1984. *The Statuette of Queen Tetisheri: A Reconsideration*. British Museum Occasional Papers 36.
14 Privatkorrespondenz, zitiert in Winlock, H. E., 1924. „Tombs of the Kings of the Seventeenth Dynasty at Thebes", *Journal of Egyptian Archaeology* 10: 217–77: 253.
15 Aus der Geschichte von Horus und Seth, *Papyrus Chester Beatty I.*, Übersetzung (englisch) nach Lichtheim, M., 1976. *Ancient Egyptian Literature II: The New Kingdom*. Berkeley: 216.
16 Aus dem Grab von Ineni (TT 81).
17 Naville, E., 1896. *The Temple of Deir el-Bahari, Vol. 2*. London: 17.
18 Gardiner, A., 1946. „The Great Speos Artemidos Inscription", *Journal of Egyptian Archaeology* 32: 43–56; 47–48.
19 Amarna Brief EA 26.
20 Smith, G. E., 1912. *The Royal Mummies*. Cairo: 38.
21 Der *Benben*-Stein war ein pyramidenförmiges Kultobjekt, assoziiert mit dem Sonnenkult.
22 Filer, J. M., 2002. „Anatomy of a Mummy", *Archaeology*. March/April 2002, 26–29.
23 Aus „Instruction Addressed to Kagemni", Altes Reich.
24 Übersetzung (englisch) nach H. G. Guterbock, zitiert in Schulman, A. R., 1978. „Ankhesenamen, Nofretity and the Amka Affair", *Journal of the American Research Center in Egypt*. 15: 43–48.
25 Kitchen, K. A., 1996. *Ramesside Inscriptions Translated and Annotated, Vol. 2: Ramesses II, Royal Inscriptions*. Oxford: 99–110.
26 Inschrift in Sethos' Tempel in Abydos. Gesamtübersetzung (engl.) und Besprechung siehe Murnane, W. J., 1977. *Ancient Egyptian Coregencies*. Chicago: 58.
27 Nähere Details über die Briefe der königlichen Familie an Hatti siehe Edel, E., 1994. *Die ägyptisch-hethitische Korrespondenz aus Boghazköi I–III*. Opladen.
28 Thomas, E., 1977. „Cairo Ostracon J.72460", *Studies in Ancient Oriental Civilization* 39: 209–16.
29 *Papyrus Salt 124*; zitiert in Tyldesley, J. A., 2001. *Egypt's Golden Empire*. London: 252.
30 Vorgeschlagen in Dodson, A. & Hilton, D., 2004. *The Complete Royal Families of Ancient Egypt*. London & New York: 191.
31 Dies brachte Dodson & Hilton zu der Annahme, dass die Statue ursprünglich für Sethos II. graviert und dann von Amenmesse usurpiert wurde, der den Königsnamen ändern ließ, sich aber nicht um die Königsmutter kümmerte, dann wieder für Sethos II. reklamiert: Dodson, A. & Hilton, D., 2004. *The Complete Royal Families of Ancient Egypt*. London & New York: 180.
32 Smith, G. E., 1912. *The Royal Mummies*. Cairo: 82.
33 Übersetzung (engl.) nach Goedicke, H., 1963. „Was magic used in the harem conspiracy against Ramesses III?", *Journal of Egyptian Archaeology* 49: 71–92.
34 Anleitung für Schulkinder von Ptahhotep (Altes Reich), Ani (Neues Reich) und Ankscheschonk (Spätzeit). Vollständige Übersetzung (engl.) aller drei Texte in Lichtheim, M., 1973–80. *Ancient Egyptian Literature* 3 Vols. Berkeley.
35 Smith, G. E., 1912. *The Royal Mummies*. Cairo: 100–01.
36 Tyldesley, J. A., 2004. *Tales from Ancient Egypt*. Bolton: 156.
37 I. Buch der Könige 11:3.
38 Übersetzung (engl.) nach Mysliwiec, K., 2000. *The Twilight of Egypt*. New York: 113–14.
39 Details des Todes von Nitokris auf einer Stele, heute im Ägyptischen Museum, Kairo.
40 Herodot, *Histories* Buch II: 181. Übersetzung (engl.) A. de Selincourt, überarbeitet, mit Einleitung und Anmerkungen von A. R. Burn, 1983.
41 Cassius Dio, *Roman History*. Übersetzung (engl.) Earnest Cary, basierend auf der Version von Herbert Baldwin Foster, Cambridge, Mass., 1968.
42 Plutarch, *Life of Antony*, Kap. 27.

Anmerkung:
Alle Zitate wurden den englischen (Original-)Ausgaben entnommen und von der Übersetzerin des Buches ins Deutsche übertragen.

AUSGEWÄHLTE BIBLIOGRAPHIE UND DANKSAGUNGEN

Ich habe versucht, alle wichtigen Quellen hier anzuführen, doch diese Bibliographie sollte dennoch nur als Ausgangspunkt gesehen werden. Alle genannten Werke enthalten selbst ausführlichere Bibliographien, die ich den Leserinnen und Lesern ans Herz legen möchte.

Die angeführten Bücher sind eine Mischung aus alt und neu. Die älteren Publikationen sind in erster Linie Grabungsberichte und Zusammenfassungen. Sie sind wichtig, manchmal bahnbrechend und oft bezaubernd zu lesen, doch sie enthalten auch viele Fehler und Mutmaßungen ihrer Zeit. Die neueren Publikationen enthalten die neuesten Erkenntnisse und Analysen sowie ausführliche Bibliographien.

Aldred, C., 1974. *Akhenaten and Nefertiti*. London: Thames & Hudson

Aldred, C., 1980. *Egyptian Art*. London & New York: Thames & Hudson

Aldred, C., 1988. *Echnaton, Gott und Pharao Ägyptens*. Hersching: Pawlak-Verlag

Allen, J. P., 1994. „Nefertiti and Smenkh-ka-re", *Göttinger Miszellen* 141: 7–17

Arnold, D., 1979. *The Temple of Mentuhotep at Deir el-Bahari*. New York: Metropolitan Museum of Art

Arnold, D., 1996. *The Royal Women of Amarna: Images of Beauty from Ancient Egypt*. New York: Metropolitan Museum of Art

Arnold, D. & Ziegler, C. (Hrsg.), 1999. *Egyptian Art in the Age of the Pyramids*. New York: Metropolitan Museum of Art

Ashton, S.-A., 2003. *The Last Queens of Egypt*. London & New York: Longman

Baines, J. & Malek, J., 2000. *Bildatlas der Weltkulturen, Ägypten*. Augsburg: Bechtermünz-Verlag

Bianchi, R. S., 1992. *In the Tomb of Nefertari: Conservation of the Wall Paintings, 43–45*. Santa Monica: J. Paul Getty Museum Publications

Bryan, B. M.,1997 (A. K. Capel & G. E. Markoe Hrsg.). *Mistress of the House, Mistress of Heaven: Women in Ancient Egypt*. New York: Hudson Hills Press

De Buck, A., 1937. „The Judicial Papyrus of Turin", *Journal of Egyptian Archaeology* 23: 2: 152–64

Christophe, L. A.,1965. „Les temples d'Abou Simbel et la famille de Rameses II", *Bulletin de l'Institut d'Egypte* 38: 118

Clayton, P. A., 1998. *Die Pharaonen. Herrscher und Dynastien im alten Ägypten*. Berlin: Econ

Corzo, M. A. & Afshar, M. (eds), 1993. *Art and Eternity: The Nefertari Wall Paintings Conservation Project 1986–92*. Los Angeles: Getty Conservation Institute

Corzo, M. A. (ed.), 1987. *Wall Paintings of the Tomb of Nefertari: Scientific Studies for their Conservation, 54–57*. Gemeinschaftsproduktion der Egyptian Antiquities Organization und des Getty Conservation Institute

Cruz-Uribe, E., 1977. „On the wife of Merenptah", *Göttinger Miszellen* 24: 23–29

Davies, N. de G., 1905. *The Rock Tombs of el-Amarna*. London: Egypt Exploration Society

Davies, W. V., 1984. „The statuette of Queen Tetisheri: a reconsideration", *British Museum Occasional Papers* 36

Davis, T. M. *et al.*, 1910. *The Tomb of Queen Tiyi* (reprinted 2001, London: Duckworth)

Desroches Noblecourt, C., 1963. *Tutankhamen: Life and Death of a Pharaoh*. London: Michael Joseph

Desroches Noblecourt, C., 1985. *The Great Pharaoh Ramesses II and his Time*, translated by E. Mialon. Montreal: Ville de Montreal.

Desroches Noblecourt, C., 1991. „Abou Simbel, Ramses, et les dames de la couronne", in Bleiberg und R. Freed (Hrsg.), *Fragments of a Shattered Visage: the Proceedings of the International Symposium on Ramesses the Great, 127–48*. Memphis: Memphis State University

Desroches Noblecourt, C. & Kuentz, C., 1968. *Le Petit Temple d'Abou Simbel: „Nofretari pour qui se leve le Dieu-Soleil"*, 2 Bände. Kairo: CDEAE

Diodorus Siculus. *Bibliotheca Historica* (Übersetzung C. Th. Fischer), 1933–67. Wiesbaden: Teubner

Dodson, A. M., 1997/8. „The so-called Tomb of Osiris at Abydos", *KMT* 8: 4, 37–47

Dodson, A. M. & Hilton, D., 2004. *The Complete Royal Families of Ancient Egypt*. London & New York: Thames & Hudson

Dorman, P. F., 1991. *The Tombs of Senenmut*. New York: Metropolitan Museum of Art

Emery, W. B., 1964. *Ägypten*. Leipzig: Goldmann

Ertman, E. L., 1992. „Is there visual evidence for a ‚king' Nefertiti?", *Amarna Letters* 2: 50–55

Fay, B., 1998. „Royal women as represented in sculpture", in N. Grimal (Hrsg.), *Les Critères de Datation Stylistiques à l'Ancien Empire*, 159–69. Kairo: IFAO

Freed, R. E., 1987. *Ramesses the Great: His Life and World*. Memphis: St Lukes Press

Freed, R. E. *et al.*, 1999. *Pharaohs of the Sun: Akhenaten, Nefertiti, Tutankhamen*. London: Thames & Hudson; Boston: Bulfinch Press

Gardiner, A. H., 1984. *Geschichte des alten Ägypten*. Stuttgart: Alfred Kröner

Gitton, M., 1975. *L'épouse du Dieu Ahmes Néfertary*. Paris: Belles Lettres (Annales Littéraires de l'Université de Besançon)

Goedicke, H., 1963. „Was magic used in the harem conspiracy against Ramesses III?", *Journal of Egyptian Archaeology*, 49: 71–92

Grajetzki, W., 2005. *Ancient Egyptian Queens: a Hieroglyphic Dictionary*.

London: Golden House Publications
Grandet, P., 1993. *Ramses III: Histoire d'un Règne*. Paris: Pygmalion
Green, L., 1992. „Queen as goddess: the religious role of royal women in the late-eighteenth dynasty", *Amarna Letters* I: 28–41
Habachi, L., 1969. „La Reine Touy, femme de Sethi I, et ses proches parents inconnus", *Revue d'Egyptologie* 21: 27–47
Hari, R., 1965. *Horemheb et la Reine Moutnedjemet*. Geneva: Imprimerie la Sirène
Hari, R., 1976. „La reine d'Horemheb était-elle la sœur de Nefertiti?", *Chronique d'Egypte* 51: 39–46
Hari, R., 1979. „Mout-Nofretari épouse de Ramses II: une descendent de l'heretique Ai?", *Aegyptus* 59: 3–7
Harris, J. R., 1973a. „Nefernefruaten", *Göttinger Miszellen* 4: 15–17
Harris, J. R., 1973b. „Nefertiti Rediviva", *Acta Orientalia* 35: 5–13
Harris, J. R., 1974. „Nefernefruaten Regnans", *Acta Orientalia* 36: 11–21
Harris, J. E. *et al.*, 1978. „Mummy of the ‚Elder Lady' in the tomb of Amunhotep II", *Science* 200: 9: 1149–51
Hawass, Z., 2006. *The Royal Tombs of Egypt: the Art of Thebes Revealed*. London & New York: Thames & Hudson
Herodot, *Historien*, Griechisch/Deutsch, Übersetzung Kai Brodersen, 2007. Ditzingen: Reclam
Hoffman, M., 1980. *Egypt Before the Pharaohs*. London: Routledge
Ikram, S. & Dodson, A., 1998. *The Mummy in Ancient Egypt*. London & New York: Thames & Hudson
James, T. G. H. (ed.), 2000. *Tutankhamun: The Eternal Splendour of the Boy Pharaoh*. London: I. B. Tauris
Janssen, J. J., 1988. „Marriage problems and public reactions", in J. Baines *et al.* (Hrsg.), *Pyramid Studies and Other Essays Presented to I. E. S. Edwards*, 134–37. London: Egypt Exploration Society
Janssen, J. J., 1963. „La Reine Nefertari et la succession de Rameses II par Merenptah", *Chronique d'Egypte* 38: 75: 30–36
Kemp, B. J., 1967. „The Egyptian 1st Dynasty royal cemetery", *Antiquity* 41: 22–32
Kemp, B. J., 2005. *Ancient Egypt: Anatomy of a Civilization*. 2. Ausg. London: Routledge
El-Khouly, A. & Martin, G. T., 1984. *Excavations in the Royal Necropolis at El-Amarna*. Kairo: IFAO (L'Institut Français d'Archéologie Orientale)
Kitchen, K. A., 1983. *Pharaoh Triumphant: the Life and Times of Ramesses II*. Warminster: Aris & Phillips
Kitchen, K. A., 1996. *The Third Intermediate Period in Egypt (1100–650 BC)*. 3rd ed. Warminster: Aris & Phillips
Kitchen, K. A. & Gaballa, G. A., 1968. „Ramesside Varia", *Chronique d'Egypte* 43: 251–70
Kozloff, A. P. & Bryan, B. M., 1992. *Egypt's Dazzling Sun: Amenhotep III and his World*. Cleveland: Cleveland Museum of Art
Labrousse, A., 1999. *Les Pyramides des Reines: une Nouvelle Nécropole à Saqqara*. Paris: Hazan
Lauer, J.-P., 1976. *Saqqara: the Royal Cemetery of Memphis. Excavations and Discoveries since 1850*. London & New York: Thames & Hudson
Leblanc, C., 1986. „Henout-Taouy et la tombe no. 73 de la Vallee des Reines", *Bulletin de l'Institut Français d'Archéologie Orientale* 86: 203–26
Leblanc, C., 1988. „L'identification de la tombe de Honout-mi-Re, fille de Ramses II et Grande Épouse royale", *Bulletin de l'Institut Français d'Archéologie Orientale* 88: 131–46
Leblanc, C., 1993. „Isis-Nofret, Grande Épouse de Ramses II, la reine, sa famille", *Bulletin de l'Institut Français d'Archéologie Orientale* 93: 313–33
Lehner, M., 1985. *The Pyramid Tomb of Hetepheres and the Satellite Pyramid of Khufu*. Mainz: von Zabern
Lehner, M., 2002. *Das Geheimnis der Pyramiden in Ägypten*. München: Orbis.
Lichtheim, M., 1973–80. *Ancient Egyptian Literature*, 3 Bände. Berkeley: University of California Press
Lilyquist, C., 2003. *The Tomb of Three Foreign Wives of Tuthmosis III*. New York: Metropolitan Museum of Art
Loeben, C. E., 1986. „Eine Bestattung der großen Königlichen Gemahlin Nofretete in Amarna", *Mitteilungen des Deutschen Archäologischen Instituts Abteilung Kairo* 42: 99–107
Luban, M., 1999. *Do We Have The Mummy of Nefertiti?* www.geocities.com/scribelist/do_we_have.htm
Manniche, L., 1988. *Liebe und Sexualität im alten Ägypten*. Düsseldorf: Artemis & Winkler
Martin, G. T., 1905. *The Royal Tomb at el-Amarna I: the Objects*. London: Egypt Exploration Society
Mertz, B., 1978. *Red Land, Black Land: Daily Life in Ancient Egypt*. New York: Dodd, Mead & Co.
Moran, W. L., 1992. *The Amarna Letters*. Baltimore & London: Johns Hopkins University Press
Mysliwiec, K., 2000. *The Twilight of Ancient Egypt: First Millennium BCE*. New York: Cornell University Press
Naville, E., 1895–1908. *The Temple of Deir el-Bahari*, 7 Vols. London: Egypt Exploration Society
O'Connor, D. & Silverman, D. (Hrsg.), 1995. *Ancient Egyptian Kingship*. Leiden: Brill
Partridge, R. B., 1994. *Faces of Pharaohs: Royal Mummies and Coffins from Ancient Thebes*. London: Rubicon
Peden, A. J., 1994. *Egyptian Historical Documents of the 20th Dynasty* 245–57. Jonsered: Astrom
Petrie, W. M. F., 1900. *The Royal Tombs of the First Dynasty I*. London: Egypt Exploration Society
Petrie, W. M. F., 1901. *The Royal Tombs of the First Dynasty II*. London: Egypt Exploration Society
Piacentini, P., 1990. *L'autobiografia di Uni, principe e governatore*

dell'alto Egitto. Pisa: Giardini Editori e Stampatori

Ratie, S., 1979. *La Reine Hatchepsout: Sources et Problèmes*. Leiden: Brill

Ray, J., 1975. „The parentage of Tutankhamun", *Antiquity* 49: 45–47

Redford, D. B., 1968. *History and Chronology of the Eighteenth Dynasty: Seven Studies*. Toronto: University of Toronto Press

Redford, D. B., 1984. *Akhenaten: the Heretic King*. Princeton: Princeton University Press

Redford, D. B. (ed.), 2000. *The Oxford Encyclopedia of Ancient Egypt*. Oxford & New York: Oxford University Press

Redford, S., 2002. *The Harem Conspiracy: the Murder of Ramesses III*. Illinois: Northern Illinois University Press

Reeves, C. N., 1988. „New light on Kiya from texts in the British Museum", *Journal of Egyptian Archaeology* 74: 91–101

Reeves, C. N., 1993. *Das Grab des Tutenchamun*. Nürnberg: Tessloff

Reeves, C. N., 2001. *Faszination Ägypten*. München: Frederking & Thaler

Reeves, C. N., 2002. *Echnaton. Ägyptens falscher Prophet*. Mainz: Zabern

Reeves, C. N., & Wilkinson, R. H., 1967. *Das Tal der Könige. Geheimnisvolles Totenreich der Pharaonen*. Berlin: Econ

Reisner, G. A. & Smith, W. S., 1955. *A History of the Giza Necropolis II: the Tomb of Hetepheres the Mother of Cheops*. Cambridge MA: Harvard University Press

Reisner, G. A., 1927. „Hetepheres, mother of Cheops", *Boston Museum Bulletin*, Anhang zu Band 30

Roberts, A.,1995. *Hathor Rising: the Serpent Power of Ancient Egypt*. Totnes: Northgate Publishers

Robins, G., 1983. „A critical examination of the theory that the right to the throne of Egypt passed through the female line in the 18th Dynasty", *Göttinger Miszellen* 62: 68–69

Robins, G., 1984. „Isis, Nephthys, Selket and Neith represented on the sarcophagus of Tutankhamun and in four free-standing statues found in KV 62", *Göttinger Miszellen* 72: 21–25

Robins, G., 2000. *Frauenleben im alten Ägypten*. München: C. H. Beck

Samson, J., 1987. *Nefertiti and Cleopatra: Queen-Monarchs of Ancient Egypt*. London: Rubicon

Schaden, O. J., 1992. „The God's Father Ay", *Amarna Letters* 2: 92–115

Schulman, A. R., 1978. „Ankhesenamun, Nofretity and the Amka Affair", *Journal of the American Research Center in Egypt* 15: 43–48

Smith, G. E., 1912. *The Royal Mummies* (reprinted 2000, London: Duckworth)

Smith, W. S., revised by W. K. Simpson 1999. *The Art and Architecture of Ancient Egypt*. London & New Haven, CT: Yale University Press

Snape, S. R., 1985. „Ramose restored: a royal prince and his mortuary cult", *Journal of Egyptian Archaeology* 71: 180–83

Sourouzian, H., 1989. *Les Monuments de Roi Merenptah*. Mainz: von Zabern

Sourouzian, H., 1983. „Henout-mi-Re, fille de Rameses II et grande épouse de roi", *Annales du Service des Antiquités d'Egypte* 69: 365–71

Trigger, B. G. *et al.*, 1983. *Ancient Egypt: a Social History*. Cambridge: Cambridge University Press

Troy, L., 1979. „Ahhotep: a source evaluation", *Göttinger Miszellen* 35: 81–91

Troy, L., 1986. *Patterns of Queenship in Ancient Egyptian Myth and History*. Uppsala: Acta Universitatis Upsaliensis

Tyldesley, J. A., 2002. *Töchter der Isis. Die Frau im alten Ägypten*. München: Limes

Tyldesley, J. A., 2002. *Hatschepsut. Der weibliche Pharao*. München: Limes

Tyldesley, J. A., 2002. *Ägyptens Sonnenkönigin. Biographie der Nofretete*. München: Limes

Verner, M., 1985. *Abusir III: the Pyramid Complex of Khentkaus*. Prague: Academia

Verner, M., 1998. *Die Pyramiden*. Reinbeck: Rowohlt

Waddell, W. G., 1948. *Manetho*. Cambridge MA: Loeb Classical Library

Walker, S. & Ashton, S.-A. (Hrsg.), 2003. *Cleopatra Reassessed*. London: British Museum Press

Watterson, B., 1994. *Women in Ancient Egypt*. Stroud: Sutton Publishing; New York: Palgrave Macmillan

Weeks, K. R., 2001. *Im Tal der Könige. Die große illustrierte Geschichte. Von Grabkunst und Totenkult der ägyptischen Herrscher*. München: Federking & Thaler

Whitehorne, J., 1994. *Cleopatras*. London & New York: Routledge

Wilkinson, T. A. H., 1999. *Early Dynastic Egypt*, London: Routledge

Winlock, H. E., 1924. „Tombs of the Kings of the Seventeenth Dynasty at Thebes", *Journal of Egyptian Archaeology* 10: 217–77

Danksagungen

Mein Dank geht an Steven Snape, Richard H. Wilkinson für seine Informationen über den Fortschritt der Arbeiten am Tempel der Tausret, Aidan Dodson und Wolfram Grajetzki für ihre unschätzbare Hilfe und ihre kostbaren Ratschläge und Colin Ridler, Melissa Danny, Rowena Alsey, Celia Falconer und Sally Nicholls bei Thames & Hudson. Alle Hieroglyphen wurden mit VisualGlyph von Wolfram Grajetzki erstellt.

BILDNACHWEIS

Fett gedruckte Seitenzahlen beziehen sich auf Illustrationen. AD – Aidan Dodson; DH – Dyan Hilton; DT – Drazen Tomic; JL – Jürgen Liepe; PW – Philip Winton; RPL – Rutherford Photographic Library. **o** = oben, **m** = Mitte, **u** = unten, **l** = links, **r** = rechts

1 JL; **2** JL; **4o–u** Museum of Fine Arts, Boston; Ägyptisches Museum, Kairo; Ägyptisches Museum, Kairo; Andrea Jemolo; Eremitage, St. Petersburg; **6** Metropolitan Museum of Art, New York, Geschenk von Edward S. Harkness, 1926; **7** JL; **8** DT; **9** Foto RMN – R.G. Ojeda; **10** Werner Forman Archiv; **11** JL; **13o** Metropolitan Museum of Art, New York; **13u** School of Archaeology, Classics and Egyptology, University of Liverpool; **14** JL; **15** © The J. Paul Getty Trust [1992]. Alle Rechte vorbehalten. Foto Guillermo Aldana; **16** Foto RMN; **17o** British Museum, London; **17u** John G. Ross; **18** Metropolitan Museum of Art, New York; **19** Scala; **20** Will Schenk; **21** akg-images; **22** Foto RMN; **23** JL; **25** bpk/Ägyptisches Museum und Papyrussammlung, Staatliche Museen zu Berlin. Foto Jürgen Liepe; **27o** Ägyptisches Museum, Kairo; **27u** After Emery 1961; **28o** DT; **28u** British Museum, London; **28u** School of Archaeology, Classics and Egyptology, University of Liverpool; **29l** Egyptian Exploration Society; **29r** JL; **30** AD; **31o** RPL; **31u** D.A.I., Kairo; **32** JL; **33o** AD; **33m** Aus Petrie 1900; **33u** DT; **35** AD; **37l–r** Ägyptisches Museum, Universität Leipzig; Museum of Fine Arts, Boston; Brooklyn Museum; **38o** Soprintendenza al Museo delle Antichità Egizie, Turin; **38u** Oriental Institute of the University of Chicago; **39m** PW; **39u** Foto Heidi Grassley © Thames & Hudson Ltd.; **40o** Ny Carlsberg Glyptotek, Kopenhagen; **40u** AD; **41** JL; **43o** Tips Images/Guido Alberto Rossi; **43ul&r** Museum of Fine Arts, Boston; **44o** John G. Ross; **44m** Ägyptisches Museum, Kairo; **44u** Werner Forman Archiv; **45** JL; **46o** Museum of Fine Arts, Boston; **46u** Foto RMN – Franck Raux; **47o** Aus Tyldesley 1994; **47u** Werner Forman Archiv; **48** Ägyptisches Museum, Universität Leipzig; **49o** Metropolitan Museum of Art, New York; **49u** JL; **50** Foto Heidi Grassley © Thames & Hudson Ltd.; **51** Museum of Fine Arts, Boston; **52o&u**, **53**, **55o** AD; **55u** Albert Shoucair; **56o** AD; **56u** John G. Ross; **58o** DH; **58u** Aus Piacentini 1990; **60** Brooklyn Museum; **61** AD; **62o** PW; **62u** DT; **65l–r** Ägyptisches Museum, Kairo; Foto RMN – Ch. Larrieu; Ägyptisches Museum, Kairo; Foto Heidi Grassley © Thames & Hudson Ltd; **66o** Michael Duigan; **66u** DH; **67** Ägyptisches Museum, Kairo; **68o** JL; **68u** & **69o** British Museum, London; **69u** bpk/Ägyptisches Museum und Papyrussammlung, Staatliche Museen zu Berlin; **71o** British Museum, London; **71u** Foto RMN – Ch. Larrieu; **72** JL; **73** AD; **74** PW; **75o** British Museum, London; **75u** Foto RMN – B. Hatala; **76o** JL; **76u** Metropolitan Museum of Art, New York, Rogers Fund & Gabe von Henry Walker, 1916; **77ol&r** JL; **77u** Albert Shoucair; **80** Foto RMN – Franck Raux; **81o** JL; **81u** Aus Elliot Smith 1901; **82** JL; **83ol** Foto Heidi Grassley © Thames & Hudson Ltd.; **83or&ml** Albert Shoucair; **83m,u&r**, **85** JL; **87l–r** Foto RMN; John G. Ross; John G. Ross; © The J. Paul Getty Trust [1992]. Alle Rechte vorbehalten. Foto Guillermo Aldana; **89** Foto RMN; **90** British Museum, London; **91o** JL; **91u** AD; **92** Royal Scottish Museum, Edinburgh; **93** Foto RMN – Franck Raux; **94** JL; **95** John G. Ross; **96** RPL; **97** Metropolitan Museum of Art, New York; **98** JL; **99o** DT; **99u** JL; **101** Foto Heidi Grassley © Thames & Hudson Ltd; **102l&b** Foto Heidi Grassley © Thames & Hudson Ltd.; **102r** PW; **103** Tips Images/Guido Alberto Rossi; **104** Metropolitan Museum of Art, New York, Rogers Fund; **105** RPL; **106** JL; **107o** Paul Nicholson; **107u** RPL; **108**, **110o** JL; **110u** AD; **111o&u** Werner Forman Archiv/Metropolitan Museum of Art, New York; **113** JL; **114o** DT; **114u** British Museum, London; **115o** John G. Ross; **115u** British Museum, London; **116o&u** Foto Heidi Grassley © Thames & Hudson Ltd.; **117o** Musée du Louvre, Paris; **117u** bpk/Ägyptisches Museum und Papyrussammlung, Staatliche Museen zu Berlin; **118** Archives Photographiques, Paris; **119** Metropolitan Museum of Art, New York, Geschenk von Edward S. Harkness; **120o** Musée du Louvre, Paris; **120u** Werner Forman Archiv; **121** JL; **122** British Museum, London; **123** Aus Elliot Smith 1901; **124** Foto RMN – R.G. Ojeda; **125o** John G. Ross; **125u** Ägyptisches Museum, Kairo; **126** Aus Tyldesley 2005; **127l** John G. Ross; **127r** Ägyptisches Museum, Kairo; **128–129** bpk/Ägyptisches Museum und Papyrussammlung, Staatliche Museen zu Berlin **130** Mit Erlaubnis der Egypt Exploration Society, animiert von Redvision. Entwurf Michael Mallinson; **131o** bpk/Ägyptisches Museum und Papyrussammlung, Staatliche Museen zu Berlin; **131u** Ägyptisches Museum, Kairo; **132o** Museum of Fine Arts, Boston; **132u** JL; **133** Ashmolean Museum, Oxford; **134o** From Aldred 1988; **134u** JL; **135o** Foto Stuart McIntyre; **135u** Aus Tyldesley 2005; **136o** Metropolitan Museum of Art, New York, Geschenk von Theodore M. David, 1907; **136u** bpk/Ägyptisches Museum und Papyrussammlung, Staatliche Museen zu Berlin; **137** John G. Ross; **138** Griffith Institute, Oxford; **139** Ägyptisches Museum, Kairo; **141o** Aus Tyldesley 2005; **141u** Soprintendenza al Museo delle Antichità Egizie, Turin; **142** © The J. Paul Getty Trust [1992]. Alle Rechte vorbehalten. Foto Guillermo Aldana; **143** Professor Kenneth Kitchen; **144** Scala; **145, 147** Jeremy Stafford-Deitsch; **148–149, 150, 151** Fotos Heidi Grassley © Thames & Hudson Ltd.; **152–153** © The J. Paul Getty Trust [1992]. Alle Rechte vorbehalten. Foto Guillermo Aldana; **154** Aidan Dodson; **155** DT; **156** Werner Forman Archiv; **157** Andrea Jemolo; **158** John G. Ross; **159o** DH; **159u, 161, 162** AD; **164l** Albert Shoucair; **164or** British Museum, London; **164ur** Aus Davis *Tomb of Sipthah* 1908; **165** Andrea Jemolo; **166o** DT; **166u** Aus Elliot Smith 1901; **167** DH; **168o** RPL; **168u** John G. Ross; **169** Foto Heidi Grassley © Thames & Hudson Ltd.; **170** Aus Elliot Smith 1901; **173l–r** British Museum, London; JL; AD; **175** Aus Elliot Smith 1901; **176–177** British Museum, London; **177b** Werner Forman Archiv; **178o&u** Aus Elliot Smith 1901; **180o** Ian Bott; **180u** Will Schenck; **181o** Werner Forman Archiv; **181u** Foto RMN – Franck Raux; **182o** Aus Elliot Smith 1901; **182u** JL; **184l** British Museum, London; **184r** Foto RMN – Franck Raux; **185o** RPL; **185u** bpk/Ägyptisches Museum und Papyrussammlung, Staatliche Museen zu Berlin; **186** British Museum, London; **187** AD; **189l–r** Metropolitan Museum of Art, New York, Geschenk von Abby Aldrich Rockefeller, 1938; Griechisch-römisches Museum, Alexandria; bpk/Ägyptisches Museum und Papyrussammlung, Staatliche Museen zu Berlin; **190** Lehnert & Landrock, Kairo; **191, 192o** British Museum, London; **192u** Metropolitan Museum of Art, New York, Geschenk von Abby Aldrich Rockefeller, 1938; **193o** Stephane Compoint; **193u** Werner Forman Archiv/ Griechisch-römisches Museum, Alexandria; **195** Griechisch-römisches Museum, Alexandria; **196** AD; **197** bpk/Ägyptisches Museum und Papyrussammlung, Staatliche Museen zu Berlin; **198, 199** AD; **200** Griechisch-römisches, Alexandria; **201** bpk/Ägyptisches Museum und Papyrussammlung, Staatliche Museen zu Berlin; **202o&u** British Museum, London; **203l** Foto Heidi Grassley © Thames & Hudson Ltd.; **203r** RPL; **204** Eremitage, St. Petersburg; **205** V&A Images; **207** Ägyptisches Museum, Kairo; **208ol&ul** akg-images; **208r** akg-images/Cameraphoto; **209o** akg-images; **209u** Bridgeman Art Library, London; **210–211** Foto Heidi Grassley © Thames & Hudson Ltd.

Register

Seitenzahlen in *Kursivschrift* beziehen sich auf Abbildungen

(g) Gott; (gn) Göttin; (k) König; (wk) weiblicher König; (kn) Königin